SCARLET

SCARLET

A. C. Gaughen

Traduit de l'anglais par
Sophie Beaume (CPRL)

Éditeur : François Doucet
Traduction : Sophie Beaume (CPRL)
Révision linguistique : Féminin pluriel
Correction d'épreuves : Nancy Coulombe, Féminin pluriel
Montage de la couverture : Matthieu Fortin
Design de la couverture : © Sinem Erka
Illustration de la couverture : © 2012 Mélanie Delon
Mise en pages : Sébastien Michaud
ISBN papier 978-2-89767-247-8
ISBN PDF numérique 978-2-89767-248-5
ISBN ePub 978-2-89767-249-2
Première impression : 2016
Dépôt légal : 2016
Bibliothèque et Archives nationales du Québec
Bibliothèque et Archives Canada

Éditions AdA Inc.
1385, boul. Lionel-Boulet
Varennes (Québec) J3X 1P7, Canada
Téléphone : 450 929-0296
Télécopieur : 450 929-0220
www.ada-inc.com
info@ada-inc.com

Diffusion
Canada : Éditions AdA Inc.
France : D.G. Diffusion
Z.I. des Bogues
31750 Escalquens — France
Téléphone : 05.61.00.09.99
Suisse : Transat — 23.42.77.40
Belgique : D.G. Diffusion — 05.61.00.09.99

Imprimé au Canada

Participation de la SODEC.
Nous reconnaissons l'aide financière du gouvernement du Canada par l'entremise du Fonds du livre du Canada (FLC)
pour nos activités d'édition.
Gouvernement du Québec — Programme de crédit d'impôt pour l'édition de livres — Gestion SODEC.

**Catalogage avant publication de Bibliothèque et Archives nationales du Québec et Bibliothèque
et Archives Canada**

Gaughen, A. C.

   [Scarlet. Français]
   Scarlet
   (Scarlet ; t. 1)
   Traduction de : Scarlet.
   Pour les jeunes de 13 ans et plus.
   ISBN 978-2-89767-247-8
   I. Beaume, Sophie, 1968- . II. Titre. III. Titre : Scarlet. Français.

PZ23.G38Sc 2016   j813'.6   C2016-940578-8

Ce livre est dédié à ma mère.
Tu m'as appris ce que c'est d'être forte —
et comment m'en sortir avec mes propres mots.
Je t'aime.

CHAPITRE 1

Personne ne sait vraiment qui je suis : je suis le secret de Rob, son informateur, son ombre dans les lieux obscurs. Personne ne me considère comme beaucoup plus qu'un gamin ridicule, juste bon pour le fouet. Vraiment, ils ne distinguent jamais rien de plus. Mais ça ne me gêne pas qu'on ne me remarque pas. Par exemple, lorsqu'on traverse une salle remplie d'hommes imposants ivres morts, ce n'est pas si mal d'être ignoré.

J'ouvris la porte de l'établissement de frère Tuck et fus giflé par son atmosphère. Il faisait trop chaud, ça puait l'homme et la bière. Je souris. C'était un lieu mal fréquenté, mais là, au moins, personne ne me dénoncerait en tant que voleur et menteur. Je me faufilai par la porte et croisai silencieusement Tuck, l'aubergiste, puis me dirigeai vers la salle qui servait de taverne. Elle regorgeait de corps, de rires, de brocs qui glissaient ici et là, et de filles se frayant un chemin à travers cette cohue à l'aide d'un sourire ou d'une gifle, selon les circonstances.

Je passai de la grande salle à une autre plus petite, que Tuck réserve à Rob. Elle est dotée de quelques passages secrets, et Malcolm, l'imposant Écossais qui sert l'alcool, nous informe s'il survient quelque chose, ce qui est commode, considérant le fait que, bien que je sois le plus amoral du groupe, je ne suis pas le seul à enfreindre la loi.

L'une des portes donnait sur la grande salle, tandis que celle de la plus petite, la nôtre, se trouvait au bout du couloir. Aussi pouvions-nous jeter un coup d'œil et voir qui arrivait. John était assis là, à l'extrémité du banc, en train de veiller au grain, comme il le fait toujours.

Rob me regarda, et, comme d'habitude, mon cœur fit un bond. Il a une manière de me regarder, moi en particulier, qui ne me plaît guère. J'aime me faufiler à droite et à gauche sans me faire remarquer, mais Rob, lui, me voit. Il me voyait même avant que je me rendisse compte qu'il me regardait.

— Scarlet, enfin.

C'était sa manière de m'accueillir.

— Rob, John, Much, grommelai-je.

Puis, je m'assis à côté du dernier des trois, d'une part, parce que cela signifiait que je pouvais me tenir caché dans le coin et, d'autre part, parce que Much ne regardait personne d'autre que Rob. À l'époque où il n'était qu'un gamin, Much avait été malchanceux, et comme il était du genre gentil, les gens lui offraient leur pitié comme des miettes à un chien. À 16 ans à peine, il était le plus jeune d'entre nous, ce qui n'aidait pas, mais en réalité, Rob, lui, savait ce dont Much était capable, et pour cette raison, Rob était son héros suprême, ce que je comprenais. Si j'étais du genre à avoir des héros, c'est lui que j'aurais tout de suite choisi. Âgé de 21 ans et ainsi le plus vieux d'entre nous, il était naturel que Rob soit notre chef, mais bien plus, il avait tendance à voir ce qu'il y avait de bon en chacun d'entre nous.

John me tendit alors une chope, et je pris une grande gorgée de bière.

— Quelles sont les nouvelles ? me demanda Rob.

Il gardait sa capuche, surtout parce que le shérif engageait tout le temps de nouveaux mercenaires, mais aussi un peu parce que les gens aimaient cela. Comme on l'appelait « Robin des Bois » — et que dans les bois il la portait, c'était bien le moins qu'il pouvait faire.

— Deux nouvelles. D'abord, Freddy Cooper s'est fait arrêter, lui répondis-je en les regardant tous.

Ce n'était pas une bonne nouvelle.

— Fred ? répéta Much. Mais ce n'est qu'un enfant.

— Il est assez vieux pour braconner pour sa famille, lui rappela alors Rob.

— C'est leur aîné, dit pour sa part John en croisant les bras. Rob, on aurait dû lui faire savoir clairement qu'il pouvait venir nous trouver.

— John, les fils aînés pensent qu'ils sont les mieux placés pour prendre soin de leur famille, lui répondit Rob en le regardant. Ils ne demandent pas d'aide. Tu le sais mieux que la plupart des gens.

— Mais, l'interrompis-je, ce n'était pas tout à fait pour du braconnage.

Ils me regardèrent tous.

— Mais alors, pour quoi ? me demanda Rob.

— Dame Cooper est allée voir le shérif aujourd'hui et lui a demandé plus de temps pour payer le cens. Il a refusé, puis il a enlevé Freddy et lui a dit que si elle ne pouvait point payer, il serait pendu.

Les compères me regardèrent, mais au lieu de les regarder moi aussi, j'enfonçai un ongle dans le bois de la table.

— Le shérif prend donc caution, maintenant ?

— Une caution ? demanda Much.

— Il fait des prises de corps pour dettes, lui répondit Rob en abaissant sa capuche et en se passant les mains dans les cheveux.

Puis, sous ses mains, il leva les yeux et me surprit en train de le regarder.

Ses sourcils se froncèrent, mais, de nouveau, je regardai la table en espérant qu'il faisait assez sombre pour cacher ces joues qui rougissaient sans que je leur demande.

— S'il se met en tête que c'est une bonne idée, moult enfants du Nottinghamshire pourraient être pendus, dit John.

— Ça ne devrait pas être le cas, à moins, bien sûr, que plus de gens ne lui laissent penser qu'ils ne peuvent payer, lui répondit Rob.

— Mais ils ne le peuvent point, dit alors Much.

— Ça, le shérif ne le sait guère. En outre, enlever des enfants sans raison provoquerait une émeute, ce qui n'est pas dans ses intentions. La peur est plus efficace. Cependant, cela signifie que si, le jour du cens, personne ne peut payer, le peuple de Nottinghamshire en ressentira le contrecoup de manière terrible.

Les compères devinrent silencieux tandis que nous considérions tous cette possibilité. La situation était déjà pénible ; on serait bien arrangé, si elle s'aggravait.

— Je vais le faire sortir, leur dis-je. Aujourd'hui, j'ai trouvé une nouvelle manière de m'infiltrer dans la prison.

— Quoi ?

— Quoi ?

— Quoi ? s'écrièrent-ils à l'unisson.

Je clignai des yeux. Franchement, ils m'avaient tous entendu, et je n'ai pas l'habitude de répéter.

— C'est ton idée, Rob, de l'envoyer à l'intérieur de la *prison* ? grogna John.

Eh oui, je suis une fille, et alors ? La plupart des gens ne remarquent pas ça chez moi. S'il y a des gens près de nous, les garçons m'appellent Will Scarlet. Quelques personnes savent que c'est simplement Scarlet, mais la plupart pensent que je suis un Will.

— John, ma première préoccupation quand il s'agit de Scar est sa sécurité, lui répondit Rob d'une voix si grave que cela me fit le regarder.

Un muscle de la mâchoire de John se contracta alors, mais il ne répondit point.

— Scarlet, que faisais-tu donc au château de Nottingham, et à l'intérieur de la prison qui plus est ? me demanda Rob.

Je pris l'un de mes poignards. Il était un peu émoussé, mais j'en avais fait aiguiser la lame. Avoir un couteau dans la main me permettait de me sentir un peu plus à l'aise avec tous ces regards braqués sur moi.

— Je m'ennuyais. Je suis allée jeter un coup d'œil.

— Scar, tu ne peux pas seulement…

— *Monseigneur*, ni toi ni petit John ne pouvez me dire où je peux et où je ne peux point aller.

À ce moment, Much se pencha vers l'avant, et je lui lançai un regard noir.

— Much, n'y pense même pas.

La bouche de John se durcit.

— Tu ne retourneras point à la prison sans moi.

— Tu ne peux te faufiler par mes entrées, John.

— Et toi, Scarlet, tu ne peux encaisser un coup de poing.

— Personne n'a pu m'attraper pour essayer.

— Mais une fois, tu as pris la pointe de quelque chose, me rappela-t-il en passant le pouce sur la fine balafre qui traverse ma pommette gauche.

La fureur apparut derrière mes yeux. Je saisis mon poignard, lui tordis le poignet et pressai la lame contre sa veine.

Lentement, il retira la main, sa bouche tordue en un petit sourire.

— Rob, j'irai chercher Freddy avec elle.

— Très bien, dit alors Rob, l'air renfrogné. Sors-le de là, et prends soin de Scar.

— Vraiment, crachai-je. Je peux prendre soin de moi-même, après tout.

— Et toi, Scar, prends soin de John. On prend soin les uns des autres, me rappela-t-il. C'est ce qu'on fait, dans une bande.

— Tu m'as fait chanter pour que j'en fasse partie, *tu te souviens*? lui répondis-je en fronçant les sourcils. Je ne fais partie d'aucune bande.

Chaque fois que je lui disais cela, on aurait dit que je venais de donner un coup de pied à son chaton.

— Je croyais que personne ne te faisait faire quoi que ce soit contre ton gré, répondit-il en croisant les bras.

— En effet, je choisis ce que je souhaite faire. J'ai tout simplement choisi de t'aider plutôt que d'aller en prison.

— Et c'est ce que tu choisis depuis ces deux dernières années.

— Oui, lui répondis-je, les dents serrées. Ce n'est pas comme si je ne pouvais partir quand je le veux.

La flamme de la bougie se réfléchit dans ses yeux bleus qui en renvoyèrent sa lumière vacillante comme s'ils étaient des mèches. Sa tête penchée vers l'avant et le bleu de ses yeux donnaient l'impression d'un contre-courant. Il esquissa un sourire canaille, mais je pris une profonde inspiration en essayant de ne rien remarquer.

— Dans ce cas, Scar, ce n'est pas du chantage, n'est-ce pas ?

À ces mots, ma bouche se durcit.

— On prend soin les uns des autres, répéta-t-il donc avant de regarder les autres. Much, va chez la mère de Freddy, et assure-toi qu'elle est calme. Je leur procurerai assez de nourriture pour un moment, poursuivit-il, puis il regarda au loin, dans la direction de la taverne. Toutefois, ça ne réglera pas le problème plus important. Dans un premier temps, il faudra aussi cacher les autres enfants Cooper.

— Toute la famille, dis-je.

— Et nous assurer que les autres familles peuvent payer, dit-il après avoir hoché la tête. Il ne nous reste qu'un mois avant le cens, et combien avons-nous accumulé ?

— Pour payer le cens de tous les villageois ? lui répondit Much en soupirant. Vraiment pas assez. De plus, ce que nous avons est déjà requis — le peuple a à peine assez de nourriture et d'argent pour survivre, et encore moins de quoi payer les taxes.

— C'est stupide de faire cela chaque fois, avançai-je pour ma part.

Ils me regardèrent comme si j'étais Satan.

— C'est vrai ! On se défonce pour garder tout le monde à flot, et ensuite le shérif se contente de nous enfoncer encore davantage.

— Mécontente de devoir travailler aussi dur, espèce de paresseuse de voleuse ? me dit John en levant les yeux au ciel.

— Ça ne nous mène à rien, lui répondis-je sèchement en lui lançant un regard noir.

— Elle a raison, intervint Rob. On sait qu'il en faut plus pour arrêter le shérif que seulement protéger les gens.

— Je ne vois pas pourquoi tu ne te rends pas tout simplement là-bas. Tu es le comte légitime. C'est ainsi que tu as grandi, et tout le monde pense toujours que tu es leur seigneur.

— Je l'étais, se souvint Rob. Mais maintenant, il me manque mon titre, de même que l'armée, pour le reprendre.

— Je pourrais le tuer, dis-je en haussant les épaules.

— Tu voudrais pouvoir le tuer, s'exclama alors John en renâclant.

Je lui donnai un coup de pied dans le tibia, et il grogna.

— Le fait de le tuer ne restaurerait pas mon titre, pas après que le prince John a fait de mon père un traître — après sa mort, pendant que j'étais incapable de défendre son nom, dit-il, les poings serrés comme la corde d'un arc.

Puis, il remua la tête.

— Le prince John m'a retiré ce titre et l'a *donné* au shérif, poursuivit-il, alors, à moins que le prince ne change d'idée, tuer le shérif aura pour seule conséquence d'en faire surgir un autre. Quoi qu'il en soit, il faut accorder au peuple une forme ou une autre de sursis. Ils ne peuvent supporter une telle oppression.

— Le shérif s'appuie sur l'argent, ses gardes et sa méchanceté, dis-je.

— De l'argent qu'il impose de nouveau, rappela Much.

— Et des gardes qu'il paye avec cet argent, ajouta John.

— Un problème parfait, conclut Rob avant de soupirer, et dont on ne peut s'occuper pour le moment. Il faut nous concentrer sur le fait de procurer au peuple assez d'argent pour survivre au cens — et assez de viande pour survivre jusqu'au lendemain.

Rob hocha la tête et se leva.

— Pas si vite, dis-je en fronçant les sourcils, ce n'est pas ma seule information. Il y a autre chose, et ce n'est rien de bon.

— De quoi s'agit-il ?

— Nottingham fait venir un chasseur de brigands. De Londres. Je n'ai pas saisi son nom, mais je l'obtiendrai.

John nous regarda.

— Pourquoi devrions-nous nous inquiéter de quelque mercenaire qui capture les brigands ?

— John, dit Much en se tournant vers lui, on pourrait facilement tous être jugés et pendus pour brigandage. On vole.

— Tu en connais un, de ces chasseurs de brigands ? me demanda Rob.

Je hochai la tête. À Londres, un brigand apprend vite qui éviter.

— Vous ne risquez rien, à moins qu'il s'agisse de Wild, ou d'un ou deux autres.

Gisbourne, par exemple. Encore que, si c'est lui, c'est moi qui aurai de graves problèmes.

— À quel point nous gênera-t-il ? me demanda Rob.

— Assez. Et pendant qu'on sera occupés à protéger les gens et à trouver de l'argent, ce ne sera pas son cas. Il cherchera à toucher sa prime et à s'en aller, ce qui signifie ta tête — ou toutes nos têtes — au bout d'un piquet.

— On ne peut nous attraper, dit alors John en s'adossant avec un sourire ironique.

— Ne sois pas stupide, lui dis-je sèchement en lui donnant un coup.

Son regard se durcit, et je poussai un petit cri quand il me pinça.

— Ça suffit, intervint Rob en regardant John durement. Scar, reste à l'écoute, me dit-il tout en essayant de nouveau de se lever. Ai-je votre permission, milady ?

— Ne m'appelle pas comme ça.

— Même une voleuse a droit à un peu de respect, me dit-il en me faisant un de ces sourires héroïques et chaleureux qui me font rougir, et je cachai mon visage sous mon feutre. John, assure-toi qu'elle mange quelque chose. Moi, je dois aller à la chasse.

Il quitta la salle, et, après nous avoir regardés, John et moi, Much le suivit.

— Je n'ai pas faim ! dis-je à Rob qui me tournait le dos. Et je ne suis pas non plus une gamine dont on a besoin de s'occuper.

John, en glissant sur le banc, se rapprocha de moi avec un sourire qui voulait dire qu'il écouterait Rob et non pas moi.

— Alors, quand forcerons-nous l'entrée de la prison ? me demanda John.

— À minuit. C'est le changement de la garde, et, dans cette foule, tu te feras certainement moins remarquer.

— Donc, tu penses que j'ai l'air d'un garde ? Je vais prendre ça comme un compliment, ajouta-t-il en prenant une gorgée de sa bière, les yeux brillants au-dessus du bord de la chope.

— Grossier et stupide? lui dis-je en jetant un regard sur lui. Oui, tu as tout à fait l'air d'un garde.

— Jamais rien de gentil à dire, Scarlet, me dit-il alors, le regard plus froid.

— C'est seulement parce que tu penses que je ne peux pas y aller seule. Tu n'as aucune idée de ce que je peux faire. Je suis plus rapide que l'éclair.

— Je sais que tu peux tenir ton bout. Le problème, ce sont les autres.

— John, je ne suis pas en verre. Si je reçois un coup, je ne tombe pas en miettes.

— Écoute-moi bien, Scarlet. Aussi longtemps que je serai ici, si quelqu'un veut te faire du mal et que je peux l'en empêcher, je le ferai.

Je jetai de nouveau un coup d'œil dans sa direction. Il me regardait de cette manière que je déteste, comme si, en m'observant assez longtemps, il distinguerait tout ce que je suis.

— Je vais aller lancer quelques couteaux.

— Non, non, non, dit Tuck en arrivant dans l'embrasure de la porte et en bloquant ma sortie, une écuelle pleine à la main. Robin a dit que tu devais manger.

— Dégage, lui dis-je sèchement.

— Scarlet, me dit-il d'un air renfrogné, tu ne refuserais pas ma nourriture, n'est-ce pas? Tu ne pousserais pas un vieillard à boire?

— Tu es déjà un ivrogne, et un très mauvais cuisinier.

— Bon, c'est tout simplement méchant, ça. Assieds-toi et mange. Et moi, je boirai une chope en te regardant.

À ces mots, il sourit, et ses joues réfléchirent la lumière et rougirent d'une manière enjouée. Il me ramena jusqu'à la table, puis John se rapprocha davantage de manière à me mettre en cage. Tuck posa alors devant moi une gamelle remplie de ragoût de venaison.

Je savais que plus je mangerais, moins ils me regarderaient, alors j'avalai tout rond quelques bouchées jusqu'au moment où ils se mirent à bavarder. Ce fut ce moment que je choisis pour glisser sous la table et me faufiler par l'autre porte avant qu'ils puissent m'attraper.

Ce n'est pas comme si je ne mangeais pas, je mange. C'est juste que je n'aime pas la charité ni qu'ils pensent pouvoir se mêler de mes affaires. Rob voudrait qu'on soit comme une famille, mais moi, non. Je veux garder mes distances le plus possible.

De toute manière, j'avais des courses à faire. J'avais réussi à prendre quelques miches de pain au boulanger du shérif et quelques vêtements de la corde à linge de la lavandière du donjon. Ce n'est pas comme si ça pouvait me servir. L'auberge du frère Tuck était située à Edwinstowe, le village le plus proche de notre camp en forêt, et comme les gens des environs étaient ceux qu'on connaissait le mieux, je savais qui avait besoin de quoi. Les chaumières étaient si rapprochées les unes des autres, comme un groupe d'enfants, que ça leur donnait toujours un air faible et vulnérable, comme si on pouvait les écraser. Devant les portes, je laissai de petits paquets que les gens cherchaient le matin, et je savais que, d'une certaine manière, ça leur redonnait courage.

Je faisais de mon mieux, mais je ne pouvais pas donner quelque chose à chacun d'entre eux tous les soirs. C'était bien ce qui me semblait le plus cruel. Aussi essayais-je de ne pas penser aux gens qui se réveillaient et se précipitaient à la porte pour ne rien trouver. Ça me brisait le cœur.

CHAPITRE 2

Un peu avant minuit, je retournai à l'auberge y retrouver John. Edwinstowe était au nord de Nottingham, et nous avions du chemin à faire pour atteindre le Castel du Roc. John n'était pas encore là, mais je n'entrai pas, me contentant de m'appuyer contre un arbre sans me faire remarquer.

Il sortit de l'auberge en compagnie de Bess, l'une des plus jolies jouvencelles, et l'une des mieux faites aussi, qui travaillaient chez Tuck. Il souriait, et il la laissa le pousser contre le mur et plaquer sa bouche contre la sienne. En dépit de tout le bruit de la forêt, je pouvais entendre leur long et intense baiser dans tous ses détails. Puis, elle passa ses doigts dans ses cheveux, et il rit.

— Je dois y aller, maintenant, mon amour, lui dit-il en s'écartant d'elle. Pourquoi ne me faufilerais-je pas dans ta chambre, par la fenêtre, un peu plus tard ?

— Je te laisserai le signal habituel, répondit-elle.

— Alors, va-t'en maintenant, dit-il en la renvoyant vers l'auberge.

Tandis qu'elle refermait la porte avec un petit rire, je sortis des arbres, sans rien dire, et il se contenta de faire un signe de tête dans ma direction avec un petit sourire en s'écartant du mur.

— Aucune remarque à faire? me demanda-t-il une fois que l'auberge ne fut plus à portée de vue.

La route était rude sous mes chausses et, sans lanterne, la lune, masquée par les nuages, était la seule source de lumière. Elle luisait doucement de sa lueur argentée sur le chemin. C'était comme si le chemin sur lequel nous marchions chaque jour avait disparu, et que nous nous dirigions vers un lieu étrange et féerique plutôt que vers le donjon du shérif. Je pouvais à peine distinguer John.

— Je suppose que tu veux que je te dise que c'est une vraie garce. Ou c'est toi le salaud? En réalité, chaque fois que tu passes par sa fenêtre, tu lui laisses croire qu'elle ne vaut pas mieux, alors que Bess est une bonne fille.

— Tu as dû en connaître de toutes sortes, à Londres.

Je ne répondis pas. Pour ce qui de Londres, je me la ferme. De toute manière, il ne m'avait pas répondu pour Bess.

— Tu t'es bien vite sauvée de chez Tuck.

— C'est ma réaction quand on me dit quoi faire, lui répondis-je en lui lançant un regard noir.

— Alors, comment entrera-t-on au château?

— Belle nuit pour un peu d'escalade, lui répondis-je en levant la tête.

— Oh, Scar, gémit-il alors, je déteste l'escalade, et tu le sais. En plus, ce n'est pas une bonne nuit pour ça. Tu le fais exprès.

À ça non plus je ne répondis point. J'accélérai le pas.

⁓

On appelle le château de Nottingham le «Castel du Roc» pour une bonne raison : il fut bâti au sommet d'un rocher.

D'un côté, il n'y a que de la pierre et, de l'autre, se trouve une série d'enceintes lourdement fortifiées. La plupart des gens penseraient que c'est la voie à emprunter, mais quand je vois des rochers, je ne peux m'empêcher de les escalader. De plus, ces rochers sont en fait les fortifications, et non les murs qui se trouvent au sommet. En effet, une armée pourrait-elle les escalader? De plus, les châteaux sont bâtis pour repousser une armée, pas les brigands.

Autrefois, c'était là que Rob habitait, avant la Croisade — et avant que le shérif, avec l'assentiment du prince John, ne s'approprie le donjon. Après sa mort, ils ont fait du père de Rob un traître et ont déclaré qu'il perdait ses terres au bénéfice de la Couronne anglaise. En réalité, ce n'était pas un traître, mais il y avait ces terres, et il n'y avait pas de Rob pour les défendre. C'est pourquoi la Couronne s'est approprié ce qu'elle pouvait — et pourtant, c'est *moi* que l'on traite de voleuse. Quand Rob apprit que son père était mort, il revint et constata qu'il n'y avait plus par ici que douleur et souffrance. Ainsi, tandis qu'il était parti défendre son pays, on lui avait retiré ce qui était son titre de naissance.

Jadis, Rob était comte, si vous pouvez croire une chose pareille. C'est la raison pour laquelle il a tant d'affection pour son peuple, qui le lui rend bien. La plupart l'appellent toujours «Monseigneur». Quand le roi Richard reviendra, il sera de nouveau comte. C'est Rob qui nous a indiqué la plupart des entrées et sorties du château, mais il y en a quelques-unes que j'ai moi-même trouvées, à force d'écouter, d'observer, et de fouiner.

— Scar? entendis-je soudain loin de moi.

Je regardai plus bas. John n'était pas encore bien haut.

— Ne va pas si vite, ajouta-t-il.

— Je t'attendrai au sommet, rétorquai-je en souriant.

Évidemment, je ne me rendais pas réellement jusqu'au sommet, car une entrée secrète se trouvait au trois quarts de l'ascension. Ça, il ne le savait pas. Je pourrais donc entrer et ressortir avec Freddy avant qu'il ait le temps de grimper jusque-là.

À la lumière vive de la lune, qui faisait luire les poignées comme si cet astre me les désignait, je grimpai pour ma part, rapidement et avec facilité. Il y avait une grosse roche qui saillait de l'entrée du tunnel, la gardant cachée aux regards, et sous laquelle je me glissai. À partir de là, il n'y aurait plus de lumière, ce serait la noirceur, mais ça me convenait — je n'avais aucun besoin de voir tout ce qui pouvait ramper et se cacher dans ces rochers.

Le tunnel était étroit et s'affaissait à certains endroits, mais il était toujours intact. Penchée en avant, je le parcourus en courant. Il menait directement aux appartements de l'enceinte principale au sommet du rocher et, de là, dans l'ombre, c'était un parcours aisé jusqu'à la prison, située dans l'enceinte intermédiaire. Le château était construit comme un escalier en colimaçon géant, dont chaque enceinte était le palier d'un escalier et formait elle-même un château fortifié et défendable. L'enceinte du sommet était la mieux protégée et abritait les gens et les magasins. Dans celui en contrebas se trouvait la garde et, dans celui du milieu, à peu près tout le reste.

La prison avait une entrée sur le devant, c'était tout. Sous terre, dans le mur d'enceinte intermédiaire, la prison était sans fenêtre. Cependant, elle avait une bouche d'aération qui était presque exactement de ma taille.

Je m'y glissai la tête la première en me maintenant dans la bouche d'aération afin de déterminer s'il y avait quelqu'un dans le couloir. La voie étant libre, je me laissai glisser sur les mains, puis me collai contre le mur, à même le sol, en silence. C'était infesté de rats dont les cris et les griffes couvraient le bruit que j'avais fait.

— *Robin des Bois*! entendis-je soudain quelqu'un chuchoter.

Je tournai la tête. C'était un prisonnier, plaqué contre les barres de sa geôle.

— Tu cherches le petit?

Je hochai la tête, en gardant la tête baissée. Du doigt, il m'indiqua l'extrémité du couloir. Directement devant moi, je pouvais voir le garde et, à gauche, se trouvait la cellule de Freddy. C'était parfait. Tandis que je me rapprochais, je pris mon crochet sur ma ceinture. Freddy était couché en boule sur sa paillasse sale, l'air encore plus jeune, avec une grosse contusion sur le visage.

Les serrures n'étaient pas difficiles à crocheter, mais il me fallut tout de même quelques instants, et ce n'était pas le plus difficile. En effet, à un rythme péniblement lent, j'entrebâillai la porte, la faisant gémir jusqu'à ce qu'elle se taise.

En prenant une profonde inspiration, je me glissai dans la cellule et tirai Freddy, le faisant se taire tandis qu'il se réveillait et que je le mettais sur mes épaules. Il ne me posa aucune question, s'agrippant à moi tandis que je le faisais sortir et refermais lentement la porte derrière nous, en attendant le déclic sourd de la serrure.

En courant, je le ramenai à la bouche d'aération, l'y fit monter en le poussant, avant d'escalader le mur à toute vitesse à mon tour. Il avança sans que je lui dise, mais, à l'extrémité de la bouche d'aération, il se retourna.

— Où dois-je aller? me demanda-t-il.

— Reste contre le mur.

Soudain, il disparut, et je l'entendis pousser un petit cri dans le noir qui me surplombait. Avec la peur de Dieu en moi, je montai à toute vitesse, juste à temps pour voir John se pencher et me saisir le bras, d'une poigne qui allait me laisser des contusions.

— Plus tard, je vais te tuer, Scar.

— Suis-moi plutôt, lui dis-je en levant les yeux au ciel.

À toute vitesse, nous arrivâmes à l'enceinte supérieure, où, accroupis, nous traversâmes la ruelle qui séparait le mur épais des boutiques des artisans. Là où les boutiques se finissaient, il y avait un espace par où pénétrer dans les appartements. Je me glissai le long du mur en leur faisant signe de rester où ils se trouvaient tant que je n'avais pas examiné les lieux.

Le mur de torchis était rugueux contre mon dos. En me faufilant pliée en deux, je me rendis jusqu'au poteau en bois situé au coin et passai la tête pour jeter un coup d'œil.

Brusquement, je la rejetai en arrière, mon souffle en train de s'enfuir de ma poitrine. Je restai figée.

— J'imagine que cela donnera des résultats, Gisbourne?

Ce nom me brûla de part en part comme une étoile filante. J'avais l'impression que des mains me serraient la gorge, brutalement, m'écrasant la gorge, m'obstruant les poumons.

Il y avait quatre ans que je ne l'avais point vu, et, maintenant, il était là, à moins d'une longueur de bras de moi. Je lui avais échappé, je n'avais cessé de m'enfuir toujours plus loin, et, maintenant, il semblait que la destinée m'avait rattrapée pour que nos vies se fracassent l'une contre l'autre.

— Si par «résultats» vous voulez dire une bande de brigands à pendre pendant que le peuple rempli d'adoration
observe le tout, je vous assure que oui, répondit-il d'une voix
douce et sombre.

Je fermai violemment les yeux. Sa voix me rongeait
comme de l'acide. Je pouvais sentir la sueur s'échapper de
mon corps, et j'avais la poitrine qui brûlait de ne pas respirer. Mon poing agrippa un poignard, puis je pris une
petite inspiration.

— Mais quand, Gisbourne?

— Très bientôt, répondit-il en riant.

— Assurez-vous que ce soit bien le cas. Robin des Bois et
ses hommes sont le fléau de la forêt. Le prince John lui-même
m'a écrit que ces brigands doivent être abattus comme des
chiens. Cependant, le peuple les protège, et je n'arrive pas à
les *trouver*.

— J'en suis capable, moi. Les brigands sont une proie
comme une autre, shérif. Je les chasse, je les traque, puis je
les tue.

Je sentis mon cœur choir de ma poitrine, puis mes mains
se mirent à trembler.

— Très bien. Alors, je vais vous conduire jusqu'à vos
appartements.

Ils traversèrent tous deux l'enceinte flanquée de gardes.
Moi, je m'accroupis, d'une part, parce que je ne voulais pas
qu'ils me voient en se retournant et, d'autre part, parce que
mes genoux s'étaient mis à trembler. J'attendis qu'ils soient
rentrés avant de faire signe à John, qui se faufila jusqu'à moi
avec Freddy. Cependant, je sursautai quand ce dernier me
toucha le bras.

— Le tunnel est derrière le corps de logis, chuchotai-je.

Je regardai derrière moi et constatai qu'un garde restait devant nous, à faire les cent pas, et je pris une inspiration.

— Quand il retournera dans l'autre direction, on pourra y aller un à la fois.

— Mon Dieu, Scar, dit alors John avec un profond soupir. Je sers à quelque chose.

Du pied, il détacha un morceau de pavé, le prit et le lança dans la direction dont nous venions, ce qui alerta le garde qui, un moment plus tard, courut en direction de ce bruit.

— Allons-y ! ordonna John.

Je pris un air renfrogné, mais me mis à courir. John prit Freddy sous un de ses bras et suivit à la même allure. Nous traversâmes la cour et contournâmes le corps de logis, à l'abri de l'ombre. C'était le seul défaut du tunnel : il était éloigné de tout dans le château.

Nous l'atteignîmes enfin, et je sentis le soulagement me remuer tout entière. John referma la trappe derrière nous et, une fois dans l'obscurité, je pus soupirer.

— Il fait noir, remarqua Freddy.

— Je vais y aller la première, Freddy, lui dis-je. Tu n'as qu'à me suivre.

— Fred, rectifia-t-il.

— Fred. Assure-toi de ne pas perdre John.

— D'accord.

Nous traversâmes rapidement le tunnel, mais, à son ouverture, Fred se pressa contre mon flanc.

— Je ne suis pas très bon pour escalader.

— Moi, je le suis. Monte sur mes épaules, lui dis-je après m'être accroupie.

— Ne sois pas bête, grommela John en soulevant Fred et en le mettant sur son dos. J'aimerais beaucoup voir Will tomber des hauteurs du Castel du Roc, mais tu mérites mieux, Fred.

— Tout le monde sait que Will Scarlet peut tout faire, lui répondit Fred.

À ces mots, John leva les yeux au ciel.

Je décidai que, cette semaine, je volerais quelques petites choses de plus pour Fred pour ce qu'il venait de dire.

—⁂—

Sur le chemin du retour, Fred resta silencieux la plus grande partie du temps. Il marchait entre John et moi, et nous restions tous deux assez proches de lui. J'avais l'impression qu'il avait besoin qu'on soit à proximité, en ce moment, et j'avais une vague idée que John avait la même impression.

Chaque pas qui m'éloignait du château voulait dire que je pouvais respirer un peu mieux, mais, même loin du Castel du Roc, et encore plus loin de Gisbourne, je ne me sentais pas en sécurité.

Sur notre chemin, Edwinstowe se trouvait au nord de Nottingham. L'endroit n'était pas aussi grand et important que Worksop, et Lord Thoresby, le noble responsable du village, n'avait pas les moyens d'avoir sa propre garde, de sorte que la plupart du temps, Edwinstowe était l'objet de la colère du shérif, comme une brute s'en prend à un plus petit. De toute manière, une fois passé Edwinstowe, la route s'enfonçait dans la forêt avant d'arriver à Worksop, et c'était là que nous gagnions la plus grande partie de notre argent, en surveillant la route à l'abri de ses arbres, si vous voulez. Cela signifiait que le shérif sévissait beaucoup plus brutalement sur les villages qui étaient les plus rapprochés que sur ceux qui se trouvaient de l'autre côté de la forêt.

Une fois dans le village, la chaumière des Cooper était la seule où une chandelle brûlait, et je vis John hésiter tandis que nous nous rapprochions. Il s'arrêta devant la porte, et je fis de même.

— Eh bien, Fred, vas-y, lui dis-je. On t'attend.

Il avança lentement, et, dans la faible lueur environnante, il semblait bien pâle. Je ne le blâme pas : il arrive que les mères soient bien difficiles.

Celle-ci ouvrit la porte après qu'il eut frappé et éclata en sanglots en l'attirant à l'intérieur sans même nous regarder.

— Où l'amène-t-on ? me demanda John.

— Le père de Much accueillera la famille à Worksop jusqu'au moment où l'on pourra leur trouver quelque chose d'autre ailleurs, lui répondis-je en examinant une égratignure sur ma main.

Puis, après m'être léché le pouce, je nettoyai la saleté de ma main.

— Tu m'as menti ce soir, me dit-il.

— Je te mens souvent, lui dis-je en haussant les épaules. Sois plus précis.

— Tu m'as dit que tu m'attendrais au sommet. Tu m'as dit qu'on irait ensemble.

— Eh bien, oui, c'était un mensonge.

— Je me contrefiche que tu me mentes, dit-il en tournant la tête, mais si tu le refais quand la vie d'un petit est en jeu, je te jure que je te casserai la gueule.

À ces mots, mes oreilles se mirent à brûler, surtout parce que John était du genre à ne pas plaisanter, même quand il s'agissait de frapper une fille. Cependant, je me contentai de hausser les épaules.

— Je l'ai sorti de là, non?

— Comment connais-tu Gisbourne? me demanda-t-il alors.

Je restai figée. La plupart des gens, quand ils ont peur, ou quelque chose du genre, poussent un cri ou s'enfuient et, en général, le laissent parfaitement paraître. Moi, j'ai appris qu'on devait faire très attention à ce qu'on laissait paraître, de sorte que je me contente de rester figée et d'essayer de penser rapidement.

— Je ne le connais pas.

— Oh que si! Je ne t'ai jamais vue être le moindrement effrayée, mais ce soir, tu avais l'air de l'être à peine légèrement, ce qui, je pense, signifie que tu étais terrifiée. Il t'a mis le grappin dessus à Londres?

— Je ne connais pas Gisbourne, je ne connais que son nom, c'est tout.

— Tu n'as pas à m'en parler, me répondit-il alors en haussant les épaules, mais je le dirai à Rob, et il te fera cracher le morceau.

— Il n'y a rien à cracher.

Juste à ce moment, Fred ouvrit la porte en tenant un baluchon de vêtements dans les mains, et sa mère et ses sœurs le suivaient. Dans la fenêtre, la chandelle avait été éteinte.

— Prêt à partir, Fred? lui demandai-je.

Il fit oui de la tête, et John lui passa le bras autour de l'épaule, en grand frère qu'il est toujours.

—∾—

Nous le conduisîmes à Worksop. C'était l'aube quand nous arrivâmes. Nous allâmes chez le père de Much, un meunier dont la boutique était loin du marché central. Il avait toujours besoin d'apprentis, alors il ne serait pas trop inhabituel de voir un jeune garçon chez lui. Il nous donna des œufs et du pain pour le petit déjeuner, après quoi, John et moi reprîmes la route.

— Désolée que tu n'aies pas pu rejoindre Bess, dis-je alors à John.

— J'aurais dû m'en douter.

À ce moment, il tira une mèche de cheveux brun foncé qui s'était échappée de mon chapeau.

— Ta coiffure se défait.

Je la rangeai sous mon chapeau et l'enfonçai davantage. Je sentis que mon visage chauffait. Je détestai le soleil de montrer que je rougissais.

— Je ne comprends pas pourquoi tu ne les coupes pas. Comme ça, personne ne saurait jamais que tu es une fille. N'est-ce pas ce que tu recherches ?

— Pourquoi ? Parce que comme ça, tu pourrais me casser la gueule sans te sentir coupable ?

Son visage s'allongea un peu, ce qui était parfait. Le mettre en colère signifiait que je n'avais pas à lui avouer que j'aimais mes cheveux, que je les aimais encore davantage parce que personne d'autre que moi ne les voyait, et parce qu'ils me rappelaient quelqu'un dont j'aimais me souvenir — juste moi.

— Jamais je ne te frapperai, Scarlet, grogna-t-il, il vaut mieux que tu le saches.

— Alors, ne le dis pas. Si tu disais seulement ce que tu voulais dire, tu n'aurais pas tant à parler, ajoutai-je en lui lançant un regard noir. D'ailleurs, une fois, tu m'as frappée.

— Cette fois-là, je ne t'ai pas frappée, je t'ai plaquée, ce qui, en passant, était une sacrée manière de découvrir que tu étais une fille. Jamais je ne l'aurais fait, si j'avais su. Et voilà que Rob s'en prend à moi avec une sainte fureur, me dit de ne pas frapper une fille. Parce que *lui* le savait, ajouta-t-il d'un air renfrogné. Pourquoi lui dis-tu toujours tout en premier?

— Ce n'est pas le cas. Il l'a compris en revenant de Londres.

— Comment?

— Jamais je ne me lavais avec lui ni n'urinais quand il était près de moi, ce qui l'a rapidement rendu suspicieux. Il semblerait que vous autres, les garçons, vous êtes empressés de faire étalage de vos trucs.

— Tu sais, dit-il en renâclant, ce seul plaquage a eu lieu il y a bien trop longtemps pour que tu t'en plaignes toujours. Les garçons règlent leurs comptes en se battant.

— C'était le cas avant que j'arrive à Sherwood, lui répondis-je en hochant la tête, avant que Much soit l'un des nôtres, avant même qu'il n'y ait vraiment un nous.

Je donnai un coup de pied dans les feuilles devant moi. C'était étrange comme cela semblait récent et éloigné en même temps. L'éternité, et en un clin d'œil.

— Avant que Nottingham ne coupe la main de Much, tu veux dire, me répondit-il en crachant.

Je haussai les épaules. Je n'aimais pas y penser, et encore moins y penser tout haut.

Nous prîmes la route principale de Worksop à Edwinstowe, là où se trouvait un brasseur avec sa charrette remplie de barriques de céréales pour sa bière. Ç'aurait même pu être Tuck, mais je ne vis pas le devant. Je courus jusqu'à la charrette et bondis derrière, suivie de John, à qui je tendis la main pour le faire monter.

Nous nous cachâmes derrière une barrique de céréales — pas du brasseur, remarquez, car peu d'artisans des alentours nous refuseraient quoi que ce soit, mais il arrive parfois que les hommes du shérif patrouillent la région.

— Je me demande comment Rob s'en est sorti, dit alors John.

— J'ai vu de la viande de cerf chez les Cooper. Aujourd'hui, Edwinstowe mangera.

— Moi, j'ai vu du pain sur le seuil des Wood.

Je ne répondis pas.

— Alors, je suppose que c'était toi.

— Tu penses que je suis boulangère ?

— Non, je pense que tu es une voleuse. Quoi que tu en dises, tu t'es impliquée parce que Rob t'a forcée en te faisant chanter.

— Je ne suis pas la servante de Rob, tu sais. Franchement, vous pensez tous que je suis enchaînée à cet homme.

— Ce n'est pas le cas ?

— Non.

— Bon, alors, comment cela s'est-il passé ? Il te fait chanter ou non ?

Je reniflai. Je ne voulais pas reconnaître que Rob m'avait prise en train de le voler, et je voulais encore moins me rappeler les jours affreux qui m'avaient menée à ça.

— Rob m'a donné un choix dont je ne pouvais sortir gagnante. Il m'a dit que je devais l'aider, sans quoi il m'enverrait en prison — pas à la potence, avec une chute rapide et

un arrêt soudain, mais à la fichue prison, où l'on meurt lentement pendant que vous pourrissent les entrailles.
Cependant, Rob n'est pas vraiment du genre à me jeter en
prison, n'est-ce pas ? Sauf que ça, je ne le savais pas, à
l'époque. Aussi pourrais-je partir maintenant. En fait, je ne
resterai peut-être pas encore bien longtemps.

— Quoi ? me demanda-t-il en fronçant les sourcils.

Sérieux. Pourquoi toutes ces questions ? Il n'est pas
sourd.

— Pourquoi ? me demanda-t-il en se penchant vers moi.
Pourquoi partir après, quoi, deux ans à faire partie de la
bande ? Deux ans et des poussières. Et maintenant, au
moment où les choses n'ont jamais été pires ? Pourquoi
changer d'avis ?

— John, je ne suis pas d'ici.

Mensonge.

— Ce n'est pas comme si ces gens étaient les *miens*.

Mensonge.

— Je ne leur dois rien et je commence à en avoir assez de
Rob et de toi, toujours en train de vous conduire comme si
vous étiez mon père, ajoutai-je avec un sourire de mépris
que je ne pus réprimer, car ce n'était pas vrai, encore que ce
n'était pas faux non plus, si l'on veut.

— D'abord, c'est insensé de dire que je suis ton père, me
répondit-il en remuant la tête. On a tous les deux 18 ans, ce
n'est même pas possible.

— Alors, arrête de te comporter comme si c'était le cas.

— Tu sais, j'ai toujours pensé que tu aimais simplement
qu'on te considère comme un rat, mais en fait, tu es une
froussarde de premier ordre. Comment peux-tu secourir
Freddy et penser que tout ce qui va arriver ne te concerne

pas ? « Will Scarlet peut tout faire », dit-il alors d'un ton moqueur. Sauf être quelqu'un de bien. Autrefois, je me demandais comment une fille comme toi pouvait être une voleuse, mais je suppose que c'est tout à fait logique.

Il cracha alors sur la plate-forme de la charrette, juste devant mes pieds et, pour ma plus grande horreur, ne serait-ce que légèrement, j'accusai le coup. Cependant, il ne le remarqua pas, trop occupé à se faufiler jusqu'au bord de la charrette, pour ensuite, d'un bond, en descendre.

J'éloignai mes genoux du crachat et restai pour ma part sur la charrette tandis qu'elle avançait en brinquebalant au cœur de la forêt. Bon, je lui avais menti, je l'avais un peu piqué. Tout de même, c'était blessant. Je n'étais pas un rat, ou tout au moins, pas par choix. De toute manière, la seule chose qui m'avait fait dire cela était Gisbourne. Il était la seule personne au monde avec laquelle je devais garder mes distances, et jamais je ne pourrais dire aux garçons pourquoi.

La dernière fois que j'avais vu sa sale gueule, j'avais 13 ans, à peine quelques jours avant mon anniversaire, mais je n'ai pas oublié son visage. Maintenant, il était à Nottingham, et il allait se mettre à la poursuite de Robin et des garçons. Et de moi.

Si jamais il y avait un bon moment pour tout abandonner et m'enfuir aussi loin que possible, c'était maintenant.

D'un bond, je descendis de la charrette lorsque nous fûmes aussi près que possible de notre camp dans la forêt et y arrivai avant John. J'ignorai Rob et grimpai tout en haut du grand chêne. C'était un vieil arbre, grand et large, au faîte duquel j'étais la seule à pouvoir monter. Là, j'avais construit un petit hamac, et il était rare que les oiseaux viennent se percher à une telle hauteur. Au lieu de regarder le vert de la forêt et le brun de la terre, tout ce que je pouvais voir, c'était le ciel d'un gris trouble et la cime épineuse des arbres, tout un aspect de Sherwood que personne d'autre ne pouvait connaître. Là-haut, la bande de Rob ne pouvait me suivre. C'était le seul endroit où j'avais l'impression de pouvoir dormir.

CHAPITRE 3

J e m'éveillai au son de Rob en train de frapper sur un chaudron dans ma direction et me penchai par-dessus le bord de mon lit.

— Scarlet, le déjeuner est prêt.

En soupirant, je me recouchai dans mon hamac. À l'heure qu'il était, John avait dû lui parler, et il était probablement en bas, lui aussi.

Mon chapeau me couvrait à peine la moitié de la tête, aussi nouai-je mes cheveux et me l'enfonçai-je jusqu'aux yeux. Puis, je me mis à sauter de branche en branche — un moment que j'aimais. Elles étaient un peu rugueuses pour mes paumes, mais je m'agrippai à l'une, puis à l'autre, me laissant tomber de toute la hauteur de l'arbre en me faufilant entre ses branches. J'aimais aller où les gros patauds comme John ne pouvaient le faire.

D'un saut final, mes pieds touchèrent le sol et j'atterris, accroupie entre eux. Robin se tenait droit devant moi.

— Scar, il faut qu'on parle.

Much, au-dessus du feu, remuait le contenu d'une marmite tandis que John était assis dans le creux d'une des branches basses, mais il ne regarda pas dans ma direction.

— Parle, dis-je donc en croisant les bras.

— Marchons un peu, me répondit alors Rob en indiquant le sentier.

Je pris un air renfrogné.

Nous nous mîmes en marche, nous éloignant des autres, mais je me tenais à une bonne distance de Rob. Comme toujours. Il est simplement… il est le genre auquel on s'attache assez facilement, ce que je ne veux pas; j'ai donc toujours pensé qu'il valait mieux ne pas me rapprocher de lui. Contrairement à John, ce n'était pas un gros pataud, mais il avait de larges épaules qui occupaient presque tout le sentier. Je me tassai donc dans les bosquets pour me tenir loin de lui.

— Gisbourne est le chasseur de brigands?

Je hochai la tête.

— À quel point est-ce mauvais pour moi?

— C'est mauvais.

— Et pour toi?

— C'est pire.

C'était sorti de ma bouche avant que je puisse m'arrêter. C'était l'effet que Rob produisait sur moi.

Il demeura silencieux quelques instants, et les feuilles sèches sous nos pieds crissaient bruyamment. Dans ma tête, je comptai nos pas.

— Me diras-tu jamais comment tu as reçu cette balafre? me demanda-t-il.

Je la couvris de la main. Pourquoi avait-il pensé à ça?

— Pas si je peux l'éviter, répliquai-je. Ça remonte à loin, dans une vie tout à fait différente.

Il haussa un sourcil tandis que je déglutis, consciente que c'était la première fois que je révélais que je n'étais pas vraiment née dans le monde des brigands, ni à Londres, d'ailleurs. J'avais eu une autre existence avant celle-ci, mais c'était cette dernière que je préférais.

Il s'arrêta. Je m'appuyai contre un arbre, plaçant mes mains derrière moi pour qu'elles y soient prisonnières, tout en tentant de ne pas le regarder. Il était beau, Dieu en est témoin, avec ses cheveux blond foncé, ses yeux d'un bleu gris comme la Manche, et une mâchoire assez robuste pour encaisser quelques coups de poing.

— C'est à cause de Gisbourne que tu envisages de partir? me demanda-t-il ensuite avec douceur.

Il s'approcha alors de moi et posa les mains au-dessus de ma tête, sur l'arbre, et il était assez près de moi pour que je sente que son corps était plus chaud que la forêt.

Je hochai la tête, la gorge serrée, comme si je n'avais pu avaler correctement.

— Scarlet, quand tu seras prête, tu pourras me faire confiance. Je ne vais pas t'obliger à tout me dire. Par ailleurs, pour ce qui est de t'en aller, tu sais que je ne te forcerai pas à rester, surtout si tu es en danger. Cependant, si tu restes, je ferai de mon mieux pour te garder en sécurité.

Nos regards se croisèrent. Je n'aimais pas que cela arrive trop souvent, car j'ai des yeux étranges dont les gens ont tendance à se souvenir et qui les mettent mal à l'aise, le jour surtout. Mais vous voyez, quand Rob me dit ce genre de choses, c'est comme s'il s'inquiétait pour moi. Cependant, je le regardai déglutir sans en être convaincue. Il y a longtemps que je suis avec lui, et il a perdu des gens tout comme j'en ai perdu. Il est seul, tout comme moi. Je suis peut-être stupide, mais je crois que si je partais, ça lui ferait du mal, à lui aussi.

— Je ne partirai pas. J'y ai seulement pensé, lui répondis-je. De toute manière, on se protège l'un l'autre.

Ça, je le dis pour Robin, mais je n'en étais pas tout à fait convaincue, car je n'étais pas certaine que quoi que ce soit puisse me protéger de Gisbourne.

Il prit une profonde inspiration tout en continuant de me regarder dans les yeux. Son visage se rapprocha un peu du mien, et quand il reprit la parole, il regardait ma balafre.

— Oui, c'est vrai, dit-il en soufflant avant de s'éloigner. Mais ne retourne plus seule à la prison, d'accord?

— Ne me force pas à te faire une telle promesse, lui rétorquai-je en fronçant les sourcils.

— Scar, s'il te plaît. Peu importe qui tu prends avec toi, prends quelqu'un. Je ne te demande pas grand-chose.

En fait, si, c'était beaucoup. Je n'étais pas du genre à prendre des gens avec moi, des gens pour s'occuper de moi, et, à cela, je ne voulais rien changer.

Nous fîmes demi-tour pour retourner au camp, et son épaule frôla la mienne. Il s'écarta rapidement tandis que je prenais un air renfrogné.

Voilà comment c'était entre Rob et moi — il me disait de ces choses qui me donnaient l'impression d'avoir dans la poitrine du porridge au lieu d'un cœur, et au moment où je me disais que j'étais peut-être davantage qu'une petite idiote, il s'éloignait brusquement. C'était sa façon de faire — il jouait au héros avec tout le monde, et un peu comme Much ne pouvait s'empêcher d'être captivé, il arrivait que ses manières de héros m'emportent comme un cours d'eau.

Mais ce n'était rien. Il était le chef, je faisais partie de sa bande, et toute parole que sa bouche prononçait avec douceur n'était que le produit de mon imagination, qui me trompait, une fois de plus.

Quand nous fûmes sur le point de rejoindre le camp, je sentis le regard de John, de l'autre côté, qui nous traversait comme une flamme. Aussi m'éloignai-je de Rob et allai-je m'asseoir à côté de Much.

— Nous devons discuter de Gisbourne, dit alors Rob en s'asseyant sur le rondin le plus rapproché de Much et moi tandis que John sautait de l'arbre pour se rapprocher du feu.

Mais d'abord, Much me tendit à manger, une espèce de bouillie avec de l'orge, des carottes et un gros morceau de pain sec que je mis dans l'écuelle tandis qu'il servait les autres.

— C'est du ragoût de lapin, me dit alors Much. C'est bon. C'est une recette que m'a donnée madame Cooper.

Mes doigts se serrèrent autour de l'écuelle. C'était chaud et ça sentait assez bon, mais, en pensant à madame Cooper et à ses petits, au lieu d'avoir le ventre creux, il se remplit de cendres.

— Scarlet, c'est toi qui as entendu parler de Gisbourne. Que sais-tu sur lui ? me demanda alors Rob.

— Il est sans pitié, lui répondis-je en haussant les épaules, et cruel.

À ces mots, ses lèvres devinrent plus fines et, le temps d'un instant, il eut l'air bien plus âgé que ses 21 ans.

— Il a une grande réputation de chasseur de brigands. Comme il est le fils aîné, il n'a pas besoin d'argent. Il le fait pour le plaisir. Il n'a pas de famille. Il était sur le point de se marier, il y a quelque temps, mais la fille est morte.

— A-t-il eu quelque chose à voir avec sa mort ?

— Elle s'est pendue, répondis-je en baissant la tête, donc j'en déduis que c'est le cas.

Je sentis leurs regards sur moi.

— Et il ne s'est jamais marié ?

— Non.

Évidemment, cette histoire était bien plus compliquée, mais c'était sans importance. Ils n'avaient pas besoin d'en savoir davantage.

— À Londres, la plupart des chasseurs de brigands aiment en profiter, car voyez-vous, eux-mêmes sont des escrocs qui se font passer pour des brigands. Ils rassemblent une bande, font quelques vols importants après quoi le chasseur de brigands livre ses propres hommes au seigneur qui l'a engagé. En général, il réussit à leur faire éviter la corde du bourreau, toutefois, il n'a pas toujours cette chance. Parfois, un brigand doit mourir. Mais ç'a peu d'importance. Les chasseurs reçoivent une prime en retour, continuent de s'enrichir de leurs vols. C'est un travail plutôt impitoyable. Ils font quand même de gros profits. Néanmoins, les représentants de l'ordre ne regardent pas tout ça d'un trop mauvais œil, pourvu que les chasseurs continuent de leur livrer des brigands.

— Ils sont rusés ! s'exclama John.

— Ouais, sauf que Gisbourne ne l'a jamais fait. Il ne les a livrés que quand il y a été obligé, préférant les envoyer faire un somme dans la Tamise avec un grand sourire à la gorge.

— Qu'est-ce que cela signifie ? demanda Much.

— Qu'il leur tranche la gorge avant de les jeter dans le fleuve, lui répondit Rob.

— Je ne sais pas si on a de la chance ou pas qu'il n'y ait pas de fleuve ! s'exclama Much en frissonnant. Pour la Trent, ce serait une assez longue marche.

— Pas de chance, répondirent les autres à l'unisson.

Much baissa les yeux sur sa nourriture.

— Il est orgueilleux à l'excès. J'ai pu écouter derrière sa fenêtre, mais il ne s'est jamais douté de rien parce que le château est fortifié. Toutefois, on ne peut pas faire le même coup deux fois — il s'en rendra bien vite compte.

— De plus, pour des raisons que Scarlet ne veut pas nous révéler, je pense que si Gisbourne la trouve, il la tuera, leur apprit Rob.

— Il ne me reconnaîtra pas, lui jurai-je.

Sauf pour ce qui est de mes yeux.

— Quoi qu'il en soit, on le garde tous loin de Scar, compris ? leur demanda Rob.

Much hocha la tête, et je fus surprise que même John le fasse sans aucune hésitation.

— Il ne me reconnaîtra pas, réitérai-je.

— Ouais, mais tu es la seule à être un bon Dieu de brigand de profession, Scar. Alors, que tu le connaisses ou non, je pense qu'il vaut mieux qu'on te garde loin de ce chasseur de brigands, me dit Much de son côté.

— Vous volez tous autant que moi.

— C'est toi qui nous as montrés, me répondit Rob en souriant.

Mon regard se posa sur le bras de Much, là où sa main manquait. Je n'avais pas appris à Much à voler assez tôt, et le shérif la lui avait coupée après qu'il eut essayé de voler de la nourriture pour sa famille. C'était avant que je le connaisse, mais c'était tout de même difficile à accepter.

— Freddy est arrivé chez mon père sans problème, n'est-ce pas ? me demanda alors Much, la bouche pleine.

Je regardai mon écuelle. Je devais au moins en avaler une bouchée. Je pris un morceau de pain imbibé de bouillon.

— Sans problème. C'est un courageux petit, lui répondit John en aspirant bruyamment un peu de son ragoût.

— Scarlet, je veux que tu surveilles cette famille. Toi aussi, John. J'essaie de leur trouver un endroit où habiter à l'extérieur de Nottinghamshire, mais ils vont devoir attendre que tout soit prêt. On les conduira à Worksop très tôt demain matin, mais le shérif sera enragé, alors il faut que quelqu'un monte la garde.

— J'ai verrouillé la serrure, leur expliquai-je. Une fois qu'il a été sorti, je l'ai verrouillée.

— Ha! s'écria Rob avec un grand sourire. Ils penseront sans doute qu'il était assez petit pour se faufiler.

— Tu sais, ils l'ont frappé, et fouetté aussi, je pense, mais je n'ai pas vu.

Je n'avais pas vraiment voulu savoir.

— Je ne pense pas que ce soit le cas, intervint cependant John d'une voix plus douce, comme s'il essayait de me faire sentir mieux, ce que je n'appréciai pas. Je l'ai saisi par le dos, et il n'a pas réagi, ajouta-t-il.

Je hochai la tête, mais sans lever mon regard vers lui.

— Les gars, pourquoi ne rôderions-nous pas sur les routes aujourd'hui, pour voir ce sur quoi nous pouvons mettre la main. Quant à toi, Scar, je veux que tu restes à l'affût de nouveaux renseignements.

— Votre butin est plus important quand je suis avec vous, lui rappelai-je, car j'étais douée pour déterminer qui avait de l'argent, et où il était gardé.

— Mais, tant qu'on ne sait pas ce qu'il en est de Gisbourne, c'est de renseignements plus que d'argent dont on a besoin.

Pour toute réponse, je touchai le rebord de mon chapeau dans sa direction.

— Par ailleurs, je voudrais que tu manges davantage.

— Arrête de me forcer à manger, Rob, je mange quand j'ai faim.

Il fronça un sourcil, et je lui lançai un regard noir, mais sans céder. Rob s'inquiète. Il y eut des moments quand nous avons fait connaissance où j'ai été horriblement malade de ne pas avoir mangé pendant si longtemps, et ça, il ne l'oublie pas. Évidemment, moi non plus je ne l'oublie pas, mais y penser empire tout. Je me souviens d'avoir passé des semaines sans presque rien manger, des jours sans rien du tout, et je peux survivre. Je pense que les petits Cooper, eux, ne le pourraient pas.

Rob devrait comprendre, car il assume la culpabilité et les responsabilités que les autres sont incapables d'assumer. John, lui, encaisse les coups. Moi, je m'occupe de la faim, et la plupart du temps, ça me paraît horriblement peu.

— Eh bien, si tu n'as pas faim, moi, si, s'écria John avant de se diriger vers moi et de me prendre ma nourriture.

Il faisait cela pour être méchant, mais comme je n'avais vraiment pas faim, je le laissai faire.

Il s'assit à côté de moi et mangea bruyamment, si près de moi qu'il me pressait le coude dans les côtes. Cependant, je lui frappai le bras, et il renversa sa cuillère sur sa tunique.

— C'était de la bonne nourriture, ça, Scar.

— Alors, peut-être ne devrais-tu pas t'asseoir si près de moi.

Néanmoins, il se rapprocha encore davantage, ce qui eut pour simple résultat de me faire me serrer contre Much.

— Je ne pensais pas que ça te gênerait.

Je me levai alors et, d'une claque, renversai son bol sur lui.

— Je ne pensais pas que tu aimais être assis avec un rat, répliquai-je sèchement, avant de m'éloigner d'un pas raide.

— Scarlet ! rugit-il.

Je lui fis un sourire ironique tout en m'en allant tranquillement. Ça lui apprendra.

—⁓—

Je traversai ensuite Edwinstowe, la tête basse, mais tout ouïe. Les maisons étaient toutes bâties autour du puits central, de petites chaumières avec des enclos branlants pour leurs poules, s'ils étaient assez chanceux pour en avoir une ou deux. Il y avait aussi à Edwinstowe un ou deux paysans qui gardaient leur bétail dans un corral près du puits.

Je ne vis aucun garde en provenance du château ni aucun des hommes du shérif. Ici, ils étaient les seuls à porter une armure, ce qui les rendait faciles à détecter. Lady Thoresby était elle aussi en train de traverser le petit village. C'était la femme de Lord Thoresby, qui protégeait le village contre le shérif, pas très bien, mais il faisait de son mieux.

Lady Thoresby était jolie, dans la mesure où cela importe, si blonde et pâle qu'on aurait un peu dit le soleil pendant le jour, et la lune quand la nuit tombait. Elle était en train de diriger ses jolis jupons vers la maison des Cooper. Je me demandai si elle avait l'intention d'apprendre à dame Cooper que son fils s'était échappé de prison. Elle avait ce genre de prévenances — et même s'il n'y avait pas grand-chose qu'elle put faire, cela nous aidait que la famille soit prévenue que le shérif pourrait fondre sur elle. Cela nous facilitait la tâche.

Elle était accompagnée d'un garde, mais comme il ne représentait aucune menace pour les villageois, je me mis en marche pour Nottingham. Ce n'était pas une heure pour se faire emmener par une charrette, aussi grimpai-je à un arbre pour me mettre à courir de branche en branche sur celles qui se rejoignaient. Les arbres étaient anciens et leurs branches d'une bonne grosseur, aussi, tant que je courais vite, elles avaient à peine le temps de plier. Durant le jour, c'était le meilleur moyen de se déplacer, d'autant plus que ça ne faisait pas trop de bruit non plus.

La ville de Nottingham avait un marché, mais il n'était pas aussi intéressant que celui de Worksop, surtout parce que le shérif arrêtait quiconque était assez bon et le gardait dans son donjon. En tant que shérif, il déterminait le cens dans le Nottinghamshire, et c'était ainsi que son grand château s'entretenait. Les céréales des paysans, les armes des artisans, la toile des tisserands et des teinturiers, et ainsi de suite, tout était imposé. Le shérif ne possédait jamais rien qu'il ait fait lui-même, et il avait aussi tendance à prendre les meilleures céréales et la meilleure nourriture comme impôt, de sorte que se montrer à Nottingham signifiait souvent perdre ses marchandises. Certains y venaient tout de même.

Je piquai une pomme sur le chemin, laissant à sa place une pièce de monnaie qui valait bien plus, mais cela avait peu d'importance. Je ne volais pas les gens qui ne pouvaient se le permettre, et je n'aimais pas marchander non plus.

Une petite fille et son frère étaient recroquevillés sur le sol devant l'échoppe de leur père. Tout avait l'air usé, rabougri. Mon estomac gargouilla — j'avais un peu faim, pour une fois, n'ayant pas dîné la veille —, et je soupirai. Sans la regarder, je mis la pomme entre les mains de la petite, pour ensuite me mêler à la foule avant qu'elle ait le temps de bien me voir.

Le portail était ouvert, aussi entrai-je directement en croisant l'imposant garde. Je suis plutôt douée pour ne pas me faire remarquer.

Je fis le tour de l'enceinte inférieure, les oreilles grandes ouvertes. La lavandière et la boulangère se trouvaient là. Comme c'était des femmes pour lesquelles d'autres femmes travaillaient, elles avaient tendance à glousser et caqueter tout en travaillant.

J'avais spécialement cousu mon gilet. Au creux de mes reins se trouvait une poche que je pouvais remplir avec n'importe quoi, et même si cela m'épaississait un peu, on ne pouvait déterminer ce qui s'y trouvait. Je commençai donc à y glisser des petits pains, puis piquai une belle paire de bas en laine noire avant de me tapir dans un coin sombre pour écouter. J'envisageai de manger un des petits pains, mais trop de visages du village me vinrent à l'esprit. Tuck me nourrirait plus tard.

L'une des filles éclata de rire, puis j'entendis un claquement tandis qu'elle battait le tissu humide.

— Ce sont les affaires de cet homme raffiné ? demanda-t-elle.

— Oui, bien sûr, lui répondit la lavandière.

— Ce ne sont que des frusques ! lui dit-elle.

— Il les a portées, mais elles ne sont pas à lui, intervint une autre fille. Jameson m'a dit qu'on a envoyé chercher ses affaires à Londres, ajouta-t-elle avant de faire un bruit. Je ne l'aime pas. Il a les yeux comme si Dieu en avait retiré toute lumière.

— Jameson? demanda la lavandière en éclatant de rire. Je l'aime bien assez pour m'enfuir avec lui chaque fois que j'en ai l'occasion.

— Oh, non. Jameson, je l'aime bien. Ce sir Guy. Il est horrible.

— Au moins garde-t-il ses mains pour lui-même, dit une autre.

— C'est la vérité.

— J'ai entendu dire qu'il a participé à la Croisade.

— Et moi, j'ai entendu dire qu'il a tué des centaines de brigands. Cet homme veut s'arroger l'œuvre de Dieu.

— Ce n'est pas le cas, Margery, lui dit une autre après que j'ai entendu un éclaboussement. Il a été convoqué pour capturer Robin des Bois. Ce n'est vraiment pas de l'œuvre de Dieu qu'il s'agit.

— Attention avec ta langue, ma petite. Tu es peut-être nouvelle, mais il y a des choses dont on ne peut discuter.

— Eh bien, Robin des Bois pourrait tout au moins nous aider avec la lessive, ajouta celle qui folâtrait avec Jameson. J'ai entendu dire que l'on craint que les hommes de Robin des Bois ne piquent les affaires de Gisbourne. Elles devaient voyager sur le fleuve, mais on a fait appel à Jameson pour les faire venir par Sherwood, camouflées d'une manière ou d'une autre.

— Un camouflage ne trompera pas Robin des Bois! s'exclama la lavandière en riant. Il vaudrait mieux dire à Jameson d'aller décrocher la lune.

— J'ai essayé, mais il était déjà parti. Avec un peu de chance, ils seront de retour avec demain.

Les femmes se mirent à siffler, encore que je ne pouvais pas vraiment dire pourquoi.

— N'oublie pas, petite. Il y a le lait et il y a la vache, mais c'est la vache qui devrait venir en premier.

À ces mots, les femmes éclatèrent de rire. La fille gloussa, elle aussi.

Je quittai Nottingham assez rapidement. C'était un village fortifié, et on fermait le portail au coucher du soleil, de sorte que, en fin d'après-midi, dans l'heure suivant la fin du marché, la ville se vidait, et je pouvais facilement me cacher dans cette marée humaine.

Je me rendis à Edwinstowe, y arrivant juste avant la nuit. Les hommes étaient en train de regrouper leur bétail et les femmes de rentrer le linge. Je traversai la ville pour distribuer les petits pains où je le pouvais. Les bas, je les donnai à dame Clarke. Elle avait trois fils en pleine croissance, et la moisson de son mari n'avait pas été bonne.

J'essayai de distribuer toutes ces choses de manière à ne pas devoir affronter leurs remerciements, car je n'aimais pas qu'on me remerciât pour mes doigts habiles. Ils ne me mèneront pas au paradis, alors il n'y a pas de quoi en faire tout un plat.

Comme on m'attendait chez Tuck, près de la route, un peu à l'écart des villageois et du manoir, je m'y rendais quand j'entendis un braillement suivi d'un craquement, comme si l'on frappait quelqu'un.

Je m'accroupis contre le sol et écoutai. Je l'entendis de nouveau et, tournant brusquement le coin, j'aperçus deux des hommes du shérif qui tenaient Amy Cooper par le devant de sa robe. Âgée de neuf ans à peine, elle était haute comme trois pommes. Elle se démenait, une grosse coupure sur le front, comme si cette brute l'avait frappé de son gantelet de fer.

Je sortis un couteau de mon gilet et visai la main ouverte de la brute, celle avec laquelle il n'était pas en train de secouer Amy, et dont la paume n'était pas protégée. D'un geste sec, je lançai mon poignard sur lui avant de hurler «Amy!»

Avec un cri de douleur, il la laissa retomber, et Amy poussa un cri perçant avant de courir vers moi. Je m'accroupis et l'attrapai.

— Cours chez ta mère et ne leur ouvre pas la porte, lui chuchotai-je.

Elle pleurait toujours, mais elle m'obéit, courant comme si elle avait le diable lui-même sur les talons.

L'homme retira le couteau de sa main tandis que l'autre dégainait son épée. Les épées sont terribles. Ce n'est rien de plus que de grands et lourds couteaux dont la plupart des gens ne savent se servir correctement. Tandis qu'ils se dirigeaient vers moi, je sortis deux autres couteaux.

— Tu vas le regretter, gamin, me dit celui dont la main était ensanglantée, encore que, j'en étais assez certaine, ce ne serait pas le cas.

— Allez-y, le défiai-je.

Ils se mirent à courir après moi, mais je me retournai et détalai, les entendant rire tandis qu'ils me rabattaient vers la clôture du tanneur. Évidemment, c'était mon plan.

Sans hésiter, je bondis et, en me servant de la palissade, je leur sautai par-dessus la tête. Je retombai derrière le blessé et, quand je lui plongeai mon couteau dans le creux du genou, il hurla. Je n'aimais pas tuer les gens, et avec ce genre de coupure, maintenant, il ne pourrait plus vraiment me pourchasser.

Il rabattit cependant son épée pour me décapiter, mais je glissai vers l'arrière, et il n'atteignit que mon couteau, dont la lame se rompit.

— Fils de pute, grognai-je.

Sa lame s'enfonça dans la terre molle, et je lui envoyai un coup de poing dans l'entrejambe. Avec un grognement, il laissa aller son épée, mais il me frappa de sa main ensanglantée.

Je me tordis, chancelai, des étoiles dans les yeux, mais, à cet instant, la pensée de petit John selon qui j'étais incapable d'encaisser un coup m'injecta du fer dans le sang. Je me retournai vers le garde et lui envoyai en pleine figure un coup de poing aussi violent que j'en étais capable, à l'endroit où sa cotte de mailles ne le protégeait pas. Il s'abattit au sol tandis que je détalais à toutes jambes dans la forêt.

Évidemment, je n'allai pas loin. À toute vitesse, je traversai la forêt et arrivai devant la maison de dame Cooper. Voyant s'éteindre une lumière, je regardai à la fenêtre avant de me mettre à jurer.

Dame Cooper était là, avec Amy, mais pas les autres, qui devaient déjà être partis pour Worksop. Elles avaient un baluchon par terre, et j'imagine qu'elles devaient être en train d'empaqueter quelques affaires de plus. J'escaladai donc le toit de chaume, me suspendant à l'arête du toit pour regarder par-dessus la porte. Il me restait toujours trois couteaux; s'ils venaient ennuyer Amy ou n'importe lequel des autres Cooper, ils auraient affaire à moi.

Mon cœur battait comme le tambour d'un Écossais, fort et à un rythme régulier. J'avais toujours le sang de cet animal sur le visage et j'essayai de l'essuyer, mais la main avec laquelle je l'avais frappé saignait et était douloureuse — je ne frappe jamais les gens, je me contente de les taillader. Mais ce salaud a cassé mon couteau.

Plus d'une heure avait passé quand je bougeai enfin, et encore seulement au moment où je vis John traverser le village, le regard dirigé sur la maison des Cooper.

Je poussai trois brefs sifflements. Il s'arrêta tout en regardant vers le faîte des arbres avant de baisser les yeux et de les plisser en direction du toit. Même lui ne pouvait me voir. D'un saut, je descendis, puis contournai la maison.

— Dieu tout-puissant, s'écria-t-il en me prenant le visage et en le tournant. Que s'est-il passé ?

Tout en essuyant de nouveau le sang, je repoussai son bras.

— Ce n'est pas mon sang. Les hommes du shérif se sont attaqués à Amy Cooper.

— Pourquoi n'était-elle pas à Worksop ? Je pensais que toute la famille y était allée plus tôt.

— John, je ne peux lire dans les pensées des gens, grognai-je.

— Est-elle blessée ?

— Il l'a un peu giflée, lui dis-je en hochant la tête. Elle était terrifiée. Elle est ici, avec sa mère, mais on ne peut les déplacer avant la nuit et, même à ce moment, il vaudra mieux passer par la forêt.

— Tout ce qu'elles avaient à faire, répondit-il après avoir lancé quelques jurons, c'était de nous écouter, et personne ne se serait rendu compte qu'ils étaient tous à Worksop. Et bon sang, qui donc fait du mal à une petite fille ? ajouta-t-il en remuant sa tête féroce et en croisant les bras sur sa poitrine puissante. Es-tu blessée ?

— Il a cassé mon couteau, lui appris-je, lui montrant la poignée et le reste de lame maintenant inégale.

— Je te le réparerai.

Il me frôla les jointures en s'en emparant, ce qui me fit pousser un sifflement.

Il saisit ma main et essaya de la regarder à la faible lumière.

— Mais qu'as-tu donc fait ? Tu l'as frappé ?

— Oui, lui dis-je en lui retirant ma main.

— Tu te l'es bien amochée. Tu l'as peut-être brisée.

— Elle n'est pas brisée.

De nouveau, il me la prit tout en rangeant dans sa poche les restes de mon couteau. Puis, il appuya de ses pouces, faisant bouger chaque doigt les uns après les autres en vérifiant les os. Ça faisait mal, mais je serrai les dents.

— Elle n'est pas cassée.

— Je te l'avais dit.

— Rends-toi chez Tuck et demande à Robin de te nettoyer. Je vais monter la garde.

— Je reste, lui répondis-je en remuant la tête.

— Scar, tu sais que j'ai perdu ma petite sœur, n'est-ce pas ?

Je déglutis. Oui, je le savais : il avait perdu sa petite sœur, son petit frère et ses parents lors d'un incendie, cependant, il ne m'en avait jamais parlé, alors je n'étais pas certaine de devoir avouer que je le savais.

— Ouais.

— Alors, personne ne touchera à un cheveu de cette petite fille pendant que je me trouverai devant cette maison, tu comprends ?

— Et s'ils revenaient en plus grand nombre ?

— J'espère bien que ce sera le cas, me répondit-il, les yeux brillants.

— Je reviens vite avec Rob.

Il hocha la tête.

Je courus jusqu'à l'auberge. J'avais mal à la tête et, maintenant que la colère était passée, je commençais à me sentir un peu étourdie. J'arrivai à la porte du fond de la salle secondaire et m'assurai que Rob et Much s'y trouvaient avant de la franchir lentement.

— Rob, dis-je à voix basse.

Il leva la tête, puis son visage changea.

— Descends. Toi, Much, reste ici.

Much leva la tête à son tour, puis déglutit.

— Mon Dieu, Scar, est-ce que ça va ?

— Je vais bien, Much, lui répondis-je en souriant.

À son tour, il me sourit. John et Rob étaient pareils. Ils pensaient tous deux que c'était à eux de tous nous sauver. La plupart des gens les regardaient et étaient d'accord, nous mettant de côté, Much et moi. Ils pensaient que je ne pouvais jamais rien faire, et que Much avait besoin d'être dorloté en raison de son mauvais bras.

— Amy et dame Cooper sont coincées dans la maison des Cooper. Il faut que tu trouves un moyen de les emmener à Worksop.

— De toute manière, nous les envoyons à Douvres ce soir, répondit Much en hochant la tête, où ma tante peut leur trouver du travail. Rob, puis-je m'y rendre tout de suite ? lui demanda-t-il.

— Much, lui dis-je d'un air renfrogné, ce n'est pas comme si tu avais besoin de sa permission.

Cependant, il eut l'air attristé, et je me sentis mal.

— Scar, en bas. On doit prendre soin de cette coupure, quelle qu'elle soit, qui se trouve sous tout ce sang, intervint Rob d'un ton brusque.

Je hochai la tête et, par l'escalier dérobé, descendis dans la cave qui servait de magasin. Il faisait froid, et je savais pourquoi Rob m'y avait envoyée. En effet, Tuck conservait une grande réserve d'eau sur le sol froid. J'y pêchai des pierres que je séchai avant d'en appliquer une sur le côté de ma tête. On aurait dit de la glace contre la douleur.

Rob descendit à son tour avec une bougie, et je regardai mon autre main, celle dont les jointures étaient amochées. La peau était ouverte, et elles étaient déjà enflées. Je pris un air renfrogné. Je lancerais mes couteaux avec moins de précision.

Rob ne dit rien, essayant d'avaler comme s'il avait quelque chose de pris dans la gorge pendant qu'il pressait une autre pierre contre ma main. À ce contact, je poussai un sifflement de douleur. Il se mit ensuite à nettoyer le sang en tamponnant doucement un linge.

— Ce n'est pas mon sang, lui dis-je rapidement en lui prenant le linge et en essuyant le sang et en le frottant sur ce qui avait coagulé, même si ça égratignait mes coupures.

— Il y en a un peu qui est à toi, me répondit-il à voix basse. Puis-je te retirer ton chapeau ?

Je me mordillai la lèvre un instant. Puis, prenant une grande inspiration, je baissai les yeux et l'enlevai tout en plaçant ma longue chevelure sur le côté.

Du bout des doigts, je sentis quelque chose de gros et de gluant dans mes cheveux. Je fronçai les sourcils avant de frotter le sang qui y était emmêlé avec le linge.

— Veux-tu me donner ça ? me dit-il en soupirant. Tu es en train de tout empirer. Je sais comment panser une plaie, Scar.

Je lui lançai un regard noir, mais lui remis le linge. Il recommença alors à tamponner, mais sur la coupure de ma joue cette fois, ce qui était assez horrible, même le contact du linge me faisant grincer des dents.

— Vas-tu me dire ce qui est arrivé ?

— Les hommes du shérif s'en sont pris à Amy Cooper. Sa mère et elle sont retournées chez elles. L'un d'eux l'a frappée.

Rob leva les yeux, les sourcils froncés.

— L'homme du shérif est-il toujours en vie ?

— Ils sont tous les deux vivants. J'ai tailladé le derrière du genou à l'un d'eux et la main de l'autre. Il m'a cassé mon couteau, ajoutai-je avec amertume.

— Alors, tu l'as frappé ?

Je hochai la tête.

— Pour les coups de poing, Scar, tu ne vaux rien. Tu aurais pu te casser la main.

— C'est ce que John m'a dit.

— J'imagine qu'il est resté chez les Cooper, sinon tu ne les aurais pas laissées.

Je hochai la tête.

Il pressa de nouveau le linge contre ma joue, puis sa main, si chaude après l'eau froide.

— Je déteste te voir blessée.

J'en eus le souffle coupé, mais, au lieu de le montrer, je levai les yeux au ciel.

— Personne ne s'inquiète trop quand John se fait un bleu.

Il recula, me regarda dans les yeux, et j'eus l'impression que, sans mon chapeau, ceux-ci étaient sans défense.

— Scar, tu es arrivée couverte de sang. Tu ne comprends pas que cela ait pu nous inquiéter ?

— Non.

Il me prit alors le menton entre ses doigts.

— Scar, que tu le veuilles ou non, nous sommes tes amis, tu comptes pour nous. Tu comptes pour moi.

Je m'écartai, lui présentant plutôt mes jointures.

Il déchira alors des morceaux de linge vieux et usé pour me panser le poing et les noua contre ma paume.

— On devrait rejoindre petit John, car si les soldats reviennent, il aura besoin d'aide.

Rob hocha la tête, qu'il avait gardée baissée, et il ne me regardait pas. Il essuya les pierres et les replaça dans l'eau froide.

— Scar, je suis désolé de t'avoir mêlée à tout ça.

À ces mots, toute ma rage remonta à la surface, se mélangeant à une certaine crainte que je ne voulais pas affronter. Je le repoussai et enfonçai mon chapeau sur ma tête, même si cela me fit très mal.

— C'en est assez. Tu n'es pas désolé d'avoir mêlé John et Much à tout ça, tu n'es pas désolé que je sois hors de Londres. Ce n'est pas une tragédie que je saigne, alors, change de sujet.

Il me regarda avec son drôle de sourire en coin, comme s'il savait à quel point j'étais dure et que j'aurais voulu l'être encore tellement plus.

— Scar, je suis en train de dire que je suis désolé que tu aies été blessée.

— Et moi, je te dis que je prends mes propres décisions, dont celle de savoir pour qui me battre et quand être blessée. Alors, passe à autre chose.

Sa bouche se tordit en un sourire, puis il hocha la tête. Nous remontâmes l'escalier. Il me regarda durement, mais sans mot dire, et nous nous retrouvâmes dans la nuit. Il faisait froid, mais nous nous dirigeâmes prestement vers la maison des Cooper. Une part de moi pensait que nous trouverions la maison en feu, mais John se trouvait là où je l'avais laissé, à monter la garde à côté de la maison. Il avait l'air d'une espèce de grande gargouille ombragée comme sur une cathédrale, la protégeant contre les démons. Un frisson parcourut ma colonne vertébrale, mais je me secouai. Je pense que je me suis retrouvée du mauvais côté de Dieu, même si j'ai passé la plus grande partie de mon existence à essayer de compenser.

Much était d'un côté, puis il s'avança tandis que John sortait de l'ombre. Rob se dirigea vers la porte arrière. Je l'entendis frapper et parler avec douceur aux Cooper. Je m'appuyai contre le mur.

— Alors, as-tu appris quelque chose aujourd'hui? me demanda Much.

— Gisbourne est ici, lui répondis-je en hochant la tête, mais pas ses affaires. Ils avaient l'intention de les expédier par la Trent, puis de les lui apporter pour éviter Sherwood, mais au lieu de cela, ils ont décidé de les camoufler. Elles arriveront demain, aussi tôt qu'à l'aube.

— Rob va aimer, dit alors John en souriant.

À cet instant, mes doigts frôlèrent l'espace vide où se trouvait d'habitude mon couteau, et je me demandai si John pourrait vraiment le réparer. Autrefois, il était forgeron, alors je savais qu'il en était capable, mais on ne peut pas vraiment faire confiance aux gens pour vous faire une faveur, peu importe que ce soient des inconnus ou qu'ils fassent partie de la même bande. Je suppose que je pourrais lui voler, si jamais il ne le réparait pas.

— Sais-tu comment elles seront camouflées ? me demanda de son côté Much.

— Non, mais je les reconnaîtrai.

— C'est à peu près la seule chose pour laquelle on peut se fier à un voleur : savoir détecter un trésor, dit John en me donnant un coup de coude.

— Ce ne sera pas un bien gros trésor, dis-je avec un air renfrogné, un peu d'argent, et ses affaires surtout.

— Alors, pourquoi les voudrait-on ? demanda John.

— Parce que ça le mettra vraiment en colère, lui répondit Much, ce qui n'est probablement pas une bonne idée.

— Mettre quelqu'un en colère, c'est toujours une bonne idée, dit alors John en souriant avant de s'esclaffer d'un rire de gorge sombre qui me donna la chair de poule.

— Pourquoi est-ce toujours nous qui provoquons la pagaille ? grommela Much d'un ton méprisant.

— Ce n'est pas le cas, lui répondis-je, sans doute avec un peu plus de dureté qu'il eut été approprié. On met plutôt un terme à la pagaille qu'ils ont provoquée.

Much baissa la tête, et je soupirai. Je n'aimais pas le rabaisser, mais je n'étais pas du genre à m'excuser.

— Avez-vous mis la main sur un butin intéressant aujourd'hui ?

— Non, me répondit John, l'air furieux. Ça m'attriste de le reconnaître, mais sur les routes on a besoin de toi.

À ce moment, Rob arriva de derrière la chaumière et se glissa dans la pénombre avant de nous faire un signe de tête.

— La famille est calme et en sécurité, dit-il.

Puis, en faisant un nouveau signe de tête dans ma direction, il ajouta :

— Et reconnaissante, Scar.

Ce fut à mon tour d'incliner la tête. Comme il faisait noir, ils ne pouvaient prouver que je rougissais.

— Much, pourquoi ne nous les amenons-nous pas à Worksop, toi et moi ? Scar, John — retournez au grand chêne. On a besoin d'être sur les routes tôt demain matin, et on a besoin de vos yeux vifs.

— Scar a appris que les effets personnels de Gisbourne arriveront par la forêt, à l'aube, et camouflé, lui dit John.

— Voilà qui est très intéressant, lui répondit Rob en souriant. Alors, on se retrouve tous à l'arche une heure avant l'aube, d'accord ?

Nous hochâmes la tête, puis je saisis cette occasion pour m'enfuir. Je courus, et courus. Il me fallut une heure pour arriver au lac Thoresby, la limite la plus éloignée du domaine de Lord Thoresby, loin au sein de la forêt de Sherwood, aussi courus-je aussi rapidement que j'en étais capable. Je me sentais encore plus crasseuse qu'à Londres, mais pas à cause du sang. Il m'a frappée, a brisé mon couteau et, ne serait-ce que le temps d'un minuscule instant, j'ai eu peur. Or, j'avais besoin de chasser ce sentiment de mon être avant l'aube, avant que nous ne rôdions sur les routes, au moment où je ne pourrais pas être le moindrement effrayée.

Tout en courant, j'avais les poings qui tremblaient, et la sueur faisait ressortir la crasse. J'avais désespérément envie d'être dans l'eau. Je bondis par-dessus le gros rocher et sautai dans le lac, rompant sa surface et m'écrasant dans sa froideur redoutable.

Là, je me maintins sous l'eau, les yeux fermés, et ma peau s'engourdit. Mes bosses, mes plaies devinrent de glace et, dans mon esprit, il n'y avait plus de place que pour le froid.

Quand je sortis de l'eau, le souffle grelottant et saccadé, plus rien ne me faisait peur.

CHAPITRE 4

L'air était assez frais, sec, comme une pomme sucrée croquante sous la dent. Les feuilles n'étaient pas encore tombées, ce qui était une bonne chose, car une fois qu'elles le sont et que les arbres sont émaciés, je dois faire plus d'efforts pour me cacher. Cependant, une fois les feuilles tombées, toute la forêt est recouverte, ses écueils, ses fossés, ses bosses sont aplanis, mais ils sont bien là, à attendre ceux qui n'en connaissent pas l'existence. Aussi aimai-je connaître mieux ma forêt que ceux qui pourraient m'y pourchasser.

J'étais accroupie sur l'arche, encore que ce ne fût pas une arche à proprement parler, mais seulement deux arbres dont les branches, des années auparavant, s'étaient entremêlées au-dessus de la route pour former une grande voûte. Je ne pouvais voir John, Rob ou Much, mais je savais où ils se trouvaient, attendant mon signal. C'était l'aube, et la route menait jusqu'aux marchés, aussi plusieurs charrettes étaient passées. Nous connaissions la plupart d'entre elles, mais d'autres nous étaient inconnues, sans avoir toutefois l'air de contenir bien des pièces de monnaie. De toute manière, ce matin, ce n'était pas l'argent qui importait.

À travers les arbres, il ventait assez fort quand je les aperçus au bout de la route. On aurait dit un corbillard avec deux âmes dans des cercueils et deux moines tenant les rênes. C'était un bon déguisement, mais il manquait aux moines cette demi-panse en plus typique de leur espèce, et sous leurs robes, à chaque sursaut de la charrette, se faisaient entendre leurs cottes de mailles. Ce qui les trahissait, surtout, c'était les chevaux. Aucun ordre religieux n'aurait disposé de si puissants destriers.

Je lançai alors un petit poignard auquel était noué un long ruban rouge sur un arbre du côté où Rob se cachait. Je n'entendis pas même le moindre bruissement, mais je savais qu'ils étaient prêts.

Quand la charrette se fut rapprochée, je me laissai tomber sur la route, mon manteau de laine élimé s'écartant sous moi tandis que les feuilles bruissaient à mon passage. Lentement, je levai la tête tout en souriant.

— Oh, ordonnèrent-ils aux chevaux. Dégage de la route, maraud!

— Vous n'êtes pas des moines, leur dis-je, et ça, ce ne sont pas des corps.

À ces mots, ils se levèrent d'un bond en dégainant leur épée de sous leurs robes.

— Laisse-nous passer, sinon notre maître te le fera regretter.

— Quant à moi, je ne me fie pas trop aux maîtres, leur rétorquai-je. Alors, messires, allez-vous payer l'impôt de la forêt?

— Tu veux qu'on te paie la dîme avec un corps?

— Comme vous le proposez, leur dis-je en les regardant, alors, je prendrai votre main, ou votre pied. Vous avez de si jolis pieds, messires.

— C'était des cadavres qu'il parlait, petit.

— Oh, on est toujours en train de faire semblant qu'il y a des corps dans ces cercueils ?

À ces mots, celui qui se trouvait à ma gauche sauta de la charrette. J'entendis sa cotte de mailles claquer comme une averse. Je fis un pas en arrière en croisant les bras sur ma poitrine afin de saisir les deux couteaux qui se trouvaient sous mon manteau.

— Il est temps de déguerpir, vermine.

Mais vraiment, pourquoi donc tout le monde pense-t-il que je suis un rat ?

— Alors, vous ne payerez pas la taxe ?

— Je te prendrai un dixième de ton cou si tu essaies, grogna-t-il.

— Je suppose que c'est équitable, lui répondis-je en haussant les épaules. Cependant, vous devriez vous assurer que ces corps sont toujours en sécurité. On ne voudrait pas qu'un mort roule sur lui-même.

Je souris d'un air ironique, puis tous deux se retournèrent pour regarder la charrette, qui était maintenant des plus vides. Le temps qu'ils se retournent vers moi, j'étais cachée dans l'arbre, et eux juraient comme des charretiers.

Pendant quelque temps, ils fourragèrent dans les taillis, mais sans pouvoir trouver nos hommes. Plus ils les cherchaient, plus ils se disputaient, jusqu'au moment où ils remontèrent sur leur charrette, le visage rouge, et repartirent en direction de Nottingham.

Tandis qu'ils s'en allaient, j'espérai qu'ils étaient les hommes du shérif. Dans ce cas, tout au moins, Gisbourne n'aurait pas l'autorité pour les tuer sur-le-champ.

—⁓—

J'aidai John avec son cercueil pendant que Rob et Much se débattaient avec l'autre. Mes bras étaient si tendus qu'ils me faisaient mal quand nous arrivâmes à la caverne, malgré le fait que ce fût John qui supportait la plus grande partie du poids. Je détestais ne pas être plus forte. Much, de son côté, était pâle, en sueur, et s'appuyait contre la masse du cercueil de son seul bras valide. Peut-être n'était-ce pas le pire des sorts d'être la plus faible du groupe.

Nous le portâmes loin au fond de la caverne, qui était un repaire que nous gardions séparé de notre camp. Nous l'avions découverte l'hiver précédent, et nous y entreposions tout butin à nous tomber entre les mains jusqu'au moment où nous pouvions le redistribuer aux villageois. Nous disposions aussi de certaines denrées cruciales qui nous permettraient, entre autres, de passer l'hiver. Une chatte tricolore s'y était installée pour mettre bas ses petits, et l'un des chatons semblait m'aimer. Comme d'habitude, en se servant de ses griffes, il grimpa jusqu'à mon épaule.

— Salut, minet, lui dis-je en lui grattant l'oreille.

Au moins était-il chaud.

— Ouvrons-les, dit alors John.

Je hochai la tête et m'agenouillai au niveau des cadenas avant de tirer mon crochet de mon gilet. Au bout d'une seconde ou deux, ils étaient ouverts. Je me levai, puis John étira les bras.

— Pourquoi ne pouvais-je simplement les casser ?

— Je pense que si tu continues à être toi-même, lui répondis-je en croisant les bras, sous peu, on aura besoin d'un cercueil en parfait état.

— Les gars — et Scar —, nous dit alors Rob en nous lançant un regard noir. Ça ne vous intéresse pas, tout ça ?

— Ça m'intéresse, lui répondis-je en rougissant.

D'un coup de pied, John ouvrit l'un des cercueils. Ils se penchèrent au-dessus, déplaçant des objets, mais moi, je demeurai rivée au sol. C'était là, sur le dessus : une mèche de cheveux brun foncé retenus par un ruban d'un rouge brillant, un ruban rouge qui ressemblait bien trop à ceux que j'attachais à mes couteaux. Même si les garçons ne savaient pas de quels cheveux il s'agissait, ils parleraient du ruban.

Je tendis donc la main et saisis les cheveux, les tordant autour de ma main en un clin d'œil pour les leur cacher. Rob me regarda rapidement, mais nous continuâmes de fouiller dans toutes ces affaires. Il y avait des vêtements, des bottes, un peu d'argent, mais pas beaucoup. Much se lança dans les bijoux, que nous pouvions fondre et vendre le plus cher.

— Et ça, qu'est-ce que c'est ? demanda Rob en regardant par-dessus son épaule et en saisissant une petite bague pour femme. C'est le blason des Leaford, non ?

— Sa fiancée était une Leaford, lui répondis-je, celle qui s'est suicidée.

— Il a conservé sa bague ? Il a dû avoir du mal à accepter sa mort, supposa John.

Franchement.

— John, tu ne sais absolument pas de quoi tu parles ni quel scélérat il est, lui dis-je.

Rob me regarda de cette manière qui lui est propre, et je baissai la tête.

— Qu'est-ce que ça veut dire ? continua John.

— Il voulait simplement la posséder, comme il possède cette bague, et elle s'est suicidée plutôt que l'avoir, lui.

À cet instant, le poids du regard de Rob sur moi me donna l'impression d'être sur le point d'être terrassée par une vague.

— Tu la connaissais ?

Ça, je ne pouvais l'avouer, car ça m'aurait placée dans les terres des Leaford, qui n'étaient guère éloignées de Nottingham.

— Elle avait une sœur, et je la connaissais.

Le simple fait de parler de Joanna me donna mal à la gorge, et je ne pouvais avaler correctement.

Je n'étais pas certaine si Rob me croyait. Il ne cessait de m'observer, comme si j'avais laissé une porte ouverte et qu'il essayait de passer le cou de ce côté pour jeter un coup d'œil.

— Alors, tu dois en savoir plus long sur lui que tu ne le laisses deviner, me dit John en me regardant. Que sais-tu donc?

— Rien de bien utile, rien d'intéressant.

— Dis-le-nous, Scar, me dit Much.

— Rien que vous ne vouliez entendre. Elle m'a simplement raconté qu'il était horrible, qu'il avait signé le contrat avant même qu'ils aient le droit de se marier, et déterminé comme date du mariage le premier jour où celui-ci serait permis. Elle m'a raconté que sa sœur pleurait auprès de ses parents qu'elle ne voulait pas se marier, mais peu leur importait. Gisbourne voulait leurs terres, et eux, son argent. Il n'y avait rien d'autre à dire.

— Alors, elle s'est suicidée? me demanda John.

— C'est ce qu'on dit.

— Ça ne semble pas si horrible que ça, grommela John. Pas assez pour se donner la mort.

— Tu ne sais pas ce que c'est, John, d'être réduite au silence parce que tes souhaits sont sans importance, d'être vendue comme un bien, et à un tel homme? lui dis-je avant de cracher à ses pieds. Un homme ne peut savoir ce que c'est.

— Et une voleuse, ça y connaît quoi ? me répondit John avec mépris. Comme si tu avais jamais fait une seule satanée chose que tu ne voulais pas faire.

— Je sais ce que c'est de n'être entendue de personne, lui répliquai-je en remuant la tête. Quand ce qu'on dit ne compte pas. Je pense presque que toute fille sait ce que c'est de devoir se taire.

— C'est une terrible pratique, convint Rob, et la plupart des parents attendent plus longtemps. La plupart des prétendants le veulent, même.

— Ouvrons le second cercueil, proposai-je alors en renversant le couvercle d'un coup de pied comme John l'avait fait. Mon pied résonna et claqua à ce contact, mais c'était bon après toute cette conversation.

— Oooh, des armes, s'écria Much avant que John ne le repousse.

— Much, tu ne sais même pas t'en servir.

Much prit un air sombre et renfrogné, mais, avant même que je puisse m'en prendre à John, celui-ci me lança une paire de couteaux que j'attrapai.

Il s'agissait de véritables joyaux dont le métal était plus sombre que celui de la plupart de ceux que j'avais vus et, là où le métal avait été plié, son grain était des plus fins.

— C'est du métal sarrasin, murmurai-je.

La poignée de chacun des couteaux était ornée d'un petit rubis, une version plus précieuse du grenat de mes couteaux préférés.

— Du calme, Scar — on devrait les vendre, me rappela Rob.

— Tu n'en obtiendras jamais un bon prix, ici, pas ce qu'ils valent en tout cas, rétorquai-je en fronçant les sourcils.

De toute manière, je peux voler ce qu'ils valent, si tu me dis de le faire.

— Elle est peut-être bien une fille, à rêver ainsi de babioles brillantes, s'exclama John en riant.

À ces mots, mon poing se serra, mais je ne le frappai pas. Il n'y avait rien de comparable entre mon désir pour ces deux couteaux brillants et ces idiotes de filles en train de soupirer pour des bijoux scintillants.

— Fais ce que tu considères être juste, Scar. Après tout, je ne peux te dire quoi faire — n'est-ce pas ce que tu dis toujours? me demanda alors Rob sans me sourire avant de se retourner comme s'il ne voulait pas me voir les piquer.

Ma bouche se durcit. Je jetai les couteaux sur le tas d'objets que nous vendrions ou donnerions. Je n'ai pas beaucoup de considération pour moi-même — il est certain que je ne suis point une sainte —, mais, en toute justice, en pensant à Amy Cooper et aux gens qui n'avaient rien à manger, je ne pouvais garder ces couteaux. Tout était injuste.

Nous continuâmes à fouiller dans les affaires de Gisbourne, et la seule pensée qui me réjouissait était la tête qu'il ferait quand il saurait.

Puis, Much et moi nous nous mîmes à trier les vêtements et à en faire des paquets que nous pourrions distribuer. Les vêtements, nous pouvions les donner, car ils n'avaient rien de trop reconnaissable, mais les bijoux et le métal allaient devoir être fondus et cassés pour être vendus brut. Vous voyez, si Gisbourne trouvait sur quelqu'un quelque chose qu'il reconnaîtrait comme lui appartenant, il abattrait sans aucun doute cet agneau, qu'il soit innocent ou non, un risque que nous ne pouvions prendre. Aussi John et Rob se mirent-ils à rompre et casser le reste.

— Scar, voudrais-tu m'apprendre à lancer les couteaux ?
me demanda alors calmement Much.

Je le regardai, mais pas lui, occupé qu'il était à nouer un
baluchon de vêtements.

— Je ne suis pas convaincue que c'est ton arme.

— Je sais bien que je devrai t'emprunter un couteau, me
répondit-il en fronçant les sourcils.

Je remuai la tête en désignant Rob de la pointe de
l'un de mes couteaux, avec son grand arc en travers de son
dos.

— L'arc, c'est l'arme de Rob, elle lui convient, il se déplace
avec, et cela marche comme si ses bras avaient été étirés et
façonnés en forme d'arc.

— C'est une part de lui, me répondit Much en cachant
son bras invalide sous sa cape.

— Aussi, lui dis-je après avoir hoché la tête, je t'appren-
drai, mais je ne suis pas sûre que ce soit une arme pour
toi.

— Bien sûr que non, grommela-t-il alors en empilant
plus de vêtements.

— Hé, Much, lui dit-je alors assez durement pour qu'il
levât la tête, je ne suis pas en train de dire qu'il n'y ait point
d'arme pour toi.

— Bien sûr que si, me répondit-il, les sourcils froncés
pour ne plus en former qu'un. Je n'ai qu'un bras valide.
Comment pourrais-je me battre avec valeur ?

Ma bouche se tordit, puis je le poussai.

— Ferme-la, Much. Les gens pensent que je ne peux me
battre avec valeur, alors même qu'ils ne savent pas que je
suis une fille. Et je leur prouve qu'ils ont tort. Nous allons
leur prouver. En plus, j'ai une idée, d'accord ?

— Vous, me répondit-il en remuant la tête, vous pensez que je suis un bon à rien, John me le dit chaque fois qu'il en a l'occasion.

— Oh, et qu'en sait-il? Tout ce qu'il fait, c'est frapper.

Cependant, Much se frotta la poitrine, là où je l'avais poussé.

— Toi aussi, tu frappes pas mal, Scar.

— Ne me force pas à recommencer. L'opinion de John n'est pas la seule qui compte.

Il soupira et retourna à sa pile de vêtements.

— Écoute, je ne dis pas que ça sera facile, lui dis-je en remontant ma manche et en lui montrant plusieurs petites cicatrices blanches laissées par les coupures et les égratignures. Quand j'ai commencé avec mes couteaux, j'étais horriblement mauvaise, mais c'était la seule arme que je pouvais tenir et cacher, alors, j'ai appris à m'en servir, ajoutai-je en lui montrant le ruban de l'un deux, et eux aussi, ils m'ont apprise.

— Je ne comprends pas.

— Autrefois, je nouais un ruban à chacun de mes couteaux pour les saisir rapidement. Ce sont des rubans pour mes cheveux. Puis, quand Rob m'a pincée, à Londres, je ne voulais pas lui dire mon nom, aussi m'a-t-il simplement appelée messire Scarlet, jusqu'au moment où il a découvert que j'étais une fille. Depuis lors, je suis simplement Scarlet.

— Ce n'est pas ton vrai nom?

Mon regard croisa le sien, fort sérieux et sombre et, lentement, je fis non de la tête.

Il m'observa longuement, mais je baissai la tête. Quand il ouvrit la bouche, je l'interrompis.

— Cette pierre que tu es en train de tailler, qu'est-ce donc?

Il leva la tête, le visage un peu changé et, l'espace d'un instant, il me regarda comme il regardait Rob.

— Tu veux voir?

— Je te l'ai demandé, non?

Il sourit et, d'un bond, fut debout. Il se dirigea vers le feu de camp et je le suivis. Là, il retira une petite bûche du feu couvert et se rendit dans un coin de la caverne où je pouvais voir qu'il avait évidé une veine de la roche pour en accumuler le gravier dans un bol. Il déposa ensuite la bûche par terre et recula loin derrière en me poussant de son bras invalide.

Il prit une pincée de cette poudre grisâtre.

— Ne crie pas, me dit-il.

— Much, je ne crie jamais, lui dis-je d'un air renfrogné.

— Cette fois, tu pourrais bien.

D'une pichenette, il envoya la poudre sur la flamme.

Elle s'enflamma et explosa, produisant une lumière brillante et blanche. On aurait dit que Dieu lui-même était venu dans la caverne sans même un buisson ardent pour l'annoncer.

Je renversai Much et couvris nos têtes, et nous nous retrouvâmes empilés l'un sur l'autre sur le sol de pierre.

Tandis que la vue me revenait, lui, il gloussait de rire. Une lumière blanche décrivait toujours des arcs en travers de mes yeux. Cela donnait de plus en plus l'impression d'être non pas l'œuvre de Dieu, mais du démon.

— Nom de Dieu, mais qu'est-ce que c'était? hurla Rob.

De la fumée sortait de la caverne, mais plus rien ne brûlait. John et lui remuaient les bras comme si cela pouvait servir à quelque chose.

— Je ne sais pas au juste, lança Much.

— Moi non plus, dis-je en lui donnant un coup sur la poitrine, mais bon travail, Much, ajoutai-je en le regardant, et il me sourit. Rob, je crois que Much pourrait connaître un moyen de ralentir un peu le shérif.

— Moi ?

Je me redressai, entraînant Much avec moi, pour examiner cette poudre.

— Non ? Il me semble que la seule chose à laquelle on n'a pas pensé, c'est que le shérif ne peut s'en prendre aux gens si, de son côté, il est occupé.

— Tu voudrais provoquer une explosion ? me demanda alors Rob en s'approchant, avant de regarder Much. As-tu suffisamment de cette poudre ?

— Pour faire sauter le Castel du Roc, non, mais peut-être puis-je en trouver un peu plus dans d'autres cavernes.

— Mets-toi au travail !

—⁓—

Il nous fallut deux journées entières pour écouler ce que nous pouvions, vendant une partie du métal, distribuant les vêtements et faisant des réserves de bijoux et de pièces de monnaie. Cela signifiait aussi deux journées pendant lesquelles nous n'étions pas sur la route. On avait l'impression que le temps enfonçait ses griffes en nous.

Ce soir-là, nous nous retrouvâmes à l'auberge où j'entrai sans me faire remarquer, comme à mon habitude. J'avais la tête qui résonnait comme un marteau à cause de mes coupures et contusions. Depuis que le garde m'avait tabassée, une bosse foncée s'était formée, sur laquelle mon chapeau pressait fort. Néanmoins, comme je préférais cette douleur au fait de me pavaner la tête nue, ce n'était pas de chance. En plus, j'avais de mauvaises nouvelles, ce qui ne me mettait jamais de bonne humeur.

John me fit un signe de tête tandis que je me glissais dans la salle.

— Rob n'est pas encore arrivé ?

— Non. Tuck t'a préparé une tourte à la viande, me dit-il. Puis, il se déplaça afin que je m'assoie à ses côtés. Je jetai un coup d'œil autour de moi. Much était de l'autre côté, à l'extrémité du banc, qui suivait la forme de la table, de sorte qu'à côté de lui, il n'y avait guère de place. Je soupirai et m'assis à côté de John. Il y avait une tourte sur laquelle un «S» était tracé. Elle sentait le paradis. Je pris ma cuillère et l'entamai, en mangeant une bouchée. Cependant, mon estomac palpita, et je m'arrêtai, me demandant si je n'avais point attendu trop longtemps pour manger. Comme je pouvais sentir le regard de John sur moi, je tentai de prendre une nouvelle bouchée.

Juste à ce moment, Rob arriva et, immédiatement, son regard se posa sur la nourriture et sur moi, aussi pris-je une nouvelle bouchée, mais mon estomac se tordit.

— Finis-la, Scar, tu n'as pas pris de petit déjeuner.

— Et hier soir, tu as à peine mangé, me rappela Much.

— Merci, Much, lui dis-je en lui lançant un regard noir.

Rob croisa les bras, aussi pris-je une nouvelle bouchée, mais de la sueur se mit à couler sur ma tête. Je me sentais sur le point de tout rendre.

— Eh bien, la bonne nouvelle — d'une certaine manière —, c'est que je n'ai pu receler les armes, elles étaient trop reconnaissables. Par ici, personne n'en vend de telles, aussi en avons-nous tout simplement de nouvelles. Scar, tu viens de récupérer tes couteaux.

Je grimaçai un genre de sourire, mais il continua de m'observer pendant un instant. Je pris une nouvelle bouchée, la gardant en bouche tout en essayant de ne pas l'avaler. Il me regardait toujours.

Je l'avalai donc, et il détourna les yeux.

— Mon Dieu, dis-je alors en gémissant, me levant d'un bond et sortant brusquement par la porte du fond.

J'eus à peine le temps d'arriver dehors que toute la nourriture remontait. Mes genoux chancelèrent et cédèrent sous mon poids tandis qu'un nouveau haut-le-cœur me secouait, mais le bras de Rob s'empara de moi et me serra contre lui.

De nouveau, je fus secouée, mais tentai de reprendre pied.

— Tout doux, dit alors la voix de John.

Je levai la tête tout en tentant de m'écarter. C'était John ? Pourquoi avais-je pensé que c'était Rob qui m'attrapait ?

— Doucement, doucement, répéta-t-il en me frottant le dos.

— S'il te plaît, arrête de me toucher, grommelai-je.

Aussitôt, il s'arrêta, mais sans que son bras ne quitte ma taille. Je le repoussai, m'agenouillai, fermai les yeux et pris de grandes inspirations. J'avais la tête en un bien piteux état.

— Ça va ? me demanda Rob.

Je me retournai et je le vis en compagnie de Much. Il avait les bras croisés, l'air sombre. Je détestais la manière qu'ils avaient tous de me regarder.

— Oui, bien, lui répondis-je, me sentant seulement un peu étourdie.

— Scar, tu es malade, reprit Rob d'une voix dure qui faisait un peu peur.

— Je ne suis pas malade, lui dis-je sèchement. Je te l'ai dit, je mange quand j'ai faim.

— Tu as trop faim, intervint cependant John, toujours un genou par terre, voilà le problème, n'est-ce pas ?

Je croisai les bras, et il se releva.

— C'est ce qui arrive quand on ne mange pas assez — on ne peut même plus manger quand on le souhaite. C'est ça, n'est-ce pas ?

— Pour l'amour de Dieu, je mange, grognai-je.

Je fis mine de retourner dans la taverne, mais Rob ne bougeait pas.

— C'est donc toujours le cas, après tout ce temps ? me demanda-t-il alors avec douceur. Tu me mentais donc en me disant que tu mangeais davantage ?

— Rob, il ne s'agit pas de toi, intervint John.

Rob le fusilla du regard, mais moi, je n'osai lever les yeux sur aucun d'entre eux.

— Non, en effet, c'est d'elle qu'il s'agit. Scar, j'ai promis de veiller sur toi. Après que tu eus eu si faim à Londres, j'ai juré que je te nourrirais. Pourquoi m'avoir menti tout ce temps ?

Je sentais la honte s'élever dans ma gorge, derrière la nourriture, aussi le frappai-je à la poitrine.

— Parce que ce n'était pas ce que tu voulais entendre, Rob.

— Eh bien, Scar, maintenant, je t'écoute.

— Je vais bien, lui répondis-je en remuant la tête, et je mange. Mais ces satanées contusions me font si mal au visage que j'en ai l'estomac retourné. Et parfois, le simple fait de penser à tous ces gens qui ne peuvent point même trouver une miette à manger, ça me retourne aussi l'estomac, mais il n'y a pas grand-chose que je puisse y faire, ajoutai-je en lui lançant un regard noir. Et ça ne s'en va pas, ce n'est rien que l'on puisse arranger. J'ai eu faim pendant très longtemps, Rob, et bien que je le voudrais, une part de moi ne s'en remettra jamais, peu importe que tu grognes après moi.

À ces mots, il me saisit le bras et m'attira tout près de son visage, ses yeux tels l'océan, sombres et profonds, remplis de toutes sortes de choses que je ne pouvais point même soupçonner.

— On ne se ment point entre nous, Scar, surtout pas si cela signifie que je pourrais te perdre.

Mon souffle se figea dans ma poitrine. Venait-il vraiment de prononcer ces paroles ?

— Car, tu comprends, perdre l'un de nous, poursuivit-il en me laissant aller, mettrait toute la bande en danger.

À ces simples mots, je sentis toute chaleur quitter mes os et je frissonnai avant de hocher la tête. Puis, John passa son bras autour de moi. Mon Dieu, comme il était chaud, soudainement.

— Rentrons, dit-il alors.

Puis, plus doucement, il me dit :

— Essaie de manger un peu de pain ou de bouillon, ça passera mieux que la tourte.

Je hochai la tête et le laissai garder son bras autour de moi tandis que nous rentrions. Il s'assit ensuite tout près de moi, chaud et protecteur. De l'assiette sur laquelle se trouvait la tourte, il prit un morceau de pain et le poussa vers moi.

Depuis le temps que je connaissais John, à un moment ou un autre, il avait joué au grand frère avec presque tout le monde, mais jamais avec moi, aussi cela me paraissait-il maintenant étrange.

Je pris une petite bouchée de pain que je grignotai.

— J'ai des renseignements, dis-je alors tout en détestant à quel point ma voix était faible.

— Vas-y, me répondit Rob sans me regarder.

— C'est la riposte de Gisbourne. Il a triplé les patrouilles en forêt, nuit et jour, et quiconque sera pris en train de braconner sera pendu dès l'aube le lendemain.

— Bon, me répondit Rob en hochant la tête, ç'aurait pu être pire, et nous sommes préparés au pire. Tu n'as qu'à dire aux villageois que nous leur procurerons de la nourriture, mais qu'eux ne peuvent s'y risquer.

— Ce n'est guère utile, intervint cependant Much. Tous savent que s'ils se font prendre, nous les libérerons, alors ils tentent tout de même le coup.

— Dans ce cas, dis-leur que, une fois pris, Gisbourne a l'intention de les tuer sur-le-champ, répondit Rob. De toute manière, je suis convaincu que telle est bien son intention.

— Il est assez horrible pour ça, dis-je en hochant la tête.

— Ce qui signifie aussi que pour les prochains jours, on chassera et on rôdera dans la forêt par deux, pour ensuite terroriser les routes le matin, dit-il en soupirant.

Ses épaules se voûtèrent un peu, comme quelqu'un qui pousse violemment vers le bas.

— On pourra tout au moins vendre les peaux, conclut-il.

— Et les bois des cerfs, ajoutai-je.

— Si l'un d'entre vous n'est pas prêt à doubler son temps, poursuivit-il après avoir hoché la tête, c'est le moment de le dire.

Aucun de nous ne se manifesta.

— Bien. Restez aux aguets. On ne peut se permettre aucune erreur, à présent. Scar, puisque toi et moi, nous sommes les chasseurs, je prendrai John, et toi, Much.

À ces mots, tout le monde s'arrêta.

— C'est idiot. Moi, j'irai avec Scar, lui dit John.

Le visage de Rob devint tempétueux, mais John poursuivit.

— Rob, je ne suis pas un chasseur, mais si elle encourt la fureur des hommes de Gisbourne, je la seconderai mieux que Much.

Much fronça les sourcils, et John haussa les épaules.

— Désolé, Much.

— Il a raison, convint cependant Much en soupirant. Scar, toi et moi, nous sommes des maigrelets.

— Mais on a notre utilité, lui rappelai-je.

— Très bien, dit Rob, entre ses dents, John, va avec Scar.

Je m'attendais à ce que John s'en plaignît, mais ce ne fut pas le cas. Qui aurait cru qu'il fallait des haut-le-cœur pour qu'un pataud tel que lui devînt amical? Remarquez, je ne m'attendais pas à ce que ça durât bien longtemps.

— Devrions-nous partir tout de suite? demanda alors Much.

— Voudriez-vous nous attendre dehors, tous les deux? répondit Rob en s'adressant à John et Much. Scar, on peut discuter?

Je n'opinai pas du bonnet, mais je ne m'en allai point non plus. Laissant John quitter le banc, je m'appuyai contre le mur, les bras croisés, le regard baissé. Rob, de son côté, s'adossa au mur opposé tout en me regardant.

— Que devrais-je faire pour toi, Scar ? Honnêtement.

— Faire ? répétai-je.

— Quand nous avons quitté Londres, tu ne mangeais pas. J'ai fait tellement d'efforts pour que tu manges davantage. Depuis des *années* maintenant, je pensais que ça marchait, que tu mangeais normalement, mais ce n'est pas le cas, aussi ne sais-je que faire pour toi, me dit-il en se passant la main dans ses cheveux qui suivirent la voie que ses doigts s'y frayaient. Tu me fais peur. Ça me fait peur de penser que tu souffres, Scar, poursuivit-il, aussi dois-je faire quelque chose, mais tu dois me dire quoi, parce que, manifestement, ce que je faisais auparavant ne marche pas.

— Je ne sais pas, murmurai-je.

— Tu ne manges pas.

Mon visage commençait à chauffer.

— Je n'ai pas besoin de grand-chose, lui répondis-je. Après Londres, c'était toujours plutôt un problème, car n'avoir rien mangé pendant si longtemps fut bien difficile. Et maintenant que j'ai de quoi me nourrir, d'autres en ont davantage besoin.

— Pourquoi ne mangeais-tu point à Londres ? Tu es l'un des meilleurs voleurs que j'ai jamais rencontrés. Tu aurais pu voler le poids de ton corps en nourriture.

— À l'époque, répondis-je tandis que du mépris me montait à la gorge, j'étais à peine une voleuse. De toute manière, là-bas aussi, il y avait d'autres personnes qui en avaient plus besoin que moi.

— À Londres, y avait-il quelqu'un pour qui tu volais de quoi manger ?

— Rob, nous sommes honnêtes l'un envers l'autre, n'est-ce pas?

Il hocha la tête.

— Alors, ne me force pas à répondre à cette question.

Il me regarda un long moment, mais je refusai de sourciller.

— Alors, que puis-je faire?

— Rob, c'est la vie. Il n'y a rien à faire.

— Ne te trompe point, me répondit-il. On fait ce qu'on fait…

Il s'interrompit pour se rapprocher de moi.

— Je fais ce que je fais parce que je croirai toujours que, peu importe à quel point la vie est horrible pour je ne sais combien de nous, je peux faire quelque chose pour y remédier, et je le *ferai*.

— Voilà pourquoi tu es le héros, Rob, répondis-je en hochant la tête, et moi, une voleuse.

Je me retournai aussitôt vers la porte du fond, car il n'y avait pas grand-chose à ajouter.

Avant que j'aie eu le temps de complètement franchir la porte, il me saisit par le poignet.

— Scar, me dit-il d'une voix dure, comme si des cailloux lui roulaient sur la langue, il y a tant de choses impardonnables que j'ai faites dans ma vie. Ne fais pas en sorte que ne pas réussir à te sauver en fasse partie.

— Je n'ai jamais demandé qu'on me sauve! lui répondis-je en retirant mon bras.

C'en était assez. Je sortis, impatiente de sentir le froid sur mes joues si chaudes.

—∼—

Cette première nuit, John et moi nous restâmes silencieux. Je n'étais point d'humeur à bavarder et lui, de toute manière, devait, du mieux qu'il le pouvait, être à l'affût du gibier. Je restai sur les hauteurs d'un arbre toute la nuit, et là, comme le clair de lune éclairait davantage, je pouvais voir plus loin et viser mieux quand j'apercevais un cerf. J'étais plus douée sur la terre ferme avec mes couteaux, mais ça ne me dérangeait pas d'utiliser un arc, une arme avec laquelle je m'en tirais assez bien. Pas aussi bien que Rob, mais je m'en tirais tout de même. J'en tuai deux, que John dépouilla. C'était l'aspect que je n'aimais pas, voir toutes ces entrailles se répandre. En effet, je pense toujours à quel point ce serait facile pour quelqu'un de m'ouvrir le ventre, et de regarder mes entrailles en sortir.

Nous les rapportâmes à la caverne où John et Much se mirent à les parer et à en découper la viande. Je les observai tout en aiguisant mes couteaux et en retirant la corde de mon arc. Je n'ai jamais aimé la chasse. Enfin, j'aime bien chasser, mais je n'aime pas le sang. Or, qu'une si grande partie de ce sang doive venir d'un animal pour nourrir un village, ça me paraissait étrange.

C'était cela, plus que de voler des babioles, qui faisait de nous des brigands et des hors-la-loi, et tous ces termes dont nous qualifiait le shérif. En effet, Sherwood étant une forêt royale, c'était une terre réservée qui devait être son domaine de chasse. Cependant, l'Angleterre était un pays sans roi ; son roi, Richard, surnommé « Cœur de lion », étant allé aiguiser ses griffes léonines en Terre sainte, où il combattait les infidèles pendant que son peuple — *mon* peuple — crevait de faim. À son retour, il n'y aurait plus de gibier à chasser. Au lieu de cerfs, l'Angleterre serait pleine de loups, dont le plus gros était le prince John.

Much et John enveloppèrent la viande dans les peaux, puis Rob et moi nous partîmes en vitesse, Rob pour Worksop et moi pour Edwinstowe, pour distribuer la viande avant le lever du soleil.

Nous avions séparé la chair de notre mieux, en essayant d'en donner un morceau qui durerait la journée au moins à chaque famille. Certaines avaient plus de chance que d'autres. Ainsi les paysans avaient-ils leur récolte pour nourrir les leurs, et certaines de celles de l'été étaient plutôt bonnes. Néanmoins, quand nous avions de la nourriture, nous la répartissions entre tous.

J'en avais presque terminé à Edwinstowe lorsque j'entendis les soldats. Je me glissai le long de la structure d'une maison en espérant qu'ils n'aient pas de chien, puisque je dégageais une odeur de viande crue.

— Ces satanées patrouilles de nuit, grommela l'un d'eux.

— Gisbourne est un imbécile, tout le monde sait que le Prince des voleurs n'est qu'un fantôme.

— Ouais, il n'en reste pas moins que quelqu'un braconne, non? Et qu'on doit capturer les braconniers.

— Et les tuer. Ça ne me plaît guère.

— On les emmène au shérif qui lui les tue. On n'a pas à le faire nous-mêmes.

— Je ne comprends pas ce plan. Il pense que tuer tous ceux que nous capturerons lors d'une grande exécution forcera le Prince des voleurs à se montrer? Ce n'est qu'un fantôme!

— S'il existait, et si j'étais à sa place, je les libérerais la nuit précédente. Gisbourne n'est pas bien malin.

— Non.

— On pourrait aller faire un tour du côté de chez Tuck. Ces derniers temps, Rosie a une étincelle dans les yeux.

— Attention de ne pas devenir la prunelle de ses yeux, mon garçon, lui répondit l'autre en riant.

— Le shérif n'en saura rien. Allons-y.

L'autre homme hocha la tête.

Je restai cachée jusqu'à ce qu'ils se soient éloignés, puis je me rendis au grand chêne.

— Tout va bien, me dit Rob une fois que j'eus terminé de lui rapporter ce que j'avais entendu. On fera simplement en sorte que personne ne se fasse prendre en train de braconner.

Je n'avais pas l'impression que tout allait bien, mais plutôt que nous étions en pleine tempête au centre de laquelle se trouvait Gisbourne.

CHAPITRE 5

La matinée du lendemain, passée sur la route, fut longue. Il y avait un tas de voyageurs, et je me sentais rougir en les examinant. Certains seigneurs tentaient de paraître les plus pauvres des hommes alors qu'ils montaient de grands chevaux et semblaient bien nourris et en bonne santé. Quelle honte ! C'était ceux que je préférais choisir. Il y eut aussi deux chevaliers transportant pour une dame un grand coffre rempli de bijoux, des bijoux délicats et raffinés. Quand nous l'ouvrîmes loin du bord de la route, je sentis une bulle d'enthousiasme monter en moi.

— Voilà qui couvrira les besoins de la plupart des gens du Nottinghamshire, s'émerveilla John.

Je laissai pour ma part une rivière de diamants glisser entre mes doigts, comme de l'eau de pluie.

— Ça les nourrira et les vêtira aussi.

— Scarlet, dit alors Rob en nous faisant un clin d'œil, c'était un bon emplacement.

— Oh, je sais, lui répondis-je en souriant tout en regardant le soleil briller sur un lingot d'argent.

— Voilà d'excellentes nouvelles, compagnons. Une fois que nous en aurons recelé la plus grande partie, on aura du temps devant nous avant le cens, poursuivit Rob avant de faire un signe de tête dans ma direction, alors, nous pourrons nous concentrer sur Gisbourne, puis le chasser d'ici.

Je hochai à mon tour la tête tout en prenant une profonde inspiration qui me gonfla la poitrine. Il avait raison, évidemment. Tout irait bien, nous étions en parfaite sécurité.

Plus tard cet après-midi-là, je traversai le marché de Worksop en compagnie de Much. C'était le préféré des villageois du comté, car tous le connaissaient depuis qu'il était haut comme trois pommes et il savait si bien écouter. Cependant, il ne savait pas toujours ce qui était important, alors j'allais avec lui écouter ce qu'on lui confiait.

C'était étrange. Les gens le regardaient et lui révélaient tout. Ils voulaient lui parler, tapoter sa bonne main, l'embrasser sur la joue et être à ses côtés, mais moi, je n'étais pas comme lui. Je restais seule, encore que je n'étais point sûre si c'était mon propre choix ou non. Mais franchement, en l'observant, j'avais l'impression d'avoir la lèpre.

Je me sentais également un peu trop visible.

— Salut, Will, entendis-je derrière moi.

Deux filles, avec leur panier de lessive, me regardaient avec un grand sourire. J'enfonçai mon chapeau et fronçai les sourcils.

— Tout le monde a entendu parler de ce que tu as fait pour Freddy Cooper, me dit l'une des amies.

— Et vous pensez que jacasser à ce sujet fera du bien à qui que ce soit? lui répondis-je avec un air renfrogné.

— On ne jacassait pas, dirent-elles après s'être tues un moment.

— Si. Vos mères auraient dû mieux vous élever.

Toutes deux rougirent, mais l'une d'elles se mordit la lèvre comme si elle avait le béguin pour moi. Aussi pris-je de nouveau un air renfrogné. Stupide petite morveuse. Je remuai la tête tout en regardant du côté de Much, mais avant que j'aie le temps de me retourner vers elle, elle était en face de moi. Elle me prit le visage de ses deux mains et m'embrassa.

Je reculai brusquement en crachant des jurons tandis qu'elle rejoignait son amie et s'en allait. Toutes les deux gloussaient de rire.

Elles n'étaient pas les seules. Much était aussi plié en deux. Je le poussai, mais il roula par terre sans que je puisse l'insulter.

— Reviens-en! lui dis-je en tapant du pied.

— Qu'y a-t-il de si drôle? demanda alors John qui arrivait entre nous tout en mangeant une pomme avant de m'en lancer une que je jetai sur Much, mais cela ne le fit que rire davantage.

— Quelqu'un a embrassé Scar! dit-il en éclatant de nouveau de rire.

— Quelqu'un t'a embrassée? me demanda alors John en se tournant vers moi, et lui ne semblait pas trouver cela particulièrement drôle. De quel garçon s'agit-il?

Cela fit encore plus rire Much.

— Ça ne te regarde pas, petit John, lui répondis-je.

Il se rapprocha davantage de moi avec son visage si plat que si je pouvais l'imiter, plus jamais je ne serais embrassée par une fille sans vouloir l'être.

— Qui est-ce, Scar?

— Jenny Percy! lui révéla alors Much en éclatant de rire.

À ces mots, le visage de John s'épanouit, comme si un sourire pouvait fendre en deux une humeur noire.

— Attendez que Rob entende cela.

— N'allez pas desserrer les lèvres, vous deux, dis-je sèchement.

— On dirait plutôt que ce sont les tiennes que Jenny a desserrées, me répondit John avec un sourire ironique.

— Ce n'est pas drôle.

— Mais regarde Much. Bien sûr que c'est drôle. Je dois cependant te dire à quel point j'aurais aimé voir ta tête.

— Que s'est-il passé, elle n'est plus entichée de toi? Tu ne t'amusais pas avec elle?

— Avec Emma, sa cousine, me répondit-il en souriant. Celle-là avait des lèvres que je pouvais desserrer.

Je remuai la tête, dégoûtée, mais soudain, j'aperçus un reflet. Je saisis John par le devant de sa tunique et l'attirai derrière la boutique du tisserand. Much se releva d'un bond, mais je remuai la tête. Il était trop tard, il aurait l'air suspect. John ne me fit pas la leçon quand je sortis mes couteaux en regardant du coin de l'œil pour voir Gisbourne traverser le marché.

Il s'arrêta au centre de la place du marché et monta sur une petite fontaine.

— Peut-être devrais-je me présenter, cria-t-il.

Les gens s'arrêtèrent pour le regarder. Il était drapé de violence comme si c'était un vêtement; sa cape évoquait la mort, et son armure, des lames. Sa chevelure était hirsute comme la fourrure d'un animal, et on aurait dit que le démon était prisonnier dans sa tête.

— Je suis Guy de Gisbourne. J'ai été engagé par votre shérif pour chasser celui que vous appelez le «Prince des voleurs». On m'a informé que, plutôt que de donner ce criminel, vous le protégez.

En prononçant ces mots, ses lèvres se courbèrent, et la pointe de ses dents brilla comme les crocs d'un serpent.

— Bon, je ne sais pas combien de temps il faudra, poursuivit-il d'une voix qui me fit trembler comme une feuille sèche, mais je le traquerai, lui et ses hommes.

Tous se figèrent, en gardant le silence.

— Je les trouverai, ajouta-t-il, et quand je les aurai trouvés, je les tuerai. Pendant ce temps, quiconque *je suspecterai* seulement de leur venir en aide, à lui et sa bande, perdra tout — à commencer par sa vie.

Puis, il claqua des doigts, et ses gardes amenèrent deux hommes.

— Ne bouge pas, dis-je alors à John en le regardant, je dois me rendre de l'autre côté.

Il hocha la tête, et ses mains autour de ma taille me tirèrent sur son autre flanc. J'étais assez convaincue de ne pas avoir besoin d'aide, alors je ne savais pas pourquoi il avait fait cela.

— Scar, sois prudente. S'il t'attrape, j'irai à ton secours, mais ils seront plus nombreux et j'y laisserai ma vie. Pourtant, je le ferai.

— Ne sois pas stupide, sifflai-je en le contournant.

Je me dirigeai de l'autre côté de la place du marché, apercevant parfois Gisbourne attraper un villageois et lui mettre son couteau sous la gorge. Je vis aussi un arc tendu et me faufilai aux côtés de Rob. Il me fit un signe de tête, sans jamais qu'un seul de ses muscles ne tressaillît.

— Monte, me dit-il. Couvre mes tirs.

Je fis oui de la tête, puis grimpai rapidement sur le toit d'une petite maison.

— Maintenant, poursuivit Gisbourne, je sais que vous, bonnes gens, savez qui est le Prince des voleurs, que vous l'aimez et que vous le protégez. Mais êtes-vous prêts à mourir pour lui ? Je ne le crois pas.

Il regarda alors son premier prisonnier. Je n'en étais pas certaine, mais c'était peut-être le teinturier, car Worksop était un peu une ville de textile.

— Alors, que peux-tu me dire sur le Prince des voleurs ?

— Il se nomme Robin, cracha-t-il, Robin de Locksley.

Gisbourne eut l'air stupéfait, et ses bras se desserrèrent légèrement.

— Le comte de Huntingdon ?

L'homme hocha la tête. Juste à ce moment, Robin tira, envoyant sa flèche droit sur la main de Gisbourne. C'était un tir impossible, passant au-dessus de Gisbourne sans atteindre son prisonnier alors qu'un cheveu à droite ou à gauche de plus l'aurait fait rater, mais Robin le réussit. Il est comme ça, Rob. La douleur fit rugir Gisbourne, et il lâcha le teinturier.

— Il y a quelque chose dont tu voudrais discuter avec moi, Guy de Gisbourne ? cria alors Rob.

Le peuple saisit cette occasion pour se disperser, tandis que le second prisonnier était tout à fait oublié.

— Gardes ! appela Gisbourne en tirant son épée.

Je ne pus résister. Je suis une voleuse ; et franchement, on a toujours eu du mal avec la tentation. Je sortis un couteau et le lançai. Avec un angle direct, il traça une profonde entaille sur sa joue gauche et, bien vite, du sang se mit à couler, remarquai-je avec un sourire.

Je me plaquai contre le toit tandis qu'il renonçait à poursuivre Rob, regardant plutôt autour de lui pour voir qui l'avait attaqué. Il ne me vit pas, mais il vit un couteau fiché en terre. Je n'y avais pas attaché un ruban. De petites grâces de ce genre sont la seule raison pour laquelle je vais à l'église.

Il ramassa le couteau et le glissa sous sa ceinture, puis se mit à la poursuite de Rob. Je regardai autour de moi, et le vit sur le toit voisin du mien en train de me regarder comme s'il savait pourquoi j'avais lancé mon couteau. Je détestais ce regard.

Gisbourne envoya ses hommes partout dans le village, laissant le teinturier saisir sa femme pour aller se cacher chez eux, ce qu'en fait firent la plupart des gens. Bientôt, Much et John eux-mêmes étaient cachés chez quelqu'un, tandis que Rob et moi étions sur nos toits respectifs, serrés contre la cheminée. Ensuite, il ne fallut pas longtemps avant que Gisbourne envoyât ses hommes à notre recherche dans la forêt, tout en en laissant quelques-uns sur la place du village à attendre.

Nous restâmes séparés jusqu'à ce que les paysans rentrent chez eux et que les gens sortent de leurs maisons pour que nous puissions nous fondre à la foule, puis nous nous rencontrâmes tous les quatre dans la forêt avant de retourner au grand chêne.

— Rob, as-tu entendu parler du nouvel amant de Scar? fanfaronna John.

À ces mots, Rob me lança un regard vif.

— Y en avait-il un ancien?

— Jenny Percy ! s'exclama alors Much, tout fier de lui.

— Dans une bande composée de trois vrais garçons, dit alors Rob en souriant, pourquoi faut-il donc que toutes les filles désirent celui qui n'en est pas un ?

— Je n'avais rien à voir avec ça ! J'étais en train de la remettre à sa place, et elle m'a embrassée, grommelai-je.

— Je pensais que toutes les filles aimaient se faire insulter, me dit alors John en me pinçant le côté.

— Ne me touche pas, dis-je en le frappant, et ne me confonds pas avec les filles comme elles. Rob, elle a dit que tout le monde a entendu parler de Freddy. Si les villageois en parlent, les choses vont empirer.

Il me regarda, un sourire toujours aux lèvres.

— Pour nous, peut-être un peu, Scar. Mais eux, quand ils parlent de nous, ils se communiquent de l'espoir. Les filles t'aiment parce que tu leur redonnes espoir.

— Mais si jamais elles savaient que c'était une fille qui leur redonnait de l'espoir, lui répondis-je après avoir craché par terre, elles hueraient quand elles me croiseraient.

— Certaines d'entre elles le savent, me rappela Rob.

— Seulement celles qui ne sont pas en position de juger.

— Aucun de nous n'est en position de juger méchamment, répliqua alors Rob en haussant les épaules.

— Je ne mettrai pas cette théorie à l'épreuve, merci.

— Tant mieux, dit alors John avec un grand sourire, car alors, que ferions-nous, Much et moi, pour nous amuser ?

Puis, il passa son bras autour de mon cou, mais je m'écartai.

— Attendez, sentez-vous quelque chose ?

John souleva sa tunique jusqu'à son nez et la renifla, mais je pris une profonde inspiration.

— De la fumée, dit alors Rob.

— Quelque chose brûle, en convins-je.

Je partis en courant, et les garçons me suivirent, montant sur la crête jusqu'aux terres plus élevées menant jusqu'au grand chêne. Quand nous eûmes atteint le col, nous pûmes voir, même de loin, la fumée qui commençait à s'élever en boucle au-dessus des arbres, brouillant les langues de feu orange qui léchaient notre repaire.

Ils avaient mis le feu au grand chêne.

—ɷ—

Nous restâmes figés sur place, et ce fut à ce moment que des bras m'entourèrent le dos.

— On vous attendait, me grogna-t-on dans l'oreille.

Je n'hésitai pas, écrasant mon pied sur le sien avant de sortir mes couteaux et de me retourner en me tortillant pour les lui enfoncer tous les deux dans l'estomac.

— Si tu as l'intention de tenir un voleur, tu devrais penser aux bras, dis-je sèchement en le repoussant.

Sur mes mains, je sentis du sang chaud, et je le vis tomber, puis glisser le long du col pour s'arrêter dans un tas de feuilles. Il était mort, j'imagine, et cela me glaça le sang.

— Gisbourne! cria l'un d'eux, aussi fort que possible.

Gisbourne était donc près d'ici, à notre poursuite dans la forêt. Je me retournai et vis trois hommes en train de s'en prendre à Rob, une insulte qui me fit l'effet d'une brûlure. Vraiment, j'étais tout aussi dangereuse que lui, alors pourquoi un seul homme s'en était-il pris à moi?

L'un d'eux saisit Rob par le cou tandis que les deux autres s'approchaient de lui. Sans bruit, je me glissai vers eux, me laissai tomber sur les genoux et tailladai le talon d'un de ses agresseurs. Rob, avec son arc autour de la poitrine, avait dégainé son épée. Il repoussa les deux hommes pour se défendre.

Je regardai ensuite en direction de John qu'on était en train de frapper en pleine figure, mais ce fut Much qui attira mon attention. Quelqu'un l'avait fait choir d'un coup de poing et avait sorti un couteau dont la lame longue et redoutable se rapprochait de sa poitrine plus qu'il me plaisait.

— John, baisse-toi! criai-je.

Après avoir encaissé un coup de poing, il m'obéit, se penchant assez bas pour que je puisse lui monter sur le dos, puis, comme il commençait à se relever, je me lançai, me retournant dans les airs afin de frapper violemment de mes jambes l'agresseur de Much, le renversant sur le côté. Sa lame m'égratigna la jambe, mais ça ne me gêna pas. Il se fracassa la tête contre le sol, et je ne m'attendais pas à ce qu'il se relevât de sitôt. Je tendis la main vers Much et il se redressa.

— Scar! lança-t-il alors en pointant du doigt derrière moi.

— Attends, dis-je en lui prenant fermement son bon bras et en nous faisant pivoter.

Je lui agrippai alors le bras, envoyai un coup de pied dans la poitrine du garde et lui écrasai mon pied en pleine figure. Much continua de me tenir et me tira vers lui, aussi ne tombai-je pas quand le garde s'écroula.

Je le lâchai et retournai vers Rob, fonçant sur le garde par-derrière et l'entraînant au sol, mais il était rapide et, m'éjectant de son dos, se retrouva sur moi avant que j'aie pu me relever. Je lui envoyai un violent coup de pied entre les jambes, mais mon genou rencontra une espèce de braguette blindée.

Il ricana, et un accès de panique me traversa de part en part. L'une de ses mains m'avait neutralisé un bras et l'autre écrasait ma poitrine contre le sol. Je cherchai des doigts un couteau tandis que sa main se baladait trop sur ma poitrine à mon goût.

Ses yeux s'arrondirent, quand il pinça mes rondeurs. De ma main libre, je saisis mon couteau avant d'en fracasser la poignée sur le côté de sa tête, là où son casque la laissait découverte.

Il tomba sur moi comme un poids mort, et je tremblai un peu en essayant de le repousser. Rob le dégagea alors de moi, puis John me prit la main, me releva avant de me prendre par la taille et de me garder contre lui.

— Scar, ça va?

Je hochai la tête.

— Retournons à la caverne. Scar, passe par la voie surélevée pour guetter, me dit Rob.

— Rob, lui dis-je en m'écartant de John, Rob, s'il te plaît, dis-moi que John et toi avez transporté le coffre dans la caverne.

— Quoi?

Sa tête se retourna brusquement vers l'arbre. Chacun de ses muscles avait sursauté.

— S'il te plaît, dis-moi que vous ne l'avez pas tout simplement laissé à côté du chêne.

— Évidemment que non, me répondit John en haussant les épaules, la mâchoire tendue. Je l'ai plus ou moins recouvert de feuilles.

Robin jura.

— Restez ici, leur ordonnai-je. Je vais aller voir s'ils l'ont volé.

Je sautai sur un vieux pin que j'escaladai et me mis à parcourir à toutes jambes l'enchevêtrement de branches en me dirigeant là où la fumée était la plus épaisse. Le grand chêne se trouvait juste derrière.

Près de celui-ci, je me laissai tomber par terre. L'arbre n'était pratiquement plus que braises et fumée à présent, et il n'y avait aucun garde ni aucun homme de Gisbourne. La fumée me brûlait les yeux comme un fouet, et je me couvris la bouche de ma manche, en toussant fort. Puis, je me dirigeai vers notre petit feu de camp. Ce fut à ce moment que j'eus l'estomac tordu comme de la lessive. Le coffre et tout son contenu, les babioles, les objets de valeur qui allaient nous faire gagner ne serait-ce qu'un peu de temps pour le peuple de Nottinghamshire — tout avait disparu.

Je regrimpai dans les arbres, les bras lourds, maintenant. Grimper avait été assez difficile, mais je réussis à rejoindre les garçons. Alors, je poussai un sifflement.

Ils levèrent la tête, et je leur fis non de la mienne avant de leur indiquer la caverne du doigt. Je restai dans les hauteurs tandis qu'eux, sur le sol, couraient. La fumée se faisait plus épaisse, comme si elle me pourchassait, et il devenait difficile de courir de branche en branche. L'une céda même sous mon poids et je me projetai en avant pour attraper le tronc suivant, avant de regarder en bas, le cœur battant à me défoncer la poitrine.

Appuyant la joue contre l'écorce tout en m'y cramponnant, j'attendis que les garçons me rejoignent avant d'aller plus loin.

Je sifflai ensuite deux fois pour qu'ils se cachent, car, de nouveau, des hommes de Gisbourne arrivaient d'un pas lourd, et nous nous retrouvâmes tous à la caverne sans plus de problème. Puis, nous y entrâmes et nous y enfonçâmes tout à fait.

— Ce soir, il vaut mieux qu'on n'allume pas de feu, nous dit alors Rob. Quelqu'un est blessé ?

La coupure à ma jambe avait déjà arrêté de saigner, mais les jointures de John étaient tout arrachées, et Rob avait une entaille au bras. Much, quant à lui, aurait un bel œil au beurre noir bien brillant, au matin. Sa peau se refermait déjà sur son œil.

— Assieds-toi, dis-je à Rob avant d'aller chercher de l'eau et des bandages dans notre trousse.

Quand je revins, il avait retiré sa tunique, ce qui m'échauffa un peu la tête.

Honnêtement, je n'avais jamais menti sur le fait que Rob est plutôt agréable à regarder, tunique ou pas, d'ailleurs.

Je me mordillai la lèvre tout en nettoyant l'entaille avec un peu d'eau, enlevant la saleté et le sang, avant de lui lever doucement le bras et de parer sa blessure avec des morceaux de mousseline que j'avais déchirés. Puis, une fois terminé, je pressai les mains contre sa blessure.

— Pourquoi fais-tu toujours cela ? me demanda-t-il doucement.

— Quoi ? lui répondis-je en cachant mes mains derrière mon dos.

— Cette manière que tu as de placer les mains sur une blessure ?

— Ce n'est qu'une habitude, lui répondis-je en haussant les épaules. On m'a raconté que les mains pouvaient guérir, alors je me dis que si elles peuvent tuer, ce n'est peut-être pas tiré par les cheveux qu'elles puissent guérir aussi.

— C'est ce que quelqu'un t'a dit à peu près au même moment où on t'a fait ça? me demanda-t-il en plaçant sa main sur ma joue balafrée comme j'avais fait pour l'entaille de son bras.

Je déglutis.

— Oui, répondis-je.

— Tu t'en es bien sortie, aujourd'hui, reprit-il en retirant sa main. Comme une femme guerrière, ajouta-t-il.

— Dis plutôt comme un écureuil guerrier, intervint alors John, en train de sauter et bondir partout.

— Scar, tu sais que tu m'as sauvé la vie aujourd'hui, me dit alors Much, et sa voix était plus grave que celle des deux autres.

— On prend soin les uns des autres, lui répondis-je en hochant la tête, mais je ne voulais pas en faire tout un plat. Mais on a perdu le coffre, les babioles, les pièces de monnaie, tout.

— C'est dame Fortune qui nous l'avait remis entre les mains, dit alors Rob en soupirant, et elle vient de nous le reprendre. C'était un trop grand espoir.

Je regardai autour de nous. Nos réserves étaient plutôt limitées.

— Rob, on n'y arrivera pas, on n'aura pas assez pour payer le cens, et il y en aura autant de pendus que la potence pourra en soutenir.

— Nous trouverons un moyen, me répondit-il en regardant tout autour. Nous devons trouver un moyen.

—ɯ—

Plus tard ce soir-là, après un souper froid, nous allâmes tous dans la caverne, où nous conservions quelques paillasses sur lesquelles dormir, simplement du jute rempli de paille et de morceaux de laine, quand nous pouvions mettre la main dessus. À l'intérieur, c'était noir comme de l'encre, mais je pouvais entendre la respiration des garçons et les chats en train de gratter.

— Je peux toujours sentir la fumée, murmura Much.

— Moi aussi, lui répondis-je. Je n'arrive pas à croire qu'ils aient détruit le grand chêne. Qu'est-ce que cet arbre pouvait bien leur avoir fait?

— Bien des choses, répondit alors John. En plus, on dirait que d'autres arbres à proximité ont aussi pris feu.

— C'était notre maison, dis-je, aussi doucement que possible, sans savoir si les autres m'entendaient.

— C'est un vieil arbre solide, dit alors Rob dont la voix rugueuse me parvint de plus loin. Il survivra peut-être.

— Contrairement à ce garde qui a essayé d'attraper Scar, s'exclama alors John en riant. Vous savez, j'ai entendu ce proverbe sur la colère des femmes, mais ouf, Scar, quel caractère!

Les autres rirent.

— Ne l'oublie pas, petit John, le prévins-je sans avoir envie de rire.

— Je m'assurerai aussi d'en informer Jenny Percy, dit-il en riant toujours.

Je levai les yeux au ciel, mais cette fois, j'entendis un petit rire en provenance d'où Rob était.

— Alors, elle a vraiment embrassé Scar?

— Si seulement tu avais pu voir ça, Rob! Scar était en train de l'engueuler quand Jenny lui a donné un gros baiser sur les lèvres, lui répondit Much avec fanfaronnade.

— Alors, voilà comment on peut la faire taire, s'exclama pour sa part John.

Comme je savais qu'il était assez proche de moi, je tentai de lui donner un coup de pied. Il me fallut quelques tentatives, mais quand j'atteignis finalement quelque chose, je l'entendis gémir.

— Aïe, Scar !

— Et aucun de vous ne s'en est mêlé pour protéger son... son... honneur ? demanda alors Rob, qui s'interrompit pour rire.

— Vous n'êtes qu'une bande d'imbéciles, leur dis-je sèchement. Ce n'est rien de drôle.

Cependant, cela les fit éclater follement de rire. Après une journée où une autre maison m'avait été retirée et l'odeur de la fumée toujours autour de nous, je pouvais bien faire semblant d'être grognonne, mais franchement, je me sentais mieux de les entendre autour de moi, et leurs rires me firent même sourire un peu. C'était comme un cadeau.

Puis, nous empilâmes les couvertures que nous avions et nous nous couchâmes. Je ne sais pourquoi, car j'avais l'habitude de dormir dehors, ce qui aurait dû être bien plus glacial que dans la caverne, mais je grelottais. L'odeur de fumée avait tout pénétré — les couvertures, mes cheveux, mes vêtements — ce qui me donnait encore plus froid, et je me sentais encore plus vide. J'appelai le chaton, mais même lui refusa de s'approcher de moi, comme si j'avais la mort et le péché autour du cou. Le tremblement s'accentua, jusqu'à ce que ma respiration en devienne saccadée.

Ce fut à ce moment qu'un bras muni d'une couverture additionnelle se referma sur moi et m'attira contre la poitrine de John. Je me raidis.

— Calme-toi, Scar. Es-tu en train de pleurer?

Il pensait donc que mes tremblements étaient des larmes?

— Non, lui répondis-je sèchement, vexée.

— Donc, tu as froid, et moi, je suis chaud, alors accroche-toi à moi et dors, d'accord?

Il était plus chaud qu'une place près d'un bon feu, et il me fit l'impression d'un embrasement le long du dos. Il avait le bras autour du mien et me tenait serrée contre lui. C'était des plus étrange, mais je restai immobile et bien au chaud contre lui, jusqu'à ce que, peu à peu, mes frissonnements commencent à diminuer. Je sentais son souffle sur mon cou, son nez contre ma tête.

— Tes cheveux sont plus longs que je ne l'imaginais, me dit-il.

«Aujourd'hui, j'ai tué un homme.»

Ce fut la première réponse qui me vint à l'esprit, mais je fermai mon clapet. Je ne voyais pas ce que cela avait à voir avec mes cheveux ou le fait qu'il soit contre moi, chaud, vivant, pas mort du tout, mais c'était tout ce à quoi je pouvais penser. Je ne pouvais le dire, et cette pensée prit la forme d'un mur en pierre élevé entre ma tête et la sienne, même si j'avais son souffle dans le cou et son nez contre ma tête.

—∞—

Je me réveillai en me sentant réchauffée, mais j'avais la tête qui bourdonnait d'inquiétude. J'étais toujours tapie contre John, avec mes deux bras derrière le sien comme un bouclier, et un peu de lumière pénétrait dans la caverne. J'observai autour de moi en essayant de ne pas bouger tant que je ne saurais pas ce qui n'allait pas. Mais je vis Rob, assis un peu plus loin, en train de me regarder, de regarder John, de regarder la façon dont nous étions serrés.

Son regard croisa le mien. Son visage était sombre, ses yeux d'un bleu foncé tempétueux. Il ne dit mot, se leva, et quitta la caverne.

Je repoussai John et me drapai d'une couverture, ayant de nouveau froid, sauf aux joues, qui brûlaient avec intensité. Il marchait vite, et je dus accélérer pour me maintenir à son niveau.

— Rob, appelai-je, Robin.

Il s'arrêta.

— Je…

Je m'arrêtai. Il se tourna vers moi, le regard dur et sombre et, de nouveau, je me sentis tremblante.

— Hier, j'ai tué ce garde.

Il hocha la tête, comme s'il comprenait pourquoi j'avais laissé échapper cela, ce qui devait être assez difficile, car, moi-même, je ne le savais pas. Ses oreilles étaient rouges et sa mâchoire, tendue, mais, de nouveau, il hocha la tête avant de se retourner et de s'enfoncer davantage dans la forêt.

Je retournai donc à la caverne. Je ne pouvais me rendormir, mais ce n'était pas grave. On était dimanche, le jour du Seigneur, et je me dirigeai au fond de la caverne, à la recherche du petit paquet que j'essayais de garder caché.

Tout en restant dans la partie plus sombre et en surveillant John et Much, je me changeai rapidement, enfilant une robe et dénouant la mousseline dont je me servais pour comprimer mes rondeurs. Je ne pouvais tout de même pas courir pour sauver ma peau avec mes rondeurs en train de remuer de tous côtés, n'est-ce pas? Puis, je me peignai les cheveux, les attachai pour les dégager de mon visage et enfilai un modèle féminin de cape avec capuche. C'est ainsi que, en ayant tout à fait l'air d'une fille, je quittai la caverne.

Je sais que c'est plutôt étrange pour une fille qui a tourné le dos aux souhaits de son père et de sa mère (quatrième commandement), qui vole (septième commandement), qui ment aussi pas mal (huitième commandement) et même qui a tué un être (cinquième commandement), qu'aller à la messe soit si important, et pourtant, j'y allais chaque dimanche quand je le pouvais, en me disant qu'aussi noire que mon âme fût déjà, celui à qui je ne devrais pas mentir, c'était Dieu — et, la plupart du temps, c'était ce que je ressentais en portant mes vêtements habituels. De toute manière, je ne pouvais porter un chapeau à l'église, et je ne pouvais avoir les cheveux défaits et l'air de Will Scarlet — c'était le moyen le plus rapide, plus rapide qu'un feu de forêt, d'avoir des problèmes.

Il y avait une petite abbaye de frères franciscains au milieu de Sherwood (c'était ce qui avait inspiré à Tuck le nom de sa taverne), et ils me laissaient toujours assister à leurs messes ainsi que me confesser à leur prêtre. Auprès des gens des environs, ils n'étaient guère populaires, mais ça me convenait tout à fait.

— Ma chère dame, m'accueillit le frère Benedict.

Nous étions amis, lui et moi, je pense. Je lui remis un peu d'argent que j'avais amassé cette semaine et qu'il pressa contre sa poitrine, comme s'il se fut agi d'un trésor.

— Comme d'habitude, votre générosité me stupéfie.

À ces mots, je baissai la tête.

— Eh bien, lui rappelai-je, vous savez comment je l'ai acquis.

— Venez, ma fille. Marchez un peu en ma compagnie avant la messe.

Je hochai la tête, puis nous nous dirigeâmes vers la cour des animaux. En effet, les franciscains les aimaient beaucoup, et ils en possédaient la plus étrange collection du comté. Un épagneul, qui aimait particulièrement frère Benedict, bondit jusqu'à moi, suivi, comme un joueur de flûte, d'un caneton et de trois chatons.

— Gisbourne est ici, lui appris-je.

— Ah, me répondit-il seulement.

— Avec lui, tout empirera. Il tuera des gens, il leur arrachera le cœur pour obtenir ce qu'il recherche.

— C'est de vous qu'il s'agit ?

— S'il existe une liste, il est plus que probable que j'y figure, mais il ne sait pas encore que je suis ici.

— Et pouvez-vous éviter ce carnage ?

— Oui. Nous ferons en sorte de l'éviter dans la mesure du possible. Nous protégeons notre peuple.

— Et si vous vous rendiez ?

— Je ne peux pas, lui répondis-je en remuant la tête. Ça ne l'arrêterait pas, et ça ne sera d'aucune aide.

À ces mots, ma tête fut submergée de honte, et je regardai le ciel.

— De toute manière, je crois qu'il me tuerait.

— Vos compagnons et vous êtes responsables d'une tâche des plus difficiles, madame, vous protégez votre peuple, et personne ne pense que c'est facile pour vous, ou pour vos âmes.

— Mon frère, j'ai tué un homme, lui dis-je finalement. Hier. Il m'avait attaquée.

— Nous traversons une époque étrange, me répondit-il en soupirant. Je vous ai déjà dit que s'il y a un moment lors duquel le Seigneur pourrait nous pardonner nos plus sombres transgressions, c'est à notre époque tout aussi sombre. Néanmoins, nous savons tous les deux que votre âme est en danger.

— Je n'ai plus guère d'espoir pour mon âme, lui dis-je en hochant la tête.

— Madame, vous avez péché, mais si quiconque l'a fait pour une bonne raison, ce sont vos compagnons et vous. Ce sera à Dieu de juger cette situation inextricable, pas à moi, me répondit-il alors en me touchant la main. Pour ce qui est de Gisbourne, restez loin de lui, car s'il savait que vous êtes près de lui, il n'aurait de cesse de vous avoir entre ses mains, et nous serions tous révoltés d'une telle chose.

Je me penchai, et l'épagneul me lécha la main.

— Venez. Vous devez prier, vous confesser, et purifier votre âme, si vous avez quelque espoir d'en défendre la vertu.

Je hochai la tête, et il me conduisit jusqu'à la petite chapelle. Je voulus me diriger vers l'arrière, mais il me tira vers l'avant.

— Ma chère, une dame de votre rang ne s'assied pas à l'arrière.

CHAPITRE 6

Je retournai à la caverne tout en me sentant nerveuse à chaque pas. Je n'aimais point avoir l'air d'une fille et, sans mes couteaux — on ne peut certainement pas apporter ses couteaux à l'église —, c'était plutôt comme ça que je me sentais. De plus, si je croisais un garde, c'en était fait de moi et, pire encore, je ne savais pas vraiment si les garçons seraient de retour ou sortis. Depuis son retour de la Croisade, Robin n'allait jamais dans la foule, mais il semblait quand même trouver que le dimanche servait à se recueillir, de sorte que, le dimanche matin, il était plutôt difficile à trouver. John et Much avaient tendance à aller à Worksop pour se rendre à l'église en compagnie du père de ce dernier. Aussi était-il des plus rares que nous soyons tous à la caverne au lieu du chêne. Je n'avais jamais eu auparavant à prendre le risque qu'ils me voient vêtue d'une robe, mais avec tout le désordre créé par l'incendie de l'arbre, je savais que Robin souhaitait que nous restions groupés. Je ne savais pas trop où ils se trouveraient.

De retour à la caverne, je m'arrêtai en voyant Much et John en train de discuter, puis ils se turent avant de se tourner vers moi.

Much eut l'air déconcerté, puis John fit un pas vers moi.

— Un instant... Scar?

Mon visage se mit à chauffer.

— John, ferme la bouche et laisse-moi passer.

— Scar, il y a une chose que je vais te confier : mademoiselle Percy ne serait pas après toi dans cette tenue.

Je lui lançai un regard noir.

— Où as-tu trouvé cette robe? Et quand donc as-tu commencé à la mettre? demanda-t-il ensuite en me suivant dans la caverne.

— Dégage, lui répondis-je.

Au lieu de cela, il continua de se rapprocher de moi.

— Tu es belle, dans une robe.

— John, va-t'en.

Il me fit un sourire ironique avant de se tourner pour se rendre vers le devant de la caverne. Je n'aimais point le regard qu'il posait sur moi.

Je me changeai aussi rapidement que possible en rangeant ma robe dans sa cachette avant de rejoindre les garçons, puis je m'assis par terre, les jambes repliées contre la poitrine.

— Je pourrais m'y faire de te voir en robe, reprit alors John.

— Tu n'as point intérêt.

— Tu étais jolie, me dit à son tour Much.

— Merci, Much, lui répondis-je, même si je ne voulais absolument point qu'il pensât que j'aie l'air de quoi que ce soit.

Cependant, il valait mieux lui que John.

— Alors, où donc t'es-tu rendue vêtue d'une robe? Tu rencontrais quelqu'un? me demanda John.

— John, change de sujet, lui répondis-je d'un air renfrogné.

— Je ne peux pas. Qui rencontrais-tu ?

Je le fixai du regard.

— Bon, très bien. Alors, peut-être devinerai-je. Un amour secret ? Un garçon d'un des villages ? proposa-t-il en m'examinant avant de remuer la tête. Es-tu en train de trafiquer quelque chose ? En leur montrant un peu de poitrine, tu peux t'en tirer avec n'importe quoi, je parie.

— Je t'en prie, rétorquai-je en renâclant. Si c'était si simple, je me ferais belle tous les jours.

— Fais-moi confiance, je pense que tu ne te fies pas suffisamment à l'allure que tu as avec tes jupes. Bon, Scar aimerait que quelqu'un sache qu'elle est en fait une fille, mais de qui s'agit-il, à ton avis ? demanda-t-il à Much.

— Voilà pourquoi on a failli se faire prendre, lui répondis-je en détournant le regard, vous portez trop d'attention aux mauvaises choses.

— Quoi, par exemple ? demanda alors Rob tout en descendant de la crête qui surplombait l'embouchure de la caverne.

— Scar portait une robe, lui rapporta alors John.

— En plus, elle était jolie, ajouta Much.

— Elle a raison, leur répondit-il sans me regarder, il y a des choses plus importantes dont on doit discuter.

À ces mots, nous le regardâmes tous.

— Quelqu'un a dit à Gisbourne que notre campement était au grand chêne.

— Qui ? grogna John en s'avançant.

— Hé, l'interrompis-je, calme-toi. Si quelqu'un a parlé, j'imagine que cette personne avait une bonne raison de le faire.

Il me lança un regard mauvais.

— John, elle a raison. Ce qui m'inquiète c'est que, qui que ce soit qui l'ait fait, Gisbourne ait de lourds moyens de pression sur lui, ou sur elle, ajouta-t-il en soupirant. Cela signifie aussi que nous ne pouvons faire supporter un tel fardeau au peuple. Si personne ne sait où nous sommes ni ce que nous faisons, Gisbourne ne peut torturer qui que ce soit pour obtenir cette information.

— Il peut torturer n'importe qui, que cette personne sache quelque chose ou non, lui dis-je cependant.

— Eh bien, on ne peut prendre un tel risque non plus. Et morts, on ne peut secourir le peuple, répondit-il en se frottant l'arête du nez. Much, va au village pour y discuter avec les gens. Emmène John. Moi, j'irai avec Scarlet. Aujourd'hui, personne ne se déplace seul. On doit découvrir qui nous a vendus et si cette personne va bien. On se retrouve chez Tuck à la tombée du jour.

John me tendit alors la main pour m'aider à me lever. Je la regardai, mais me levai sans son aide, ce qui le fit froncer des sourcils.

— Vous deux, occupez-vous de Worksop. Nous, nous irons à Edwinstowe, poursuivit Rob.

Nous hochâmes tous la tête, puis les garçons se mirent en route. Robin, se dirigea dans la direction opposée.

— Tu sais qui a parlé, n'est-ce pas ? lui demandai-je tandis que nous marchions.

— Je savais que John réagirait ainsi, me répondit-il en hochant la tête, mais je voulais que tu viennes avec moi.

— Pourquoi ? De qui s'agit-il ?

— Edward Marshal.

Voilà qui n'était guère bon. Edward Marshal était le capitaine des gendarmes à Edwinstowe, un poste qui lui attribuait un peu de terre et d'argent, et l'obligeait à rendre compte au shérif. Edward lui-même avait toujours été ambitieux, mais les gens prenaient garde de ne rien lui dire. Je pense aussi que Lady Thoresby avait l'habitude de nous protéger, car elle lui parlait assez souvent. Or, chaque fois qu'il détenait des renseignements erronés dont je ne pouvais répondre, elle était allée le voir assez récemment. En tant que femme d'un seigneur peu puissant, elle ne pouvait faire grand-chose, mais j'aimais penser qu'elle essayait de son mieux de nous venir en aide. Quoi qu'il en soit, le fait que quelqu'un ait révélé quelque chose à Marshal indiquait des intentions moins innocentes. Il ne torturerait personne, il s'agissait donc d'un informateur volontaire.

— Pourquoi as-tu besoin de moi?

— Il est intelligent. J'ai besoin que tu me couvres avec tes couteaux.

Je regardai alors ma main, qui était toujours un peu enflée. Ma précision serait légèrement moins grande, mais nous serions à l'intérieur. Je hochai donc la tête.

Il demeura longtemps silencieux. Je me tus aussi. Les feuilles bruissaient sous nos pas tandis que nous avancions.

— Pour ce qui est de John, finit-il par dire.

À ces mots, je clignai des yeux.

— Je ne veux pas savoir ce que vous faites ensemble, tous les deux, mais si cela interfère avec la bande, je te renverrai moi-même.

— Quoi? lui demandai-je, incapable de respirer.

— Je ne me répéterai pas. Et je ne veux en parler davantage.

— Mais…

— Scar, je ne plaisante pas. Je ne veux pas savoir.

Je me fermai le clapet. Ce qu'on faisait ensemble? Pensait-il que j'étais celle avec laquelle John prenait actuellement un peu de plaisir? Mon estomac se tordit, une sensation qui ne me plut guère. Mais pire, était-ce aussi ce que John pensait? Ce n'était point comme si on s'était déjà embrassés ou quoi que ce soit du genre. Jamais je n'avais même soupçonné qu'il puisse avoir envie de le faire et, quant à moi, je ne voulais certainement pas, du moins, je ne pensais pas. Il n'était pas laid ou quoi que ce soit, mais il faisait partie de ma bande, je combattais avec lui, je le regardais dépouiller les cerfs et, la plupart du temps, je voulais bien davantage lui envoyer un coup de poing qu'être tendre avec lui.

Mais surtout, il n'était pas Rob, ce qui valait peut-être mieux, car le genre de Rob, je ne le mériterais jamais.

Pour le reste du chemin, Rob ne dit mot. Pour ma part, je ne cessai de songer à John et à lui.

—⟡—

J'étais assise à la fenêtre, en train de faire tourner un couteau sur mes doigts pendant que nous attendions qu'Edward réintégrât sa chambre à coucher, là où il ne serait pas accompagné d'un garde ou d'un homme, aussi attendions-nous son arrivée en sachant que nous pourrions le retenir.

Notre attente ne fut point longue. Il entra, ferma la porte, puis se tourna, pour ensuite sursauter.

— Robin des Bois? dit-il.

— Edward, j'ai entendu dire que tu avais chanté une chanson à Gisbourne, lui dit alors Rob, le regard sombre.

— Par le Bon Dieu et tous les saints, jura Edward. Bien sûr que j'ai parlé au chasseur de brigands. Pourquoi pas ? Le plus vite je serai débarrassé de vous, le mieux ce sera.

— Il y a quelques raisons, lui répondit Rob en faisant un signe de tête vers mes couteaux.

— Quoi, un gamin avec quelques épingles ?

Cela me fit sourire pendant que Rob pouffait de rire.

— Tu ne veux nullement savoir ce que ces épingles peuvent faire.

— De toute façon, vous n'allez pas me tuer, vous ne me ferez pas de mal, et je ne cesserai pas de rapporter au chasseur de brigands ou au shérif ce que j'entends. Alors, que fait-on, maintenant ?

— Ce n'est pas toi que nous voulons, Edward. Tu es un imbécile s'il en est, mais tu ne savais pas où nous habitions, alors, qui te l'a dit ? lui demanda Rob.

— Vous voulez des renseignements sur mon informateur, hein ? Voilà donc à quoi on joue, aujourd'hui ?

— Contente-toi de nous dire son nom. Tu ne devrais pas avoir peur de nous révéler ta source.

— Je ne vois pas ce que vous lui voulez. Lui non plus, vous ne le tuerez pas. Et si je ne vous dis rien, il continuera de m'informer — n'ai-je pas raison ?

— Rob a plus de principes que moi, lui rappelai-je. Moi, je sais que tu paies le cens tout comme nous et je sais où tu gardes l'argent de la collecte. Que ferait donc ton shérif, si tu ne pouvais payer ? lui demandai-je en haussant les épaules. Moi, j'aime ce qui est brillant, comme l'argent, mais le shérif, lui, il aime ce qui est plus tendre, comme ta femme, ou ton petit garçon.

— Jamais vous ne feriez de mal à ma femme ou à mon fils, dit-il, l'air plus inquiet.

— À ta femme et à ton fils, non. Comme je te l'ai dit, j'aime ce qui brille.

— Tout le monde dit que vous êtes si honorables, dit-il en grimaçant.

— On ne peut tenir un voleur pour responsable, s'exclama cependant Rob en haussant les épaules.

— C'est Godfrey Mason qui me l'a dit.

Le visage de Robin devint blanc comme si on l'avait vidé de son sang.

— Tu mens, lui dis-je en me levant.

— J'ai bien peur que non. Le shérif insiste beaucoup pour que nous aidions le chasseur de brigands, et une fois que le shérif m'aura promu, Godfrey prendra ma place. Aussi a-t-il considéré l'acheter.

— Marshal, le shérif ne t'enverra nulle part, lui dis-je en secouant la tête.

— Oh que si ! Il m'a promis la capitainerie de la Cavalerie royale à Nottingham.

— Ce poste est déjà occupé, lui dit Rob.

— Par ici, les choses changent rapidement, Robin des Bois. Elles vont changer encore, puis, avec tous ces changements, tu seras fini.

— Peu probable, lui répondit Rob en fronçant les sourcils. Will, on s'en va.

Rob me regarda. Je vis alors Marshal porter la main vers l'épée qu'il avait à la ceinture, aussi me plaçai-je devant Rob.

— Recule, Marshal, lui dis-je en plaçant deux couteaux sur lui.

Rob sortit alors par la fenêtre, puis, à reculons, je m'y dirigeai à mon tour, saluai Marshal en soulevant mon chapeau avant de passer par là, moi aussi.

Sa maison était à deux niveaux ; nous parcourûmes donc le toit inférieur à l'extrémité duquel nous sautâmes par terre avant de nous diriger vers le village.

— Je n'arrive pas à croire que ce soit Godfrey, dit alors Rob en mettant sa capuche.

— Oui, vraiment.

— Je doute que Ravenna soit au courant.

— C'est sa sœur jumelle. Comment pourrait-elle ne pas savoir ?

— Dieu sait, dit-il en serrant la mâchoire, que l'on peut être très proche de quelqu'un sans vraiment connaître cette personne.

— Devrait-on lui parler ?

Le visage de Rob était des plus tristes, mais il fit non de la tête.

— Non. Allons chez Tuck.

— On doit d'abord s'arrêter quelque part, lui dis-je.

Il se contenta de hocher la tête, en me suivant.

Je me dirigeai presque tout à fait de l'autre côté d'Edwinstowe. Là, je frappai à la porte d'une petite maison. Un homme de grande taille qui dut presque se pencher un peu pour m'accueillir me sourit.

— Scarlet — et Robin des Bois ! s'exclama-t-il en prenant conscience de la présence de ce dernier tout en affichant un grand sourire.

— Scarlet ? me demanda doucement Rob en me regardant. Pas Will ?

Je haussai les épaules en le regardant tout en souriant à mon tour au gros pataud.

— Salut, George, lui dis-je.

Puis, je lui tendis une petite aiguière de lait que j'avais piquée de la laiterie de Marshal qu'il prit avant de me soulever pour me serrer à m'étouffer dans ses bras avant de me déposer à l'intérieur de sa maison. Il salua ensuite Robin, mais moi, j'entrai et me dirigea aussitôt vers Mary, qui tenta de se redresser. Je plaçai mon bras sur les siens pour l'arrêter, puis je l'embrassai sur la joue.

— Tu as l'air en pleine forme, lui dis-je.

— Presque, me répondit-elle en souriant. Nous avons tous les deux été un peu faibles.

Le paquet sur ses cuisses se mit alors à se tortiller tout en gémissant. Je pris leur fils qui venait tout juste de naître, puis le lovai dans le creux de mon bras. Il leva alors la tête et cessa de geindre.

— Regarde ce qu'elle nous a apporté, lui dit de son côté George en versant un peu de lait dans une tasse que Mary but avant de me la tendre.

— Rob, dis-je alors. Trempe les doigts dans le lait pour le donner au bébé.

Je levai alors la tête tandis qu'il faisait ce que je lui avais demandé. Il était très concentré, mais son visage n'était plus triste, ce qui me fit sourire.

— Comment s'appelle-t-il? demanda-t-il tandis que le bébé commençait à avaler les petites gouttes de lait.

Des larmes montèrent aux yeux de Mary.

— Scarlet ne te l'a pas dit?

Celui-ci fit non de la tête.

— Nous l'avons appelé Robin, car il nous a donné de l'espoir, tout comme toi.

— De l'espoir, répéta Rob en touchant la joue du bébé du bout du doigt. Je suis désolé qu'il y en ait eu si peu de disponible, ces derniers temps.

Les lèvres de Mary tremblèrent, et des larmes coulèrent le long de ses joues.

— Oh, Robin, murmura-t-elle. Sans ce que tu fais pour nous, il ne nous resterait rien. Aussi, si donner ton nom à notre fils signifie qu'il aura ne serait-ce qu'un peu de ton courage et de ton cœur, je serai la mère la plus fière de toutes.

À ma plus grande surprise, Robin me regarda alors, les yeux plus grands et plus bleus.

— Tu savais, pour le nom ?

— Je me suis dit que ça pourrait te remonter le moral, lui répondis-je en haussant les épaules.

Il me sourit, un de ces grands sourires de héros, plein de générosité, puis, je soulevai le bébé, et Robin le prit, le serrant contre sa poitrine.

— Scarlet lui a presque sauvé la vie, reprit Mary en essuyant ses larmes.

— Vraiment ?

— Il y a un peu plus d'une semaine. L'accouchement était difficile. Je hurlais, lui confia Mary à voix basse.

— Scarlet voulait nous aider, poursuivit George en hochant la tête, mais je ne voulais pas la laisser entrer. Après tout, personne ne m'avait dit qu'il était une fille, enfin, elle, peu importe. Alors, elle est passée par la fenêtre.

— Elle m'a tout de suite expliqué que le bébé était de travers, puis elle est allée chercher Lady Thoresby. Je ne savais même pas que cette dame était une sage-femme.

J'avais les joues en feu. Je n'arrivais pas à me concentrer sur le bébé. Vraiment, je n'avais point emmené Rob ici pour qu'il les entendît faire mon panégyrique. Cependant, comme il tenait le petit comme s'il se fut agi de lingots d'or, j'imagine que mon plan avait fonctionné.

— Oui, elle est comme ça, tout à fait ingénieuse, leur répondit Rob avec un petit rire.

Le bébé se mit à se tortiller et à se frotter contre son cou. Robin devint rayonnant. De le voir tenir le bébé, j'en eus l'estomac serré.

— Mary, demain, j'essaierai de vous apporter quelques œufs, lui dis-je.

— Nous avons ce qu'il nous faut, Scarlet, inutile de nous gâter. Nous venons tout juste de terminer la récolte, alors, demain, nous la porterons au marché.

— Quelle quantité le shérif a-t-il prise? demanda alors Rob en regardant George.

— Près de la moitié, répondit celui-ci en soupirant. Cependant, il n'en reste pas moins que nous sommes moins démunis que la plupart des gens.

— Nous vous aiderons de notre mieux, lui dit Rob en hochant la tête. Après tout, je ne peux laisser mon homonyme avoir faim.

— Nous remercions Dieu pour votre aide, dit alors Mary en me frottant le bras. Chacun de nous.

À ces mots, Rob s'assombrit de nouveau quelque peu. Je savais qu'il pensait à Godfrey. Toutefois, il trempa de nouveau les doigts dans le lait pour continuer de nourrir le bébé.

— Tu n'as pas froid? demandai-je alors à Mary.

Elle fit non de la tête, mais je lui serrai les pieds dans ses couvertures. Je pus sentir comme ils étaient froids à travers ses bas.

— C'est un beau garçon, dit pour sa part Rob en tenant le bébé devant lui pour le regarder.

— Il tient de son père, dis-je alors à George.

Celui-ci en eut la poitrine qui se gonfla.

— Après ton passage, intervint alors Mary en riant, George a une bien trop haute opinion de lui-même.

Cela le fit s'esclaffer, et il alla s'asseoir aux côtés de sa femme sur le petit lit.

— Je n'ai d'yeux que pour toi, mon amour, mais j'accepte les compliments chaque fois que j'en reçois.

— Je pense que le petit s'endort, dit Rob en regardant la bouche du bébé s'ouvrir et ses yeux se fermer.

— Je vais le prendre, lui répondit Mary. Rob posa alors doucement le nouveau-né sur les genoux de sa mère avant de l'envelopper dans la seule fourrure que ses parents possédaient.

— Alors, nous n'allons pas le réveiller, reprit Rob en me faisant un signe de tête. Mais merci, Mary, de m'avoir permis de le rencontrer. C'est un bon petit, ajouta-t-il en lui tapotant l'épaule tandis qu'elle lui serrait la main.

Puis, George nous mena vers la porte, serra de nouveau la main de Rob avant de me serrer encore une fois dans ses bras. Une fois que la porte se fut refermée, Rob me lança un regard vif.

— Tu avais tout prévu.

— Après avoir appris pour Godfrey, lui répondis-je en haussant une épaule, il me semblait que c'était le moment idéal de se rappeler pourquoi tu fais tout cela.

Il me regarda alors dans les yeux d'une manière qui me coupa le souffle.

— Tu sais que tu es toujours surprenante, n'est-ce pas?

Je fis non de la tête.

Il porta alors la main à ma joue et l'effleura à peine du bout des doigts avant de la retirer.

— Tu l'es.

Puis, il détourna le regard et s'engagea dans la ruelle qui menait chez Tuck. Il me fallut quelques pas avant de pouvoir retrouver mon souffle.

—*m*—

Chez Tuck, nous ne nous dirigeâmes pas immédiatement dans la salle du fond. Tout en gardant sa capuche, Rob prit Tuck à part.

— Alors, qui était-ce? lui demanda ce dernier, le visage aigri.

— Godfrey Mason, lui répondit Rob.

Tuck recula de quelques pas.

— Godfrey? Non, Rob, ce n'était pas lui.

— Je voudrais bien, mais c'était lui.

— C'est pourtant un si bon garçon, qui a toujours été en admiration devant toi. S'il l'a fait — et je ne suis pas prêt à l'admettre —, ça doit être pour Ravenna. Peut-être ont-ils des ennuis.

— Non, lui répondit Robin en remuant la tête. Peut-être, mais je ne crois pas. Tant que je n'aurai découvert ce qu'il en est, je dois être sûr que personne ne lui donne aucun renseignement sur mes compagnons.

— Je vais m'en assurer, lui dit alors Tuck en hochant la tête. Toi et Scar, allez vous installer. Je vais aller vous chercher à manger.

— Merci, Tuck.

Nous allâmes donc dans la salle, puis Rob se laissa tomber sur le banc.

— Scar, penses-tu que c'était lui ?

Je me glissai à ses côtés en plaçant les mains sur la table.

— Oui. C'est un bon garçon, mais son père était mauvais et sa mère, une idiote. En plus, il doit s'occuper de sa sœur — si elle ne se marie pas bientôt.

Il hocha la tête, me prit la main et la retourna.

— Je pense que même à une époque comme la nôtre, ils veulent plus d'argent.

Je fis un grand effort pour déglutir tout en observant sa main qui touchait la mienne.

— Travailler pour le shérif lui rapporterait pas mal.

— Très probablement.

Avec assurance et rapidité, son pouce appuyait sur chacun de mes doigts, faisant choir la foudre sur ma main.

— Quand nous étions enfants, nous jouions ensemble, tu sais. Mon père avait engagé le sien pour bâtir la moitié du domaine de Locksley. Je suis parti quelques années pour la Croisade, mais j'ai toujours cru que nous étions amis.

Ses doigts glissèrent entre les miens, les serrèrent, et je regardai les poils sur les jointures de sa grande main.

— Tout le monde a la meilleure opinion d'eux. Il n'y a personne qui n'aime point les jumeaux.

— Mais nous avoir trahis ?

J'hésitai. Je savais que j'avais tendance à voir les choses de manière différente, mais c'était tout de même difficile de bien l'exprimer. Je lui serrai la main et levai le regard vers le sien.

— Pour ce qui est de nous avoir trahis, il ne nous a pas fait prendre. Ce n'était pas un piège et pourtant, Gisbourne pense que c'est une victoire.

— C'est vrai, répondit Robin d'un air renfrogné. Pourquoi Gisbourne ne nous a-t-il pas plutôt tendu un piège au lieu de mettre feu à l'arbre ?

— Godfrey connaîtra peut-être la réponse.

Robin me tira alors la main sous la table et ne la lâcha plus jusqu'à l'arrivée de nos compagnons.

—⁓—

Ce soir-là, Godfrey commit une petite erreur. Tuck avait bien sûr dit aux gens de rester bouche cousue et il avait dû leur expliquer pourquoi. John l'entendit, ainsi que tous les autres clients de son auberge. Godfrey arriva tard dans la soirée, de sorte que la plupart des hommes en étaient déjà à plus d'un verre.

Quand il fit son apparition, l'auberge explosa, tous les clients s'attaquant à lui et se lançant dans une bagarre ivre, ce que je pouvais comprendre. Frapper quelqu'un permettait aux hommes de se sentir mieux quand ils avaient peur, et Dieu sait que c'était le cas de tout le monde, ces temps-ci.

Il encaissa quelques coups, mais je réussis à le faire sortir de la taverne sans que personne ne le remarquât, puis je l'entraînai de l'autre côté de l'auberge jusqu'à la porte de derrière.

— Mais nom de Dieu, qu'était-ce donc ? me demanda-t-il, excédé, en crachant du sang.

— Tu le sais bien, lui répondis-je en croisant les bras.

— Ils le savent tous ? dit-il alors, le visage blanc comme un drap.

— Tu veux être capitaine ? poursuivis-je en hochant la tête.

— Écoute, me répondit-il en soupirant. Mes parents veulent marier Ravenna à un Français. Un *Français*! Si je peux avoir ma propre maison, elle pourra vivre avec moi.

— Robin a failli être pris à cause de toi.

— Je m'en doutais, dit-il en frappant le mur.

— Peut-être devrais-tu lui parler, ajoutai-je.

— Je suis tout ouïe, dit alors Robin qui, ayant dû nous suivre, arrivait derrière moi.

Le visage de Godfrey devint tout à fait triste.

— Personne n'a été blessé, n'est-ce pas? Je leur ai dit que c'était là que vous déposiez vos messages pour les villageois, non pas que vous habitiez là.

— Nous ne sommes pas blessés.

— Rob, je suis désolé. Gisbourne voulait ce renseignement. Sinon, il m'a dit qu'il me jetterait en prison.

— Ça va, lui répondit Rob en hochant la tête. Simplement, dorénavant, nous ne pourrons plus rien dire aux villageois, toi y compris, Godfrey, mais je ne fais pas un exemple de toi.

— Je sais, mais je suppose que je vais me faire secouer par les autres.

— Probablement. Mais viens, allons voir si on peut arranger ça.

Rob passa alors son bras autour de l'épaule de Godfrey et le fit entrer par la porte de derrière. Il fallut quelques instants avant que John apparût. Puis, il donna un coup de pied si violent dans un seau que celui-ci se rompit.

— Tu es malheureux? lui demandai-je.

Il se retourna pour me regarder avant de donner un nouveau coup de pied dans un des morceaux du seau.

— Il nous a trahis, et Rob l'accueille parmi nous. C'est un rat!

— Je pensais que c'était moi, le rat.

Il plaça les mains sur les hanches et me regarda.

— Ton genre n'est pas si mauvais.

— John, il a simplement fait ce qu'il pensait devoir faire.

— Mon Dieu, Scar, je ne te comprends pas. Tu craches ton venin sur le chasseur de brigands, le shérif et leurs semblables, mais sinon, tu refuses de juger qui que ce soit.

— Je suis une voleuse. Je n'ai pas vraiment de base morale sur laquelle me fonder.

— Je suppose, me dit-il après avoir souri à ma réponse. Je pense tout de même que Robin est un idiot.

— Nous savons tous les deux que non.

Il me regarda, ses yeux parcourant mon visage, puis il se rapprocha. J'étais contre le mur, aussi mon cœur se mit-il à battre la chamade, car je n'aimais guère me sentir prise au piège. Il poussa mon chapeau en arrière.

— Que fais-tu ? lui demandai-je tout en m'écartant.

— Pour la question que je vais te poser, je dois voir tes yeux.

— Me demander quoi ?

— Scar, es-tu amoureuse de Rob ?

J'hésitai. Parfois, avec le bébé par exemple, ou avec la drôle de manière avec laquelle il m'avait touché la main, je pensais plus ou moins l'être, peut-être. Mais alors, il se mettait à crier après moi ou il me faisait taire d'un regard noir et en m'offensant comme ce matin, quand il avait dit que je folâtrais avec John. John qui se tenait en face de moi et qui me demandait si j'étais amoureuse de Rob, les yeux plantés dans les miens, si étranges.

— Non, lui répondis-je.

C'était la vérité, je pense, ou autant de vérité que cela put compter.

— C'est une bonne chose.

Il se pencha vers moi tout en me regardant dans les yeux, et sa bouche fut si près de la mienne que je sentis la peau de sa lèvre supérieure sur la mienne. Son regard me fixait, mais il restait immobile, comme s'il cherchait quelque chose ou attendait que je fasse quelque chose, mais comme je ne savais quoi, je baissai la tête, ayant peu confiance en moi.

Il pouffa, puis il passa son pouce sur mes lèvres. À ce contact, je sursautai. Tout devint encore plus étrange, et je m'écartai.

— À plus tard, Scar, me dit-il.

Je ne levai pas les yeux tant qu'il ne fut pas parti, puis je m'assis à même le sol et serrai les genoux contre ma poitrine, sans savoir que penser de tout cela.

CHAPITRE 7

Le matin fut difficile. C'était notre premier jour sur la route depuis qu'on nous avait volé le coffre et, au loin, on avait l'impression qu'il y avait du tonnerre. Avec seulement deux semaines pour amasser assez de biens et les revendre avant le cens, nous savions tous de quelle quantité d'or nous avions besoin, mais on avait l'impression que la chance nous avait fuis.

Je donnai un coup de pied dans une branche tout en regardant la route déserte comme si des voyageurs y apparaîtraient, si je le souhaitais. Je ne cessais d'observer Rob et John. Alors, la sensation rugueuse de son pouce sur mes lèvres me revint subitement en tête.

— Rob! criai-je en me levant.

Il vint sur la route en levant la tête vers moi.

— Je vais à Nottingham, voir ce que je peux voler là-bas. Ici, ça ne donne rien.

— D'accord, me répondit-il en hochant la tête. On se retrouve ce soir chez Tuck, entendu?

— C'est compris.

Puis, je me déplaçai sans bruit sur une branche en direction du château de Nottingham, loin de John et Rob. Évidemment, aller à Nottingham, ce n'était pas vraiment m'éloigner de lui, en fait, puisque, naguère, ç'avait été sa maison, de sorte que le fait d'y aller me donnait l'impression qu'il marchait à mes côtés.

Dans le donjon, je piquai un peu d'argent et de nourriture, puis, alors qu'au crépuscule je m'en allais, j'entendis quelqu'un faire un horrible raffut. Je parcourus rapidement l'une des ruelles bordées de cahutes qui formaient le village de Nottingham et, en effet, juste à côté de la muraille du château, je trouvai une fille vêtue d'une jolie robe rouge en train de pleurer à chaudes larmes.

Je me dirigeai vers elle tout en examinant les environs afin de m'assurer qu'il n'y avait personne qui l'ennuyait.

— Viens, lui dis-je doucement, je vais te ramener chez toi.

Elle leva les yeux sur moi, et j'en eus le cœur coincé dans la gorge. Ce n'était pas Joanna, mais c'était une blonde aux yeux bleus et, l'espace d'un instant, elle lui ressembla. Je lui avais déjà tendu la main, et elle la prit.

— Merci, messire.

Je l'aidai ensuite à se relever, et elle s'appuya contre moi.

— Comment t'appelles-tu?

— Alice.

— Et où habites-tu?

— Au château, me répondit-elle en remuant la tête. Je suis l'une des servantes.

— Dans ce cas, pourquoi pleures-tu?

De nouveau, elle fondit en larmes, et je ne sus comment réagir.

— S-s-sh, fut tout ce qu'elle réussit à me répondre.

— Chut, lui dis-je alors tout en sortant un petit pain de ma pochette. Mange quelque chose.

Elle accepta le petit pain et en prit quelques bouchées.

— C'est un travail horrible, m'expliqua-t-elle alors. Les filles et moi, on le sait. C'est mieux si le shérif nous montre de l'intérêt, tu vois, car dans ce cas, il est plus gentil. Il nous donne de l'argent, nous évite quelques corvées, nous nourrit mieux, alors ce n'est pas trop mal. D'ailleurs, il était très gentil avec moi — et je pensais qu'il m'aimait vraiment. Mais je lui ai dit que c'est son bébé, poursuivit-elle en pressant la main contre son ventre, ce qui me coupa le souffle. Et il m'a frappée, gémit-elle tout en se remettant à pleurer.

— Écoute-moi, lui dis-je en réfléchissant rapidement. Je connais un endroit où tu peux aller. Ça ne gênera pas le tenancier que tu sois grosse. En plus, le travail n'est pas trop rude. Tu seras très bien.

— Tu es fou ? s'écria-t-elle en s'écartant. Tu penses que je peux quitter cet endroit ? Je ne le peux pas, jamais. Il enverrait Gisbourne pour me tuer, il me l'a dit.

— Gisbourne est un chasseur de brigands, pas un larbin. Le shérif ne peut lui faire faire tout ce qu'il veut.

Elle remua la tête, puis se tourna vers le château.

— Tu es un idiot qui ne connaît rien au monde.

Ce fut à mon tour de secouer la tête tout en la regardant trottiner vers le château.

—⁓—

J'attendis aussi longtemps que je le pus avant de rejoindre les compères, montant jusqu'au lac Thoresby tout en attendant que les étoiles apparaissent là-haut. Il y avait trop de pensées qui s'agitaient en moi, au sujet de Joanna et de Londres, de ces derniers jours, auxquels je n'aimais jamais trop penser.

Quand je pensais à Joanna, il y avait des jours dont je voulais me souvenir. Quand nous nous étions enfuies à Londres et qu'il y avait toujours de l'argent dans nos bourses, on avait l'impression que le monde s'ouvrait grand à nous comme dans un seul souffle, que plus jamais nous n'aurions à obéir à qui que ce soit et que tout serait parfait, comme si nous avions trompé le destin.

Évidemment, le destin nous attendait au tournant. Jamais celui-ci n'a cessé de me suivre — ni maintenant, au moment où, alors que je pensais être libre, Gisbourne revenait triomphant dans ma vie comme une bête de l'enfer, ni à cette époque — durant ces jours terribles à Londres où il n'y avait plus d'argent et où Joanna et moi sombrâmes dans le désespoir, chacune à sa manière.

Voilà pourquoi il était inutile de penser à elle, car tout me ramenait à Londres, à ces derniers jours.

J'étais très fatiguée, c'était tout. La pauvre Alice du shérif n'était pas une Joanna, et, de toute manière, je ne pouvais rien pour aucune des deux. Je n'avais donc point à penser à de telles choses, car ceux qui voulaient de mon aide en avaient besoin ce soir.

Je gardai un petit pain pour moi et le mangeai lentement. Peut-être que si je pouvais simplement manger, je ne serais pas si prisonnière du passé.

La nuit silencieuse tombait, aussi allai-je chez Tuck, lentement.

Ce fut dans une tempête que je me précipitai.

Les garçons m'attendaient à l'extérieur de l'auberge de Tuck, et d'un signe de tête, Rob m'indiqua de reprendre la route. Dans la nuit, nous nous dirigeâmes vers la caverne.

— Le shérif a pris Godfrey et Ravenna, m'apprit-il alors.

— Pris?

— Lady Thoresby nous a dit qu'ils sont accusés d'avoir attrapé un lapin.

— Mais ce n'est pas du braconnage, ça! protestai-je.

— Je pense que le shérif punit Godfrey parce qu'il ne nous a pas attrapés. Il pense qu'il lui a menti.

— Il ne lui a pas promis notre capture, remarquai-je.

— Le shérif s'en contrefout! cria Rob d'un ton cassant. Et il les pendra avec tous les voleurs sur lesquels Gisbourne peut mettre la main.

Je sentis mes joues rougir. Je détestais quand il criait après moi.

— S'il veut une pendaison nombreuse, ça nous donne encore quelques jours, intervint alors John.

— Environ une semaine, possiblement, opina Much.

— Je suis sûr que nous pouvons provoquer quelque chose qui l'occupera pendant une semaine, n'est-ce pas, Scar? me demanda alors John en souriant.

Je détournai le regard et je sentis les yeux de Rob s'enfoncer en moi comme des charbons ardents.

— Contentons-nous de nous infiltrer dans la prison ce soir sans en faire un plat.

— Faites-le, je veux que ce soit fait, dit alors Rob en se frottant la tête. Mais nous avons tous besoin de dormir avant de faire quoi que ce soit. Même toi, Scar.

Je haussai les épaules. J'étais plutôt fatiguée, de toute façon. Nous restâmes silencieux jusqu'au moment où nous atteignîmes la caverne et, une fois là, Much nous distribua un peu de pain. Je pris ma part et allai m'asseoir au sommet de la crête qui surplombait la caverne.

— Scar, appela alors John tout en sautant sur l'arête et en s'asseyant à côté de moi.

— Tu n'as pas l'intention de me regarder manger, n'est-ce pas ?

— Non, me répondit-il en mordant dans son pain pendant que j'en faisais autant. Alors, comment te sens-tu ?

Je haussai une épaule, sans me donner la peine de lui répondre. Horrible, je me sentais horrible.

— Et pour la prison, quel est ton plan ?

— Je ne sais pas, il faut que je continue d'y réfléchir. Quoi que l'on fasse, on ne pourra le refaire, car Gisbourne s'en rendra compte, et ce ne sera plus possible. C'est pourquoi je pense qu'on devrait peut-être garder le tunnel pour plus tard.

— Mais alors, comment penses-tu pénétrer dans la prison ?

— J'ai mes moyens, petit John, lui dis-je avec un sourire ironique.

— Ça, Scar, tu n'as pas besoin de me le dire, me répondit-il tout en me regardant d'une drôle de manière.

Mes joues se mirent à brûler sans que je sache pourquoi. Il faisait encore assez clair pour qu'il s'en rende compte, ce qui empirait le tout.

— Scar, tu n'es pas si mal quand tu rougis.

— Il me semblait que j'étais lâche ?

— Je pense que je commence à te comprendre, me répondit-il en haussant les épaules. Tu voles toute cette nourriture, mais tu n'en manges pas ; tu avais une amie que tu aimais. Vraiment, je commence à penser que tu es assez coriace —, mais que tu as un peu le cœur tendre.

— Quelle amie ? lui demandai-je, car je n'avais jamais aimé aucune de mes amies, si tant est que j'en eus.

— La petite Leaford. Quand tu nous as parlé d'elle, c'était évident qu'elle comptait beaucoup pour toi.

Je sentis toute rougeur quitter ma figure.

— Il n'y a pas grand-chose dont tu aimes discuter, Scar, mais, ne t'en fais pas, je ne te pose pas de question. Tu n'as pas à me parler de ton amie, pourtant oui, je pense que je commence à te comprendre. Lentement, évidemment.

Je souris un peu, mais pas d'un sourire bien assuré, tout en regardant dans la nuit. Puis, j'attendis que tous les autres se soient endormis avant d'entrer dans la caverne et de disposer ma paillasse, loin de John. Était-ce donc sa manière de s'intéresser à moi, après toutes ces disputes ?

Je dormis ensuite, mais ce ne fut guère d'un sommeil réparateur.

—m—

L'après-midi suivant, j'allai jeter un coup d'œil à la prison, et Rob me dit qu'il m'accompagnait. Je hochai la tête en attendant qu'il marche à côté de moi. Il avait la tête sous sa sombre capuche, et la mienne était enfoncée dans mon chapeau.

— Tu es fâché après moi pour une raison ou une autre ? finis-je par lui demander au bout d'un moment.

— Qu'est-ce qui te fait dire ça ?

— D'habitude, tu me parles. En plus, hier soir, tu m'as crié après.

Il se tourna pour me regarder, mais je gardai les yeux détournés.

— Je déteste ce qui est en train de se passer et je n'arrive pas à croire qu'on ait arrêté les jumeaux. Godfrey voulait seulement protéger sa sœur, et on les jette tous les deux en prison — alors qu'elle n'avait rien à voir avec tout ça.

— Je vais les faire sortir, lui dis-je.

— Et des années passeront avant le retour de Richard. Il lui a fallu tout le temps que j'aie été là pour prendre la ville d'Acre, qui est fort loin de la Terre sainte. Or, il ne reviendra pas tant qu'il n'aura pas pris Jérusalem. Comment pourrons-nous combattre ce déluge pendant encore des années? Comment cette situation peut-elle perdurer?

Je fis craquer une branche sous mon pied tout en lui jetant un regard. Je savais que mon cœur n'était jamais très sûr de grand-chose, mais si jamais je le pouvais, je voulais être sûre pour lui. Ainsi, quand le sien défaillait, je pouvais l'être pour lui et moi.

— Rob, c'est comme tu disais. On fait ce qu'on fait parce qu'on *peut* faire quelque chose. Les «combien de temps» et les «si» n'en font pas partie. Il s'agit d'espoir, pas d'horreurs, poursuivis-je pendant que des souvenirs de Londres me mettaient les larmes aux yeux, mais je continuai. Pour ce qui est des horreurs, tu en connais un rayon, tout comme moi, et John, et Much. Nous l'assumons pour que ces gens n'aient pas à les connaître, eux aussi. Et tout ça, je le sais parce que c'est toi qui le dis, et que quand tu le dis, je te crois, et quand je te crois, je te suivrais n'importe où.

Ses yeux se fermèrent, puis il hocha la tête.

— Tu as davantage foi en moi que moi-même, parfois, Scar.

— Eh bien, c'est très bien comme ça, lui répondis-je. Tu n'as pas à être en permanence sûr de toi-même. En fait, c'est un peu plus supportable, quand tu ne l'es pas.

— Tu trouves que je suis insupportable ? me demanda-t-il en esquissant un sourire et en me regardant.

— Bien sûr, lui dis-je en haussant les épaules. Tu n'es comme personne d'autre, et parfois, je ne sais absolument point que penser de toi.

— Ça, de la part d'une fille qui est une voleuse, une lanceuse de couteaux et une hors-la-loi… Comme s'il y avait dans le monde quiconque comme toi.

— Ouais, mais tu vois complètement à travers moi.

— Non, ce n'est pas que je vois à travers toi, me répondit-il, mais que je te vois. Tu ne veux pas que qui que ce soit te voie, mais moi, je te vois.

Je hochai la tête, mais à cet instant, mes vieilles contusions se mirent à me faire mal sous mon chapeau.

— Parfois, je préférerais que ce ne soit pas le cas.

— Parfois, moi aussi je le souhaiterais, me répondit Rob en soupirant. Ce serait certainement plus facile, ajouta-t-il doucement.

Cela me traversa l'estomac comme une hache brûlante. Je savais que, pour ce qui était des âmes, la mienne était noire comme de la suie et que, comme mon visage, elle était étrange et balafrée. Mais parfois, une partie de moi pensait que Rob me voyait de manière différente, qu'il considérait ce qu'il y avait de bon en moi comme étant meilleur que ce qui était hideux.

Ce n'était pourtant guère le cas, c'était clair comme de l'eau de roche. Rob voyait de la suie et des balafres et souhaitait n'avoir jamais regardé.

Je ne relevai point la tête ni ne dis mot pour le reste de notre trajet.

—⁓—

Nous passâmes plusieurs heures à Nottingham, ce qui était difficile pour Rob, car, dans ce village, les gens pouvaient le reconnaître, aussi resta-t-il à l'extérieur du château pendant que je trouvais le moyen de m'y faufiler.

Quand je retrouvai ensuite Rob, je n'avais point de bonnes nouvelles.

— Gisbourne est en train de s'agiter sur tous les fronts. Il change l'appel de la garde — et il en double le nombre à la prison et au portail tout en leur ayant donné l'ordre de faire des rondes de nuit. Il sait que je peux entrer, mais il ne sait comment.

— Combien de chemins connais-tu ?

— Le tunnel est le meilleur. Je peux escalader le mur en un rien de temps sans qu'on me voie, mais la difficulté est de faire passer les autres, dis-je avant de m'interrompre et d'écarquiller les yeux. Je sais ce qu'on peut faire.

— Explique-moi.

— Eh bien, ils vont s'attendre à ce qu'on fasse sortir Godfrey et Ravenna, n'est-ce pas ? Et ils surveilleront doublement la prison juste pour ça.

— Et alors ?

— Alors, donnons-leur ce à quoi ils s'attendent.

— Tu veux qu'on se jette dans un piège ? me demanda-t-il, les sourcils froncés sévèrement. Ou plutôt, dans une prison lourdement gardée qui pourrait tout aussi bien être un piège ?

— Dans le mille, Rob, lui dis-je en souriant et en me mettant en marche.

— Scar, attends, c'est insensé.

Mais je ne m'arrêtai pas.

— Scar !

—⁓—

— Tu es devenue complètement folle, me dit John, une fois de plus. Il le répétait sans cesse. Quant à Rob et Much, ils ne disaient rien, mais ils étaient de mon côté.

— Arrête de dire ça, ça porte malheur.

— Ce n'est pas de chance que tu as besoin — tu as besoin de ne pas y aller.

— Depuis quand le fait de provoquer un peu de raffut t'angoisse-t-il tant, John ? lui demanda Much.

— Depuis qu'elle prend beaucoup trop de risques sur ses épaules, lui répondit-il d'un air renfrogné. Ce sont de frêles épaules, si vous n'avez remarqué.

— Elle va s'en sortir, John. C'est une bonne idée, lui dit Rob avec plus de dureté que j'aurais cru.

Franchement, le pataud s'inquiétait seulement.

— Huntingdon, je te tiens pour responsable, lui répondit John sèchement. N'oublie pas que c'est toi qui as accepté ce stratagème.

Je donnai une claque sur l'estomac de John : nous n'appelions jamais Rob par son titre.

— Au cas où tu l'aurais oublié, petit John, une fois que nous sommes d'accord sur un plan, on ne regarde plus en arrière, alors arrête de nous porter malchance.

Je crachai alors par terre. C'était censé chasser les mauvais esprits.

Je levai les yeux au ciel, qui était sombre et nuageux, sans lune, comme si un meilleur voleur que moi en avait chipé la lumière pour nous aider à nous cacher. Nous escaladâmes la muraille de pierre rugueuse en nous déplaçant rapidement et sans jamais chercher de véritable prise. Seul Much ne pouvait guère y arriver et John redescendit, puis remonta avec lui sur le dos, comme il l'avait fait avec Freddy la fois précédente.

Rob et moi passâmes par-dessus la muraille jusqu'au parapet en cherchant du regard les gardes qui faisaient leur ronde. L'un d'eux arriva, et nous nous séparâmes, chacun sautant sur le dessus de la muraille qui longeait le chemin du garde pour nous cacher dans le noir. Du côté où j'avais sauté, évidemment, je me retrouvai suspendue au-dessus des appartements du château, mais je m'abaissai lentement pour me cacher contre le toit.

Rob descendit à son tour, pour être ensuite suivi de John et de Much quelques minutes plus tard. Une fois que nous fûmes tous là, je me laissai tomber dans la cour intérieure centrale en regardant droit dans l'appartement de Gisbourne, où il y avait de la lumière. Cependant, il ne s'y trouvait pas, ce qui me refroidit un peu.

L'un après l'autre, nous sautâmes avant de traverser en courant l'enceinte supérieure, puis nous parcourûmes la ruelle. Il y avait là davantage de gardes en mouvement, mais ils avaient tendance à rester groupés et à laisser certaines zones sans défense. Nous savions nous déplacer dans le noir sans être vus, mais je savais que les jumeaux Mason ne seraient pas si doués.

Une fois arrivés à la prison, je me rendis du côté des garçons pendant que John avançait en titubant comme un
ivrogne. Les deux gardes qui étaient devant le regardèrent,
et je me glissai derrière eux avant d'entendre John hurler
après eux, moment auquel je m'enfonçai en courant dans la
prison.

La muraille de pierre rugueuse laissa la place aux cellules, et une unique chandelle placée à l'entrée produisait un
faible filet de lumière au-dessus des lieux. Je pouvais voir les
cellules et les gens qui s'y trouvaient et je m'arrêtai net.

Quelque chose clochait. Chaque fois que je mettais le
pied dans la prison, les prisonniers chuchotaient et m'appe-
laient tous, me suppliant de les aider ou m'aidaient à trouver
la personne que je cherchais. Or, tous étaient complètement
silencieux, et je ne me flattais pas d'être invisible.

Je m'arrêtai donc à la cellule de Jack Tailor, que nous
avions essayé de faire sortir, naguère. Il avait refusé, car il ne
voulait pas que sa famille en subisse les répercussions, affir-
mant que la liberté ne valait pas cela. C'était quelques
mois auparavant, et je me demandais s'il changerait d'idée
en sachant que l'on allait procéder à des pendaisons d'ici
peu.

Il s'avança dans sa cellule, son regard croisant le mien,
pour ensuite se diriger vers le fond de la prison. Je passai
mon doigt de haut en bas entre mes yeux en essayant d'imiter
le casque des gardes.

Il fit non de la tête.

De la mienne, je fis un signe de compréhension : il ne
s'agissait donc pas d'un garde, ce qui signifiait que c'était
quelqu'un dont je n'avais point à m'occuper — ou de
Nottingham, ou de Gisbourne.

D'une manière ou d'une autre, je devais procéder rapidement.

— *Mason ?* articulai-je silencieusement.

Tailor m'indiqua du doigt une cellule plus éloignée. Il me faudrait être aussi rapide que l'éclair. Je le remerciai d'un hochement de tête, puis m'enfonçai dans la partie plus sombre de la prison.

Là, je sentis qu'il y avait quelqu'un, j'entendais sa respiration douce, égale, et, bien pire, je sentais son regard sur moi, en train de m'observer, de me pourchasser. Quelque part dans mes tripes, j'étais certaine qu'il s'agissait de Gisbourne, se tenant dans l'ombre juste derrière moi, comme il l'avait toujours fait.

Peu importait : maintenant, je ne pouvais plus reculer.

Je fis glisser le paquet de mon dos. Il pouvait passer entre les barreaux. Puis, je me déplaçai silencieusement le long des cellules, à la recherche des jumeaux, le cœur me battant à me rompre la poitrine. Je devais tout simplement rester tranquille, ne cessai-je de me rappeler.

Ce fut après 19 pas et 6 cellules que je les trouvai. Ils se précipitèrent au-devant de leur cellule tandis que je faisais passer le paquet entre les barreaux.

— Ayez confiance, leur murmurai-je en saisissant la main de Ravenna sur le barreau et en la regardant dans les yeux pour essayer de lui montrer, d'une manière ou d'une autre, tout ce que je ne pouvais leur dire, à son frère et à elle.

Juste à ce moment, une main énorme m'agrippa par le cou m'arrachant aux barreaux. Je tombai contre la cellule du côté opposé de la rangée, et, même dans le noir, je reconnus le démon en le voyant.

— Gisbourne.

Il fit un pas en arrière, surpris que je connaisse son nom, mais je ne demeurai point à le regarder bouche bée : je détalai plutôt à toutes jambes.

— John, aboyai-je en franchissant le portail de la prison.

Il se débarrassa des gardes en envoyant quelques rapides coups de poing, puis nous nous mîmes à courir.

Rob courait devant nous, et Much, sur le toit, attendait de l'attraper avec son bon bras pour le faire monter. Rob tira ensuite John pendant que j'escaladais la muraille à toute vitesse, et nous avions franchi la muraille quand les archers commencèrent à se mettre en place.

Ils tirèrent, mais il y avait de grands braseros en bronze juste sur le dessus du parapet au-delà desquels ils ne pouvaient voir dans l'obscurité. Nous descendîmes rapidement la muraille et nous dirigeâmes à toutes jambes dans la forêt.

Nous courûmes un moment jusqu'à ce que Rob nous enjoignît de nous arrêter le long d'un ruisseau. Nous bûmes, puis je montai sur une branche.

— Alors ? me demanda Rob.

— Ç'a marché à la perfection, lui répondis-je, et maintenant qu'ils pensent que nous avons tenté le coup et que ç'a raté, tout sera en place pour que nous les libérions demain. Je leur ai fait passer le paquet. Ils penseront que nous avons fait sortir les gens déguisés en gardes. De plus, comme je pensais, ils ont bien gardé un homme à l'intérieur.

— Seigneur, soupira John, tu m'as eu, Scar. Quand tu es arrivée en courant, je pensais que nous étions cuits.

— C'était Gisbourne, lui répondis-je en haussant les épaules. Mais les jumeaux avaient l'air en santé et joviaux. Nous les libérerons demain.

— Jusqu'à maintenant, Scar, dit alors Rob en hochant la tête, ton plan est sans failles.

J'étais sur le point de sourire quand il me revint en tête qu'il avait dit souhaiter ne m'avoir jamais vue, aussi baissai-je plutôt les yeux.

— On saura demain.

— On devrait tous dormir un peu, dit-il alors en hochant la tête. Ça sera déjà assez compliqué, demain.

—⚜—

Quand nous nous levâmes, les battements de mon cœur étaient irréguliers. Voir le visage de Gisbourne de si près m'avait évidemment ébranlée, et même s'il faisait noir comme dans un four, je craignais quelque peu qu'il m'eût reconnue.

Mais c'était impossible, il faisait trop noir et, de toute manière, j'avais changé.

Évidemment, il y avait mes yeux, qu'il pourrait reconnaître, ainsi que ma balafre.

Cependant, il n'y avait pas assez de lumière pour qu'il puisse bien les distinguer. Il ne pouvait m'avoir reconnue.

Tout en moi me hurlait de m'enfuir et de ne pas m'approcher du château, mais je ne fis rien de tel. C'était incroyablement stupide de ne pas se fier à son instinct ; c'était le genre de pétrin dans lequel on se mettait quand on se préoccupait des autres. Toute la nuit, j'avais été hantée par la sensation de ma main sur celle de Ravenna.

J'attendis au bord de la route jusqu'à ce que je voie poindre la charrette de Tuck, comme il avait été prévu, puis, quand il eut ralenti, je sautai à ses côtés.

— Tuck, Robin te remercie de faire tout cela, lui dis-je alors.

— Je l'aime, Robin, me répondit-il en hochant la tête, mais c'est pour ces jumeaux que je le fais. Assure-toi que ça aille aussi simplement que le lever et le coucher du soleil, Scarlet.

À ces mots, l'estomac me remonta dans la gorge.

— Oui.

— Et je te présente mes excuses d'avance pour devoir te malmener un peu.

Je hochai la tête et mis ma capuche. Nous roulâmes jusqu'au château en silence. C'était étrange ; le rythme de la charrette était doux et même agréable et, pendant un instant, j'eus l'impression que cela aurait pu être ma vie, si j'avais été un garçon, en fait, si je n'avais pas eu la mauvaise fortune de naître fille.

Au portail, les gardes nous arrêtèrent et inspectèrent les tonneaux de Tuck. Évidemment, cette partie n'était pas difficile, c'était le moment où je n'avais qu'à me taire pour ne pas me faire piéger.

Ils nous laissèrent passer, et la charrette reprit son rythme lent et aisé. Nous roulâmes jusqu'à l'enceinte inférieure et là, je me laissai glisser de la charrette pour rapidement m'enfoncer dans le conduit d'aération en me fiant au fait que Rob, Much et John auraient accompli leur part respective de la mission.

En me tortillant, puis en sautant, je glissai le long du conduit, entraînant de la poussière avec moi, puis j'atterris sur mes deux pieds. Cependant, le choc fut un peu sec pour mon genou, et j'éprouvai de la douleur, mais il n'était pas cassé. Je me relevai donc et courus vers la cellule des jumeaux.

— Tu arrives trop tard, m'annonça cependant Godfrey avec de l'affliction dans la voix.

Ravenna n'était plus là.

CHAPITRE 8

— Godfrey, qu'ont-ils fait avec elle ?

— Nottingham est descendu après ton passage, me répondit-il en donnant un coup de poing dans les barreaux, et il l'a vue. Il a dit qu'elle était jolie, puis elle était partie. Que Dieu te maudisse, lâche ! Tu aurais pu l'affronter et te débarrasser de lui, hier soir, tu aurais pu nous emmener à ce moment-là. C'est ta faute !

J'avais les mains qui tremblaient tout en crochetant la serrure, les larmes me venaient aux yeux et j'avais envie de vomir.

— Je la libérerai, lui promis-je, d'une voix très faible.

Seigneur, et le shérif qui venait tout juste de perdre une maîtresse à la salle d'accouchement, si cette gamine de l'autre jour, Alice, l'avait vraiment été. La porte s'ouvrit, et il fonça sur moi, m'envoyant un coup de poing en pleine figure. Je ne tentai même pas de me défendre. Je me fracassai contre les barreaux, puis il me frappa de nouveau. Je tombai, et il me donna un coup de pied.

— Que Dieu te maudisse, Will Scarlet ! cracha-t-il.

Il fit un pas en arrière ; comme je supposais qu'il avait terminé, je me relevai. Je pouvais à peine voir devant moi, mes yeux me donnaient l'impression d'être en train de rouler

sur place et, chaque fois qu'ils roulaient, une explosion déto-
nait dans ma tête. Je me dirigeai vers l'autre cellule, et il
me fallut quelques minutes de trop pour en crocheter la
serrure.

— Que fais-tu? me demanda le prisonnier. Fais plutôt
sortir le gamin!

— On peut emmener six prisonniers, lui répondis-je, et
il y en aura six.

J'ouvris quatre autres cellules; à ce moment, la douleur
n'était plus aussi intolérable, sur mon visage tout au moins. Il
y avait cependant cette nausée que le fait de vomir ne régle-
rait point. Godfrey avait raison. C'était mon stupide plan, et
je les avais laissé tomber tous les deux.

Ce fut alors que Rob et John arrivèrent à ma rencontre
dans la prison.

— Qu'est-ce qui te prend tant de temps? me demanda
Rob. Où est Ravenna?

Alors, Godfrey me poussa de derrière, et je tombai à
genoux.

— Demande à cette misérable vermine! rugit-il.

Rob me releva, non par le bras, comme il l'aurait fait avec
un garçon. Il me prit la main et me passa le bras autour de la
taille en m'attirant à ses côtés, juste un peu derrière lui.

— Recommence ça, Godfrey, et je te remettrai moi-
même en prison.

— C'est Nottingham qui l'a, lui dis-je alors, et ma voix
donnait l'impression que j'avais avalé des pierres.
Nottingham la veut.

— Lequel d'entre vous est réellement le Prince des
voleurs? demanda l'un des prisonniers, perplexe.

— Moi, lui répondit Rob en abaissant sa capuche.

— Monseigneur! s'écrièrent alors plusieurs d'entre eux.

John se mit à distribuer des robes telles que Rob et lui en portaient.

— Allons-y.

— Pas question, grogna Godfrey. Je ne partirai pas sans Ravenna.

— Nous la libérerons, lui dit Rob. Mais il nous faut d'abord un plan.

— Je vais rester, dis-je en remuant la tête. Je ne peux la laisser ici. Faites-les sortir et revenez m'aider, de la manière que vous pourrez.

— Il n'en est pas question, me répondit Rob tandis que son étreinte sur moi se resserrait et qu'il me regardait dans les yeux de son regard bleu comme l'océan, entraînant tout le reste.

— Ne sois pas stupide, petit! me dit alors l'un des prisonniers. Tu as déjà reçu trop de coups à la tête.

De sous ma capuche, je lui lançai un regard noir, mais Rob continua de me tenir et la retira pour bien examiner l'œuvre de Godfrey. L'étreinte de Rob fut si violente qu'il était près de me laisser des contusions, mais, pendant un moment, je ne l'arrêtai pas. La douleur, en cet instant, me faisait un peu oublier ma nausée.

— Rob, tu dois les faire sortir d'ici, lui rappelai-je en essayant de me dégager de lui.

— Pas avant que je ne l'aie tué, grogna cependant Robin.

Je vis Godfrey faire un pas en arrière.

— C'est toi qui lui as fait ça, à elle? rugit John en écartant Godfrey de moi.

— Elle ? s'écria Godfrey. C'est une maudite fille ?

— Il faut y aller ! criai-je en poussant Rob sur la poitrine.

Rob ne bougea pas, ses doigts étant comme des anneaux de fer autour des miens.

— Seulement si tu viens aussi.

— D'accord ! répondis-je sèchement.

Puis, je me tournai vers Godfrey après m'être débarrassée de Rob.

— Je la libérerai, Godfrey, même si je dois y laisser ma peau.

À ces mots, son visage se tordit, mais il hocha la tête, et il finit par enfiler une robe.

Je me séparai ensuite d'eux comme c'était prévu. La seule raison pour laquelle je ne me mis pas à courir à toutes jambes était que je savais que Rob se ferait prendre en me poursuivant, et que cela ne lui importerait point. Mon visage me semblait humide dans l'air du jour, et je ne savais pas au juste si c'était de sang ou de larmes.

Je les surveillai en avançant d'un pas mesuré, tout en restant loin devant eux. Une fois que j'arrivai à Tuck, qui était en train de livrer des tonneaux dans l'enceinte supérieure, il se mit à me crier après parce que je m'étais échappée. Il me gifla et fit semblant de le refaire quand je fis mine de me défendre. Tout le monde nous regardait, mais personne ne remarqua mes compagnons en train de monter dans les tonneaux vides.

Quand il me poussa sur la charrette, je m'y assis, laissant la douleur se répandre en moi encore et encore. Puis, nous atteignîmes les gardes, et je fus à peine consciente de Tuck en train de leur refiler un petit tonneau de vin pour leur plaisir, en retour de quoi ils nous firent signe de passer au lieu de vérifier les tonneaux.

Une fois dans les bois, je sautai de la charrette et partis en courant, me dirigeant vers le seul endroit où j'étais sûre que personne ne pourrait me suivre, le seul endroit où moi seule pouvais grimper.

Je retournai en effet au grand chêne. Il était noir, couvert de cendre, mais moi aussi, de toute manière. J'y grimpai avec précaution, demeurant à la base des branches, comme si l'arbre était en verre et s'écroulerait, si j'en faisais craquer une brindille. Puis, je me cachai tout en haut, dans l'entremêlement de branches où s'était trouvé mon hamac avant, là-haut, seule dans le ciel, et je me recroquevillai sur moi-même, laissant s'échapper le flot de mes larmes. J'avais laissé tomber Ravenna comme j'avais laissé tomber cette fille qui pleurait au château, et tout comme j'avais laissé tomber Joanna. Je voulais aider, mais tout ce que je faisais, c'était pousser toujours plus de filles dans un horrible pétrin.

—※—

Je restai au faîte de l'arbre pendant des heures. Quand je m'aventurai en bas, ce fut pour trouver Rob et John endormis aussi haut qu'ils en étaient capables, sans que je sois sûre que ce soit pour me protéger ou me garder. Je tentai de les dépasser, mais Rob s'éveilla.

— Scar, tu ne peux y aller seule.

— Si, je le peux.

— Scar, laisse-moi examiner ton visage.

— Tiens, lui dis-je en me tournant vers lui, regarde.

Je savais qu'il était mal en point, mais, de toute manière, ce n'était pas comme si mon visage lui avait plu, alors je pouvais tout autant laisser Godfrey le tabasser.

— Mon Dieu, Scar, pourquoi ne t'es-tu pas défendue ? Il a dit que tu n'avais même pas essayé.

— C'est ma faute si sa sœur subit un sort pire que la mort, lui répondis-je en haussant les épaules. Alors, si le fait de me rouer de coups pouvait l'aider à se sentir mieux, tant mieux.

— Scar, tu ne l'as pas mérité.

— Si.

— Pourquoi ? Parce que nous avons respecté le plan ? Tu peux faire beaucoup de choses, mais prédire l'avenir n'en fait pas partie.

— J'aurais dû m'y attendre. Je n'aurais pas dû les laisser là toute la nuit. Alors, tu vois, à partir de maintenant, c'est toi qui établiras des plans.

— Scar, tu as sauvé Godfrey.

— Et j'aurais tout aussi bien fait de tuer Ravenna.

— Tu crois que je n'ai pas commis d'erreur ?

— Pas de ce genre.

— Scar, me dit-il après s'être rapproché de moi, que dois-je faire pour te convaincre que tu n'es pas un rat d'égout ? Tu mérites bien mieux que tout ça.

Je remuai la tête tout en me laissant glisser de branche en branche. Il ne devrait point me dire des choses pareilles, car j'étais un rat, j'étais une voleuse, une menteuse, un être mauvais. Rob lui-même, un héros s'il en était, me regardait et ne voyait rien d'autre que de la suie et des balafres. Pour cette raison, il n'aurait point dû me faire croire qu'il avait une opinion différente après qu'il m'avait dit ce qu'il pensait de moi.

— J'y vais avec toi.

— Personne ne vient avec moi, Rob, lui dis-je en sautant au sol, et il atterrit juste derrière moi. Je t'assommerai s'il le faut.

Il continua, aussi me retournai-je subitement pour lui frapper la figure du revers de la main, mais il saisit mon bras, puis saisit l'autre et me tira contre lui, mon dos contre sa poitrine.

— Et moi, si nécessaire, je t'attacherai.

Je donnai un coup de tête vers l'arrière, mais il l'évita, puis je tentai de lui donner un coup de pied, mais il se déplaça.

— Seigneur, Scar, arrête de te battre contre moi.

J'arrêtai donc, mais un sang enragé courait dans mes veines.

— Il est fort possible que ceci soit l'une des pires nuits que tu aies connues, Scar, mais nous ne pouvons pas gagner à tous les coups. Si nous le pouvions, nous serions au château.

— Je vais tout régler !

— Scar, tu ne peux…

— Tu sais ce qu'il est en train de lui faire ? lui répondis-je sèchement en tentant de nouveau de me libérer de son étreinte.

— Et toi, le sais-tu ? me demanda-t-il. Le sais-tu ? Voilà donc de quoi il s'agit ? Quelque seigneur londonien t'a fait subir ce que le shérif est en train de faire subir à Ravenna ?

Joanna, sa voix quand elle me disait au revoir en refermant la porte, résonna dans ma tête. Jamais depuis ne m'étais-je sentie aussi mal et désarmée qu'au moment où elle partait, de sa propre volonté, soir après soir, pour faire ce dont je ne dirais mot à qui que ce soit, et jamais à Rob.

Je remuai la tête, davantage pour en faire sortir ce souvenir que pour lui répondre, puis je serrai les paupières, et des larmes en jaillirent avant que je ne le frappe dans l'estomac.

— Arrête d'essayer de deviner ! Tu ne sais rien de ma vie, Robin des Bois, et tu ne sais rien à mon sujet !

— Scar, me murmura-t-il doucement à l'oreille avant de m'attirer vers le sol tout en me maintenant avec une étreinte d'acier, Scarlet, que t'est-il donc arrivé ?

— Rien, avouai-je. Il ne m'est jamais rien arrivé. C'est à elle que tout est arrivé. Elle a tout encaissé, je ne l'ai pas aidée.

— Qui, Scar ?

De nouveau, je remuai la tête. Ce qu'il y avait eu de pire, de loin, avait été son adieu final, alors qu'elle refusait de partir et qu'on me l'avait enlevée, blessée, souffrante. Je pouvais voir Joanna, ses jolis cheveux blonds, ses yeux bleus si joyeux, et c'était comme si cette vision se transformait en cendre dans mon esprit, sa peau devenait pâle, grisâtre, ses cheveux perdaient leur éclat, ses yeux devenaient sombres — et ce sang sur ses draps, sur sa bouche, sur ses mains, tant elle toussait.

— Je suis parti juste après que Richard a conquis Acre, chuchota alors Rob contre ma tête.

Déconcertée, j'arrêtai de me débattre.

— Quoi ?

— Lorsque j'ai reçu la nouvelle, au sujet de mon père. C'était juste après Acre, et tout prétexte pour partir me convenait, poursuivit-il en remuant la tête contre la mienne, et je restai silencieuse, attendant d'en entendre davantage. Nous avions des milliers de prisonniers, mais les négociations avaient trop duré, ce n'étaient plus des ennemis. C'étaient nos prisonniers, mais c'étaient des hommes, des femmes, des enfants auxquels nous parlions, avec lesquels nous mangions. Or, Richard nous a ordonné de les tuer jusqu'au dernier, et nous avons obéi. Je jouais aux dés avec un garçon à peine plus jeune que moi, et ensuite, d'un coup d'épée, je l'ai décapité.

Il s'arrêta un instant. Nous étions essoufflés de nous être tant débattus.

— J'avais 15 ans quand je suis parti pour la Croisade, j'étais un garçon répondant à l'appel de Richard pour de saints soldats. Je suis parti avec lui traverser l'Europe pour amasser des fonds tout en faisant notre chemin vers la Terre sainte. J'étais un garçon jusqu'au moment où j'ai dégainé mon épée. Alors, je suis devenu un homme, et déjà, j'avais fait des choses impardonnables, me dit-il en pressant davantage sa tête contre la mienne. Je sais ce que c'est d'examiner son passé et de voir rien que ses erreurs, ajouta-t-il.

Mes doigts s'écrasèrent sur sa peau, le griffant comme si je pouvais la lui déchirer pour que nous soyons unis par le sang et que je puisse alors le consoler, pour qu'il puisse voir en moi sans que j'aie à parler.

— Tu obéissais à des ordres, Rob, tu étais un croisé du roi. Ce ne peut être une erreur quand on n'a pas d'autre choix.

— Si, parce qu'on a toujours le choix, même quand on pense que non. N'est-ce pas ce qui te torture ?

Des souvenirs de Joanna me remontèrent si violemment à la gorge que je ne fus plus certaine de pouvoir respirer. Ce fut sous forme de larmes que je les recrachai.

— Rob, elle me protégeait. Elle a fait des choses ignobles, j'aurais dû l'arrêter, tout cela pour me protéger. Or, je ne l'ai pas fait, alors qu'elle en avait besoin.

— Richard m'aimait bien. Si j'avais dit non, si j'avais refusé, peut-être m'aurait-il écouté, peut-être aurais-je pu sauver ces gens.

Un hoquet me traversa la gorge, puis Rob me tordit de manière à ce que je sois lovée contre sa puissante poitrine, entravée comme un chien. Il me serra fort, à me faire mal, mon souffle s'échappait difficilement entre mes dents, et je me demandai qui, de lui ou moi, tenait l'autre. Je voulais lui dire qu'il était bête, que jamais Richard ne l'aurait écouté, que jamais il ne serait revenu sur son ordre pour lui, mais ça, il le savait. Il le savait, et ça ne l'aidait guère. Je savais que ce n'était point ma faute si Joanna était morte, mais cela ne m'aidait point, point du tout.

Je sentais le souffle de Rob sur mon oreille, sa poitrine se gonfler sous moi. Son cœur battait si près du mien que cette simple distraction me calma.

— Je dois l'aider, lui dis-je.

— Je sais, mais laisse-moi t'aider.

— Impossible. Mon plan implique une seule personne.

— Comment entreras-tu au château ?

— Par la muraille.

— Et comment sortiras-tu ?

— Par la muraille.

— Elle ne sera pas en état de la descendre.

— Elle y arrivera, et s'il le faut, je la porterai.

— Moi, je la porterai. J'irai jusqu'à la muraille avec toi et j'attendrai là. Tu m'enverras un signal si tu as besoin de moi, et je viendrai.

Je déglutis.

— On est là l'un pour l'autre, lui dis-je.

— Exactement, dit-il en hochant la tête.

Se lever fut étrange. Je fus debout la première et je regardai par terre. J'avais été tout entortillée avec lui, il s'était cramponné à moi. J'avais l'impression que quelque chose avait changé avant que je ne me lève, mais une fois debout, je voulais que rien ne soit différent. J'avais l'impression que quelque chose en moi s'était libéré en frissonnant, et tout ce que je voulais c'était le garder ancré en moi, le garder caché, au plus profond de moi.

Je m'écartai de lui. Je pouvais voir John dans l'arbre, toujours en train de dormir, ce qui rendait le tout encore plus étrange. Rob et moi prîmes des armes dans la caverne et nous nous mîmes en route.

—⁂—

Il y a beaucoup de choses à propos desquelles je ne me suis jamais posé de questions, des choses comme le temps qu'il fera, les récoltes, ou les sentiments — pour ces choses, je suis tout à fait nulle. Ce que je connais, c'est l'art de se faufiler — et les couteaux, je suppose. Ce soir-là, je me concentrai sur tout ce en quoi j'excellais. Nous nous rendîmes à toute allure au château et, une fois là, j'indiquai à Rob où il devait m'attendre.

Lorsque je suis seule, tout devient clair, je ne m'inquiète plus, je ne réfléchis plus, je peux simplement me faufiler. Je me fonds dans les ténèbres les plus sombres, et personne ne peut me voir. Un garde peut passer bien près de ma figure sans même se rendre compte que je suis là.

Ce qui était compliqué, c'était de trouver sa chambre, car il y en avait tellement dans les appartements que je savais que cela me prendrait la plus grande partie de la nuit. Je procédai donc avec beaucoup de soin. Je suppose que cela dut me prendre des heures, mais je ne m'en rendis pas compte. Cela me parut plutôt pur et simple. C'était la seule chose qui l'était dans la vie.

Je la trouvai enfin au dernier étage, en train de dormir. Silencieusement, je passai par la fenêtre et me rendis jusqu'à la porte pour la vérifier avant de la réveiller. Je l'entrouvris à peine et vis un garde qui en bloquait l'entrée. Ce serait donc par la fenêtre qu'il faudrait se sauver. J'espérais seulement qu'on ne l'avait point trop malmenée.

Ensuite, j'allai jusqu'à elle et lui couvris la bouche avant de la secouer un peu. Ses yeux s'ouvrirent d'un coup et, sous ma main, elle poussa un cri.

— Chut! lui dis-je d'une voix sifflante en lui pressant la bouche, car je devais être sûre qu'elle m'écoutait.

Elle arrêta de se débattre.

— Me reconnais-tu?

Le clair de lune pénétrait dans sa chambre et l'éclairait quelque peu. Moi, je pouvais la voir, de sorte qu'elle pouvait sans doute me voir aussi.

Elle hocha la tête.

— Tu te tairas?

De nouveau, elle la hocha.

Alors, je retirai la main et me détendis.

— On ne t'a fait aucun mal?

Elle remua la tête.

Je déglutis, puis ma main tomba sur la sienne comme du bois mort.

— Ravenna, je suis vraiment désolée. J'aurais dû vous libérer hier soir, tous les deux.

Mes mots se bousculaient.

— Mais je vais te libérer maintenant.

— Je reste ici, me répondit-elle en secouant la tête.

Pas une autre, Dieu tout-puissant, pas encore une autre.

— Ils ne feront aucun mal à ta famille. On peut tous vous faire partir d'Edwinstowe, Ravenna, je te le promets.

— Tu nous avais promis de nous libérer hier soir, me répondit-elle en dégageant brutalement sa main de la mienne.

Si nous vivions dans un monde bon et équitable, je lui aurais répondu que je ne lui avais promis rien de tel, la veille au soir. Je lui avais dit « d'avoir confiance » et seulement parce que je ne pouvais lui expliquer mon plan complet pour les libérer, aujourd'hui. Mais en l'état actuel des choses, ses mots me blessèrent comme s'ils étaient vrais.

— C'est différent. Nous déplacerons ta famille si nécessaire.

— J'ai un autre plan, répliqua-t-elle en remuant la tête. J'ai dit au shérif que s'il me désirait, il devrait m'épouser. Il m'a répondu qu'il le ferait, ajouta-t-elle en dégageant ses cheveux pour me montrer le collier d'or brillant qu'elle avait au cou. Il m'a fait un cadeau de fiançailles, et il a convoqué mon père demain matin. Dans un mois, je serai Lady de Nottingham, et ma famille ne sera pas seulement en sécurité, elle sera noble.

J'en restai pétrifiée.

— Mais Ravenna, l'épouser ?

— Toi, Scarlet, tu vis peut-être comme un hors-la-loi, mais pour te protéger de la honte, tu fais croire aux gens que tu es un garçon.

J'en restai bouche bée.

— Évidemment que je le savais — ne sois pas si stupide, tu es bien trop jolie pour être un garçon. Mais moi, je ne suis pas comme toi, et je n'ai pas ce genre de choix. J'allais être mariée de toute manière, et mon père visait un bon parti, alors autant que ce soit lui.

— Il te fera du mal, lui dis-je en remuant la tête.

— Comme tous les autres. Au moins sera-t-il mon mari.

Je lui pris la main tout en me concentrant sur Robin, sur John et sur Much, sur Tuck même, avec sa femme qui ne s'occupait jamais de lui et qui provoquait toujours la pagaille, ce qu'il semblait trouver attendrissant.

— Non, pas tous. Il y a des hommes qui sont bons.

— Il y a des hommes qui sont pauvres, me répondit-elle. Et d'autres qui sont riches. Les riches n'attendent jamais pour quoi que ce soit, alors pourquoi seraient-ils bons ? Les hommes bons sont pauvres parce qu'ils doivent compter sur la bonté des autres. Et mon père m'a dit sans l'ombre d'un doute que j'étais destinée à un homme riche.

— Godfrey te tuera.

— Père souhaite qu'il nous protège, rétorqua-t-elle en remuant la tête. Il mérite un peu de repos. Je pourrai maintenant assumer ce fardeau.

De stupides larmes me brûlèrent les yeux. Ravenna et moi, nous n'étions pas apparentées, de sorte que celui à qui elle se liait n'aurait point dû m'émouvoir.

— Je peux te sauver, laisse-moi te sauver.

— Je n'en ai pas besoin. C'est mon choix. Pour une fois que je peux choisir.

— Ravenna, ce n'est pas un choix quand tu penses que tu sauves ta famille.

Elle se détourna de moi.

— Maintenant, va-t'en, ou j'appelle le garde. Si tu vois Godfrey, rapporte-lui ce que je viens de te dire.

— Je vais rester près d'ici. Si tu changes d'avis, s'il te fait du mal, je serai tout près.

Elle déglutit sans me regarder.

— Va-t'en, me répondit-elle.

Et je partis, sans aller bien loin.

En fait, je ne retournai point au camp. Avec deux poignards, je fis signe à Rob que je n'avais point besoin d'aide, et il partit. J'attendis jusqu'à ce qu'il soit loin, descendis chercher les couteaux, puis je dormis dans le tunnel. Sur mon visage, il y avait des larmes, mais je ne les essuyai pas. Tout était de ma faute, cependant, quand elle aurait besoin de moi, je serais là.

—⁂—

Sur le toit, entre deux corniches, il y avait un recoin sombre. Quand la nuit tomba, le lendemain, je m'y installai, à l'abri des regards, pour écouter. Je restai tout près d'elle, juste pour m'assurer qu'elle était en sécurité. Je songeai au fait que Rob et les autres devaient être fort inquiets pour moi, mais c'était sans importance. Si je m'en allais, il pourrait lui faire du mal, je ne serais pas là pour la sauver.

Cependant, je ne perdis nullement mon temps. Je mis sur pied une petite collection, piquant de l'or et de l'argent, des bijoux là où je le pouvais. Si, avec à peine deux semaines avant le cens je n'allais point sur les routes, il fallait que j'en aie assez à vendre. Ce n'était pas comme si je pouvais entrer dans l'armurerie, mais les gardes laissaient assez souvent leurs armes sans surveillance, et je piquai une pleine brassée d'épées et un ensemble complet de couteaux. Je gardais mes réserves au fond du tunnel.

Et j'observais. J'observais la façon dont les gardes se déplaçaient, ce qu'ils gardaient et ce qu'ils ne gardaient pas. C'était très étrange. La nuit, les gardes et les artisans se rassemblaient tous dans l'enceinte supérieure, là où il n'y avait que les appartements et quelques boutiques, mais les hommes se regroupaient autour du vieux corps de garde, qui n'avait pas été utilisé depuis qu'un plus important avait été bâti dans l'enceinte intermédiaire. Que faisaient-ils donc ?

J'observais Gisbourne aller et venir ; je demeurai près de sa fenêtre à écouter. Il m'attirait d'une manière qui me donnait l'envie de vomir mes entrailles. Il m'effrayait, ça c'était certain, mais quand j'étais dans le noir, j'avais l'impression de pouvoir l'observer autant que je le voulais, et une part de moi était plus fouineuse qu'un chaton. En effet, c'était l'homme qui avait saccagé mon existence, et j'étais curieuse.

Il se comportait avec cette arrogance qui m'avait d'abord effrayée chez lui, et son visage ne changeait jamais. Il avait de sombres yeux remplis de haine, ce que tous pouvaient constater. Je pensais alors aux yeux de Rob, profonds comme les eaux, qui montraient si vite à quel point il tenait aux gens, à quel point il tenait à moi.

Mon dos fut traversé d'un frisson, car le temps devenait plus froid. Mes jambes étaient engourdies, je ne pouvais me souvenir de la dernière fois que j'avais bougé, aussi me levai-je pour aller faire un petit tour, escalader la muraille et marcher le long du parapet. Ainsi, alors que je me rendais jusqu'à l'enceinte intermédiaire, j'aperçus un éclat métallique dans les bois. Cette vision me saisit le cœur comme une main sur mon bras et je partis en courant. Je me lançai du parapet jusqu'au maçonnage extérieur qui gardait la herse et, de là, je sautai au sol juste à temps pour arrêter Godfrey et petit John qui se trouvait derrière lui.

— Pousse-toi, me dit Godfrey sèchement en même temps que John continuait d'avancer, pour ensuite me soulever et me serrer dans ses bras assez fort pour m'écraser.

— Seigneur, Scar, tu vas bien, me dit-il d'une voix brûlante et essoufflée juste contre mon oreille.

Il tourna alors légèrement, la tête et je sentis ses lèvres contre ma joue.

— Scar, où étais-tu ?

Il desserra un peu son étreinte et, de nouveau, mes pieds touchèrent par terre, mais sans me relâcher tout à fait.

— Ici, avec Ravenna.

Godfrey écarta John, mais quand il vit mon visage, il déglutit et fit un pas en arrière, ce qui me fit me demander de quoi il avait l'air. Il était toujours endolori et me tirait.

— Où est-elle ? Pourquoi ne l'as-tu pas fait sortir ?

— Elle refuse de venir.

Tous deux me fixèrent.

— Elle va épouser le shérif.

Godfrey bondit vers moi en dégainant son épée.

— Arrête ! Où est-elle ?

— Au château, lui répondis-je, et la vérité me faisait trembler jusqu'aux os. Godfrey, elle n'est plus prisonnière, ce qui signifie que tu ne l'es plus non plus. Elle est là par sa propre volonté. Tu peux aller au portail et demander à la voir. Je pense qu'on te laissera entrer.

De nouveau, il s'avança, mais John le repoussa et se plaça devant moi.

— Pourquoi ferait-elle une chose pareille? Pourquoi épouser le shérif?

— Selon elle, elle allait être mariée de toute manière. De plus, le shérif lui donnera une position sociale en plus de la faveur de la cour.

— Je ne te crois pas.

— Tu n'as pas besoin. Comme je te l'ai dit, rends-toi au portail. Le shérif te laissera lui rendre visite. Ton père est déjà au courant.

Il regarda alors John avant de se diriger vers le portail en titubant. John m'écarta de son chemin et le laissa y aller. Là, il frappa à coups de poing jusqu'à ce que la petite porte s'ouvrît. Il s'adressa ensuite au garde, et toute colère quitta son corps. On lui ouvrit le portail et on le laissa entrer.

— Tu ne mentais pas, dit alors doucement John.

Je me retournai pour m'en aller.

— Scarlet, où vas-tu?

— Maintenant qu'il est avec elle, je peux partir.

Il me saisit le bras avec un sourire.

— Tu viens avec moi, chérie. Ta manière de jouer la dure ne m'a jamais convaincu et, de toute manière, où iras-tu?

— Là où j'en ai envie, petit John.

J'avais besoin de fraîcheur, de silence — et de profondes ténèbres, car j'avais la tête pleine de Joanna et de Londres, même un peu de Gisbourne. Elle me paraissait trop remplie.

John m'attira contre lui.

— Scar, ne pars pas, me dit-il de cette voix qu'il prenait avec Bess. Reviens plutôt avec moi. Much est dans tous ses états, il se demande où tu as bien pu passer.

Je ne savais point si Robin ou lui l'était, mais j'étais plutôt convaincue que John se souciait peu que Much s'inquiétât pour moi.

— Il survivra un jour ou deux de plus.

Il colla alors son nez sur le côté de mon visage, mais je m'en écartai légèrement. Cependant, il passa la main le long de ma joue, ce qui attira mon visage vers le sien.

— Peut-être, mais moi, non.

Ses lèvres se pressèrent alors contre les miennes, fermes comme le reste de son corps, mais un peu humides, pour me donner un baiser assez bon. Puis, il me prit par la taille et m'embrassa plus passionnément. Comme je fermais les yeux, le visage de Rob surgit dans mon esprit.

J'écartai la tête, les joues rouges, sans savoir que faire au juste, ou dire, ou penser.

— Scarlet, me dit-il alors en frottant son nez contre le mien.

— C'était pourquoi, ça? lui demandai-je après avoir reniflé, car son nez m'avait chatouillée.

— Pour toi, me répondit-il en inclinant un peu la tête.

— Pourquoi m'embrasses-tu?

— Parce que tu me plais, Scar.

— Toutes les filles te plaisent, John, lui dis-je en remuant la tête et en souriant un peu, car il y a dans un baiser quelque chose qui fait se sentir idiot, et un baiser de John, pour une raison ou une autre, paraissait encore plus idiot que la plupart. Je serai de retour dans un jour ou deux.

— Qu'est-ce que ça veut dire? me demanda-t-il alors tandis que ses bras se desserraient quelque peu.

— Je te le ferai savoir, lui dis-je en m'écartant de lui. Pour le moment, si tu te rends au tunnel, il y a un butin assez important, ajoutai-je avant de faire quelques pas, de m'arrêter et de me retourner vers lui. Et merci, tu sais, de m'avoir embrassée.

Il se contenta de me fixer des yeux, alors je repris ma route. Autant être polie.

CHAPITRE 9

J e n'allai pas bien loin. Je me dirigeai à l'est et traversai
Sherwood pour me rendre à Worksop où je passai la
journée à aider le père de Much et à voir si Freddy Cooper
allait bien. Il était resté ici alors que le reste de sa famille
était parti pour Douvres, gagnant autant d'argent qu'il
en était capable en attendant qu'elle y soit installée. Le meunier en était à l'étape de la mouture de la récolte et il avait
toujours besoin d'aide supplémentaire, et Freddy se faisait à
ce travail comme un poisson dans l'eau. Le père de Much
n'était guère volubile, mais Freddy parlait pour nous deux.
C'était une espèce de silence tout à fait différent dans
lequel se démenait mon esprit. À la tombée du jour, Freddy
et le père de Much m'amadouèrent et me supplièrent de
rester pour le dîner, puis ils me dressèrent un lit. Je l'acceptai,
parce que c'était plus simple, mais quand ils furent endormis,
je quittai la maison.

J'aimais rôder la nuit. Les animaux étaient différents, ils
se parlaient à coup de doux gazouillis, de petits sifflements
et de hululements. Ils avaient une manière nocturne de
s'exprimer.

À l'extrémité du village se trouvait une auberge que
j'aimais. L'aubergiste était une femme, ce qui était assez

inhabituel. Autrefois, l'auberge était à son mari, mais après qu'il se fut écroulé, elle avait pris sa place. Elle avait toujours été bonne avec moi. Il arrive parfois que les filles aient des problèmes que les garçons ne doivent pas connaître, et elle m'était venue en aide une ou deux fois.

Elle me fit un signe de tête quand j'entrai. Je me glissai derrière une table du fond où elle me fit porter une bière brune. Je lui fis de nouveau un signe de tête en m'installant dans le coin pour observer et écouter. Il y avait quelques voyageurs en train de manger leur souper, mais la plupart étaient des gens des environs assis pour boire un verre. Je reconnus plusieurs des hommes, des paysans et des artisans pour la plupart, ainsi que quelques ouvriers agricoles.

— Lena ! tonna soudain une voix rauque.

Trois des hommes de la garde personnelle du shérif entrèrent, arborant la livrée noire et argentée évoquant la mort et le métal. Je regardai en direction de Lena ; elle souriait, mais ce n'était pas un des grands sourires que je recevais. Elle envoya l'une de ses filles leur chercher à boire tout en conduisant les hommes jusqu'à une table. Ils s'assirent alors en acceptant leurs verres, mais leur chef attrapa Lena par le poignet, le tirant de manière à ce qu'elle s'appuie durement contre l'épaule de l'homme.

— Lena, tu sais que ce n'est pas pour ça que nous sommes ici.

Elle jeta un regard en direction de son propre fier-à-bras, un énorme pataud nommé Pea, qui se dirigeait déjà vers elle. Il s'arrêta devant les hommes. Leur chef lâcha le poignet de Lena.

— Je n'ai pas l'argent. Je l'aurai la semaine prochaine.

— Le shérif ne te croit pas, il pense que tu caches quelque chose.

— Eh bien, lui répondit-elle en rougissant, qu'attend-il donc que je fasse ? Je n'ai pas du tout d'argent, mais je pourrai l'avoir la semaine prochaine.

— Lena, quand tu en as eu besoin, le shérif t'a donné de la viande pour tes clients, aussi s'attend-il à un retour sur investissement.

— Si j'avais su que son « cadeau » avait un tel prix, lui répondit-elle en croisant les bras, je ne l'aurais pas accepté. Vous recevrez votre argent quand je l'aurai.

— Lena, le shérif resserre l'étau, lui dit-il tandis que son compagnon prenait la chandelle au milieu de la table en bois pour la tenir dessous en même temps que les deux autres hommes se saisissaient d'elle et de Pea en dépit de ses cris.

Juste à ce moment, d'un geste rapide, j'envoyai un couteau sur la chandelle, lui ôtant des mains, et sa flamme s'éteignit avant de tomber par terre. La table était roussie, mais elle n'était pas en flammes. Leur chef tourna alors brusquement la tête pour voir qui avait fait cela.

— Eh bien, quelqu'un joue au héros, hein ? demanda-t-il en sortant un couteau avant de se tourner vers Lena qui cria de nouveau, mais, pendant que je sortais un autre couteau, un client plaqua le garde, puis l'auberge se transforma en champ de bataille.

Lena se mit à hurler aux gens de sortir avant d'envoyer l'une des filles à l'étage prévenir les voyageurs. En effet, si les hommes du shérif avaient l'intention de brûler l'auberge, ils n'en resteraient pas là. Je courus dehors avec, au fond de moi, un mauvais pressentiment.

Sans surprise, j'entendis un cheval hennir d'effroi avant de voir un autre groupe de gardes en train de mettre le feu à la grange. Ils mirent ensuite une torche dans le foin, ce qui agita horriblement les animaux. Je courus jusqu'à eux tout en prenant cinq couteaux que je me mis à lancer. Je frappai deux gardes avec la poignée d'un couteau que je leur avais lancé sur la nuque, ce qui les fit s'écrouler, mais le troisième se retourna pour m'affronter. C'était un choix stupide.

En prenant appui sur mes mains, je me retournai pour lui envoyer mon pied droit dans la poitrine, ce qui le fit s'écrouler. Peu m'importait qu'ils restent par terre ou non ; je devais libérer les chevaux, retenus dans leurs stalles par des cordes, et le feu se répandait rapidement à cause de tout le foin.

Un couteau dans chaque main, je les coupai les unes après les autres en laissant s'échapper les chevaux pris de panique. Il m'en restait deux à libérer au moment où l'un des gardes me poussa violemment contre la cloison de la stalle. Tout en m'agrippant à la cloison en bois, je renvoyai la tête vers l'arrière et l'atteignis sur le nez — notamment sur le nasal de son casque qui me fit voir trente-six chandelles — avant de reculer pour lui écraser le pied. Cela le fit reculer juste assez pour que je coupe une autre corde avant d'empoigner la dernière, mais le cheval se cabra. Je fis alors de mon mieux pour oublier que je pourrais bien me faire piétiner dès que je l'aurais libéré.

Je me penchai pour éviter un coup de sabot, coupai la corde avant de me ranger sur le côté. Le cheval s'enfuit alors au galop, mais le garde me saisit par la gorge en me soulevant du sol, pour ensuite me plaquer contre la cloison de bois. De la fumée noire s'élevait en recouvrant complètement le cheval. Toute la grange crépitait et craquait comme un géant pris de haut-le-cœur.

— Tu dois être le fameux Will Scarlet, me dit-il en me postillonnant au visage. Le shérif meurt d'envie de faire ta connaissance.

Comme je lui renvoyai alors ses postillons avec une bonne quantité des miens, il leva le poing pour me frapper.

Juste à ce moment, un bras se dressa, saisit le garde en l'écartant de moi. Robin émergea de la fumée tel un dieu avant d'envoyer un bon coup de poing au visage du garde, puis, au même instant, il se retourna, me prit la main et partit en courant.

La nuit était bien, bien plus froide que ce que je me souvenais. Robin me tenait la main fermement. Moi, je m'agrippai à lui comme s'il était la seule prise d'une falaise sur laquelle j'étais en train de glisser, comme s'il était la différence entre la vie et son contraire.

Quand la fumée s'estompa, Rob me tira par le bras assez fort pour que je pousse un cri et me retourne, ce qui me fit atterrir contre sa poitrine. Ses bras se refermèrent alors sur moi comme des anneaux d'acier. Pendant une stupide seconde, je fermai les yeux, nichant ma tête contre son épaule. Il pressa son visage contre le côté du mien, et je sentis son souffle saccadé sur mes cheveux.

— Merci, Rob, murmurai-je.

J'imagine que ce n'était pas la bonne chose à dire, car il me repoussa, éloignant de moi sa chaleur. Mes épaules se voûtèrent au contact du froid. Il hocha la tête.

— Dieu du ciel, Scar, tu as sauvé l'auberge!

Je me tournai et vis Lena arriver, volant presque, pour me serrer fort dans ses bras.

Je regardai par-dessus son épaule. L'auberge était toujours là, pas même roussie.

— Désolée pour l'écurie.

— Ne le sois pas, ma fille, me répondit-elle doucement. Tu nous as sauvés, les chevaux et moi.

— Tiens, lui dit Rob en lui mettant une bourse dans la main. L'argent pour le shérif. Quand ces gardes reprendront connaissance, tu n'as qu'à les payer.

Lena n'aimait pas la charité. Son visage laissa paraître son âge, toutes ses rides, ce qui n'était pas le cas quand elle souriait.

— Robin, prends un cheval, je leur dirai qu'il s'est enfui.

Nous regardâmes alors en direction des voyageurs regroupés sur la pelouse en train d'observer la grange en feu. Elle se tourna pour les rappeler tous dans l'auberge. Robin, lui, me tenait fermement par la taille tout en me dirigeant vers un cheval qui errait derrière l'auberge.

— Je peux marcher.

— J'en suis bien conscient, mais, pour l'instant, je ne veux pas que tu t'en ailles, me répondit-il.

C'était de bonne guerre et comme en ce moment précis, je n'avais aucune idée de ce que je voulais, ça m'allait tout à fait. Il monta sur le cheval, me tendit le bras pour que je saute derrière lui où je passai les bras autour de sa taille. Je frissonnai, ayant l'impression que toutes les mauvaises choses que j'avais en tête étaient parties d'un seul coup. Il était comme ça, Rob, il pouvait tout changer en un instant.

Il ne m'emmena pas au grand chêne, mais au lac Thoresby.

— Tu es couverte de suie, de fumée, me dit-il, et d'une bonne quantité de poussière. Alors, tu dormais dans le tunnel?

Je hochai la tête avant de descendre du cheval. Rob en descendit aussi, puis alla s'asseoir sur un rocher qui tournait le dos au lac.

— Tu ne te retourneras pas, hein?

— Scar...

J'acceptai sa réponse comme un oui, puis, très rapidement, je retirai mes vêtements. La partie compliquée, c'était la mousseline qui entourait mes rondeurs. Une fois que je l'eus retirée, je plongeai dans l'eau où je me récurai fermement jusqu'à ce que mes mains deviennent engourdies par le froid. Mais j'aimais la froidure, elle me donnait l'impression que Joanna et Gisbourne étaient plus éloignés. C'était bien.

Je me frottai les cheveux et me souvins de Joanna qui veillait tard le soir en ma compagnie tout en me brossant les cheveux.

«Quelle armoire on pourrait faire toutes les deux!» me disait-elle.

Je pensais qu'elle était devenue encore plus folle qu'une marmotte.

«Les tiens sont en acajou précieux, les miens en or poli. Ça ferait une armoire précieuse.»

Puis, elle noua nos chevelures pour en observer le contraste.

«De bons cheveux anglais, me disait-elle, aucun de ma couleur saxonne.»

Je pris alors son attache pour nouer le bas de nos chevelures avant de me lover contre elle pour dormir. C'était l'époque où elle avait commencé à sortir le soir, sans moi, me faisant me sentir encore plus petite parce que je ne savais pas ce qui se passait. Il me semblait en effet que Joanna et moi étions aussi distantes et séparées l'une de l'autre que nos cheveux, mais que si seulement je pouvais les tresser ensemble, nous ne nous séparerions jamais. Je m'étais endormie en pensant que c'était aussi simple que ça.

Évidemment, je m'étais éveillée seule dans le lit, la nuit complètement tombée, mes cheveux détachés autour de mon unique tresse. Ses cheveux dorés étaient partis.

Je sortis de l'eau, me tordis les cheveux vers le haut avant de les cacher sous mon chapeau avec mes beaux souvenirs de Joanna. Voilà où j'aimais la conserver, en secret et en sécurité.

Mes vêtements étaient pleins de suie, mais comme il faisait froid, je les enfilai avant de rejoindre Rob qui avait déjà retiré sa cape qu'il me mit sur les épaules. Puis, son bras s'abaissa jusqu'au rocher derrière moi; il me tenait prisonnière.

— Tu m'as manqué.

J'eus cette étrange sensation tordue dans l'estomac. Évidemment que je lui avais manqué, je faisais partie de sa bande, qui ne travaillait point bien sans moi. Il ne voulait rien dire de plus, je n'étais qu'une belle idiote d'avoir le cœur en train de se remplir d'espoir.

— Mais tu savais ce que je faisais.

— Je savais que tu étais en train d'expier, peu importe comment tu t'y prenais.

— J'ai volé des choses au château, pour pouvoir les vendre.

— Tu n'es jamais désœuvrée, me répondit-il en souriant. John pensait que tu t'étais fait prendre.

— Tu as bien plus foi en moi.

— Non, répliqua-t-il en remuant la tête, pas vraiment. Tu me fais diablement peur.

— Ce soir, tu étais là au bon moment, reconnus-je.

— Tu t'en serais tout de même sortie, me répondit-il en hochant la tête.

— Comment savais-tu qu'on ne m'avait pas prise?

— Je l'aurais senti, me répondit-il en haussant les épaules, je l'aurais su.

Que ce fût cette étrange idée ou le froid, quelque chose se logea dans ma poitrine, qui haletait.

— Je te ramène à la maison, dit-il en se levant et en regardant du côté du lac. Si tu es prête à revenir.

La pensée qu'au camp quelqu'un d'autre m'attendait me revint alors en tête, et je me frottai les jointures.

— Rob, pourquoi John m'a-t-il embrassée?

Ça m'était tout simplement sorti de la bouche. Je le regardai.

— Tous les deux, me répondit-il en croisant les bras, n'êtes-vous pas… continua-t-il avant de serrer brusquement les lèvres. L'autre nuit, vous dormiez ensemble.

— Ça n'avait rien à voir, lui dis-je en rougissant violemment. Je tremblais, il essayait de me réchauffer.

Je sentis qu'il m'observait, mais je ne voulus point le regarder, car je pensais qu'il ne me croyait pas. Il voyait comme mon âme était noire — alors, pourquoi ne penserait-il pas que je n'étais qu'une fille de petite vertu?

— Scar, tu lui plais, alors, tu ne devrais pas jouer avec lui.

Ses paroles étaient vraiment cinglantes.

— Je ne joue point! rétorquai-je vivement en relevant la tête, le simple fait qu'il me désire ne signifie point que je le désire aussi.

— Ce n'est pas le cas? me demanda-t-il alors en haussant les sourcils jusqu'au ciel.

— Je ne suis pas trop sûre, lui répondis-je en serrant les bras sur mon ventre, désirant tant lui en dire plus au sujet de cette pensée, mais je me contentai de déglutir. Je ne suis point le genre de fille qui va avec un garçon.

— Qu'est-ce à dire, me demanda-t-il en souriant, tu vas renoncer aux hommes à jamais ?

— Jusqu'à maintenant, ç'a bien marché.

Rob eut l'air surpris, mais, avant que j'aie pu lui demander pourquoi, il poursuivit.

— Bon, et les bébés, alors ? Tu avais l'air vraiment folle de joie avec le fils de Mary.

— Tu penses donc que j'aie le droit de placer un enfant dans mon existence ? Je suis une voleuse, une hors-la-loi, une fille de mauvais exemple. Tu penses que je pourrais être une mère acceptable ?

À ces mots, il détourna le regard. De nouveau, j'eus cette sensation, cette douleur, comme un coup de hache dans le ventre. Je n'aimais point le dire tout haut, mais qu'il fut d'accord empirait tout.

— Scar, si tu veux un homme, que ce soit pour te marier ou non, John est ce que tu peux trouver de mieux.

Ça paraissait gentil, mais, pour moi, c'était une belle insulte. Qu'on le veuille ou non, jamais je ne serais digne d'un homme comme Rob, John était donc ce que je pouvais avoir de mieux. Je savais que c'était vrai, mais l'entendre me le dire d'une telle manière, avec tant de soins, me faisait me sentir vide, comme un arbre en train de mourir. Cependant, je ne voulais point qu'il le vît, aussi lui fis-je un grand sourire avant d'éclater d'un petit rire.

— Ce n'est pas tout à fait vrai, John est un séducteur.

— Eh bien, me répondit-il en haussant les épaules, s'il te séduit, c'est tout ce qu'il faut, n'est-ce pas ?

Je lui lançai un regard, mais sans rien ajouter.

— Pour ce qui est des bébés, Scar, ne te raconte pas d'histoire.

Mon visage se remplit de honte, et je baissai la tête. Il n'y avait point de doute que je n'étais guère du genre à m'en raconter.

— Tu ferais une mère exceptionnellement bonne, dit-il.

Je levai les yeux, le sang, au lieu de la honte, me montant aux joues, mais rapidement, il détourna le regard. Je me levai alors, souhaitant que cette conversation se terminât.

— Partons.

Quand nous arrivâmes à la caverne, les garçons étaient assis autour d'un feu sous la paroi rocheuse. Tous deux se levèrent. Je croisai les bras, ayant l'impression de devoir leur présenter mes excuses, mais je n'en avais guère l'intention. Much, de son côté, éclata de rire, surpris, avant de courir jusqu'à moi pour me serrer dans ses bras. J'esquissai un sourire en le serrant à mon tour.

Quand il me lâcha, John était derrière lui. Il me regardait en souriant.

— Alors, tu es de retour ?

— Mais pas pour toi, petit John, lui répondis-je en riant.

On aurait dit que je venais de le gifler.

— Le fait que tu m'aies embrassée ne signifie nullement que je suis ton amie, ajoutai-je.

J'entendis alors Much glousser. John se rapprocha de moi.

— Peut-être que je ne te demandais pas d'être mon amie.

— Dans ce cas, je ne suis point une fille légère non plus, lui répondis-je avec le plus grand sérieux avant de me diriger vers le feu.

— Scar, que veux-tu dire? me demanda-t-il en levant les bras.

— Je suppose qu'il faudra voir.

Cette réponse fit rire Much et Rob, mais John leur lança un regard noir.

— L'un de vous voudrait-il lui parler?

— Pas question de me faire mal voir par une dame voleuse.

— Dans ce cas, comment suis-je censé me faire bien voir d'elle?

— Fais plus d'efforts, petit John, lui répondis-je en me penchant au-dessus du feu.

Cela fit rire Much tandis que John grommelait et soupirait. Je regardai alors Rob de l'autre côté du feu en relevant le menton. Jamais un homme ne me dirait ce qui me conviendrait le mieux. Point à la ligne.

—⟶m⟵—

Le matin suivant, nous prîmes tous du pain avant de nous mettre en marche pour Nottingham où le shérif avait fait circuler qu'il ferait une annonce. Encore que nous nous doutions bien qu'il s'agissait de Ravenna, nous voulions tout de même l'entendre.

Nous arrivâmes au centre du village où se trouvait souvent le marché, mais, au lieu des étals, on avait dressé une estrade et un gibet duquel trois nœuds pendaient en se balançant au vent comme les corps qui s'y balanceraient plus tard, eux aussi. Pour le moment, les gardes tenaient la foule éloignée de ces constructions, cependant, le shérif n'était pas encore arrivé, pas plus que Ravenna.

La foule était serrée sur la place, aussi ne nous fut-il guère difficile de nous y mêler, puis les trompettes commencèrent à se faire entendre tandis qu'arrivait une procession en provenance du château.

Le shérif était flanqué de nombreux hommes vêtus de sa livrée noire et argentée, mais il était à pied, non à cheval, ce qui était assez surprenant, car jamais il n'avait aimé se mêler au petit peuple. Il avait Gisbourne à côté de lui. En le voyant, je reculai d'un pas.

— Scar ? me dit doucement Rob à l'oreille en me prenant le bras.

— Ça va, lui répondis-je en me débarrassant de son étreinte tout en rougissant, avant d'enfoncer davantage mon chapeau sur ma tête.

De l'autre côté se trouvait Ravenna. Elle était belle. Il ne faisait aucun doute que c'était la plus grande beauté du comté, avec ses longs cheveux noirs bouclant tout autour d'elle et une robe blanche à passementerie dorée. Derrière elle avançait sa famille, qui tous étaient plutôt souriants. Même Godfrey semblait content.

Le shérif atteignit l'estrade où il conduisit Ravenna jusqu'à son siège. Ce fut à ce moment qu'on amena les prisonniers. J'eus alors l'impression qu'on venait de m'ouvrir l'estomac : en effet, il s'agissait de Lena et Mark Tanner et de Thom Walker. Je saisis Rob par le bras. Son regard croisa le mien. Du regard, j'indiquai le côté. Il hocha la tête.

— Dispersez-vous. Scar, prends John, Much, viens avec moi, ordonna-t-il avant de me dire en chuchotant, Scar, prends tous les risques nécessaires pour les libérer.

D'un signe de tête, j'acquiesçai avant d'entraîner John par le bras en me faufilant à travers la foule.

— Bonnes gens de Nottingham, commença le shérif, et tout le monde se tut, leur regard passant de Ravenna au gibet. Aujourd'hui, nous avons une grande raison de nous réjouir. Je suis très heureux d'annoncer un événement qui est une véritable bénédiction non seulement pour moi, mais pour le comté tout entier. En effet, je vais prendre femme et, plutôt que d'épouser une femme de la noblesse, en provenance d'un pays éloigné, j'ai choisi une fiancée de notre beau comté, l'une d'entre vous, pour vous montrer mon amour et ma dévotion.

Il indiqua alors Ravenna, qui lui prit la main en lui souriant. Les gens, eux, en avaient le souffle coupé, chuchotaient et murmuraient.

De mon côté, je fis le tour de la place pour me rendre derrière le gibet. Lena avait les mains liées, ensanglantées, la peau arrachée. On ne venait pas de l'arrêter ce matin — on avait dû la prendre juste après que je fus partie. Les mains me démangeaient, je voulais tenir mes couteaux, mais, avec les gardes qui surveillaient la foule, je ne voulais pas me montrer avant le dernier moment. D'ailleurs, je n'étais pas encore au meilleur endroit.

— Accueillez la future Lady de Nottingham, demoiselle Ravenna Mason !

La foule se mit alors à l'acclamer. Juste à ce moment, je me précipitai en avant pour me mettre en position de lancer un couteau. Je levai la main pour le projeter, mais on me bouscula et je dus le baisser.

Le shérif fit taire la foule. Quant à moi, je jurai, ayant perdu ma couverture.

— Cependant, vous ne m'avez pas montré l'amour que je vous montre, moi. Ces trois prisonniers ont refusé de me rembourser ce qu'ils ont emprunté aux coffres de Nottingham. Pour cette raison, j'ai ordonné que soient brûlés leurs établissements et qu'ils perdent la vie, poursuivit-il, et on entendit des hoquets de surprise, des cris aussi, tandis que je dressai mon couteau, mais il poursuivit. Toutefois, l'amour de ma fiancée m'a rappelé que je dois parfois vous pardonner d'être moins bons et moins aimants que je ne le suis avec vous. Mon seul espoir est qu'à l'avenir, vous vous souviendrez de ma dévotion, de mon pardon. Mon bon peuple, tout ce que je fais, je le fais pour vous, pour vous seulement.

Je crachai pour montrer ce que j'en pensais. C'était un vantard, à parler d'amour et de dévotion quand il voulait dire argent et mort.

— Pour illustrer cela, reprit-il, je vais libérer ces personnes.

Quelqu'un me poussa du coude, et je tombai en arrière sur John, plus déséquilibrée que jamais par les paroles du shérif. Il les libérait ?

En effet, les bourreaux retirèrent leurs cagoules, puis, les unes après les autres, les cordes que les prisonniers avaient au cou, pour ensuite les aider à descendre dans la foule. Alors, les villageois se mirent à crier, à proclamer leur amour en disant que c'était un miracle. Le shérif se contenta de hocher la tête, puis retourna au château, mais à aucun moment Gisbourne ne tourna le dos à la foule, la balayant du regard comme la queue d'un chat irrité.

Tout en gardant la tête baissée, je courus vers Lena pour lui dire comme j'étais heureuse qu'elle soit saine et sauve. Elle pleurait et tremblait comme une feuille tandis que de grosses larmes coulaient le long de son visage. Elle me dit que la mort l'avait frôlée et s'en était allée.

Ce n'était pas ce que je ressentais, car le shérif n'était point un homme du peuple. Il n'était absolument point comme Rob, de sorte qu'un bienfait de sa part, c'était comme sentir sur ma gorge la main de la mort en train de me la serrer.

CHAPITRE 10

Peu après, la foule commença à se disperser, puis nous retournâmes tous à Edwinstowe, accompagnés de Lena ainsi que de Mark Tanner et de Thom Walker qui nous suivaient. Tanner venait d'Edwinstowe et Thom Walker était marchand à Nottingham. Je savais qu'ils n'avaient plus de maison, mais je ne savais au juste pourquoi ils venaient avec nous. Bien sûr, Rob avançait comme un chef, aussi n'était-il point surprenant que les gens le suivent, mais tout de même, ça me laissait perplexe.

— Que s'est-il passé ? demandai-je à Lena tout en marchant à ses côtés. Comment t'es-tu fait prendre après notre départ ?

— Quand les gardes ont repris connaissance, me répondit-elle en se frottant les poignets, je leur ai donné l'argent, mais ce n'était pas ce qu'ils voulaient, comme tu peux le voir. Ils m'ont passé les fers, puis ils ont brûlé l'auberge, ajouta-t-elle, déprimée.

— J'aurais dû rester, lui répondis-je, la gorge serrée.

— Ils t'auraient attrapée, répliqua-t-elle en remuant la tête, toi aussi, et maintenant, où en serait Robin ?

— Il se porterait très bien, je pense.

— Tu ne te rends pas compte à quel point il tient à toi, me répondit-elle avec un petit rire. Hier soir, il s'est jeté droit dans le feu comme un bel ange, oui.

— Il ferait de même pour chacun de ses hommes, ne fais pas de moi quelqu'un de spécial à ses yeux.

J'en avais honte, mais il y avait pas mal d'aigreur dans ma voix.

Cependant, elle se pencha davantage vers moi pour que les autres ne puissent l'entendre.

— Oh, il a plusieurs hommes, mais seulement une femme.

Je me contentai de remuer la tête. Il était assez évident que je n'étais pas sa femme.

Elle passa alors son bras autour de mes épaules, ce qui me sembla tout à fait mal. Ce n'était pas comme si moi j'avais été au gibet.

— Robin et toi, vous formez presque une trop belle paire, mais aucun de vous deux ne perçoit ses propres vertus.

— Lena, lui répondis-je en grimaçant, je regrette de te l'apprendre, mais je ne suis guère vertueuse. Je vole, je mens beaucoup aussi.

— Chérie, me dit-elle en riant, c'est exactement ce que je veux dire.

Elle devenait folle?

— Tu sais, la seule chose que j'ai vue quand on m'a passé le nœud autour du coup, c'est le visage de mon mari. Quand on était mariés, je n'étais pas particulièrement folle de ce salaud — il hurlait, il faisait des histoires la plupart du temps —, mais il y a eu des moments, de tous petits instants, où c'était bien d'avoir quelqu'un avec moi.

— Je ne suis pas du genre à avoir quelqu'un.

Pourquoi le répétai-je si souvent, ces temps-ci? Je regardai alors Robin, John et Much devant nous. Ils étaient tous quelqu'un, mais cela ne signifiait point qu'ils étaient pour moi. Ils étaient *avec* moi, peut-être, mais pas *pour* moi.

— Il y a plus de gens qui tiennent à toi que tu ne le penses, Scarlet, peu importe où tu as reçu tes balafres.

Je me couvris la joue tout en la regardant.

— Pas seulement celle-là, mais celles qui te font croire qu'on ne peut t'aimer.

Elle passa alors son bras sous le mien tandis que nous marchions, puis nous restâmes silencieuses. Il n'y avait pas grand-chose à ajouter, d'ailleurs.

—៣៣—

Quand nous arrivâmes chez Tuck, la moitié du comté était en train d'enfoncer sa porte pour pérorer sur les événements de Nottingham. Tuck, voyant alors John entrer, l'attrapa, l'engageant, avec Malcolm, à transporter plus de tables et de bancs à l'extérieur pour les installer à ciel ouvert. Il ne faisait pas encore nuit, et la journée avait été étrangement douce pour l'automne, mais il ferait plus froid une fois que le soleil se serait couché. Cependant, à ce moment-là, l'alcool garderait la plupart au chaud.

Ainsi, on distribuait des chopes et des bocks à la foule, les gens se trouvaient une place sur les bancs, mais nous restâmes ensemble, près d'un angle. Cependant, comme les gens connaissaient Robin, ils commencèrent à lui demander sa version de l'histoire. Much l'aida à la raconter.

— Oh, John, s'écria alors Ellie en se serrant contre son dos tout en faisant voler ses jupes de côté.

Là où j'étais assise, à côté de lui, elles me frappèrent, ce qui me fit sourire tandis que je les regardais.

Tu m'as manqué, mon garçon.

— Ellie, mon amour, lui répondit-il pour la saluer tout en lui tapotant la main, tu es toujours aussi jolie.

Elle se tortilla alors sur elle-même pour s'asseoir sur ses genoux.

— Et moi, je ne t'ai pas manqué?

— Bien sûr que si, lui répondit-il en me regardant. Seulement, je suis en train de prendre un verre avec mes compagnons, en ce moment, tu sais.

Pour souligner cela, il prit une gorgée.

De son côté, elle me frotta la jambe de son pied, ce à quoi je répondis par un clin d'œil.

— On va trouver une fille pour Will, lui aussi. Je sais qu'il est timide, mais on a tous entendu dire à quel point il est adroit.

À ces mots, John cracha ce qu'il avait dans la bouche.

— Lui? Il ne pourrait s'y retrouver avec une fille même avec une loupe et une carte.

Voilà qui me fit bien rire.

— Tu vois? Il ne me contredit même pas. De toute manière, après la semaine dernière, c'est de mes talents à moi que j'aurais cru que tu parlerais.

— Tu ne veux pas me les rappeler?

— Peut-être plus tard, chérie. Mais il y a trop de gens assoiffés, en ce moment. On a besoin de toi.

— D'accord, mais ne me dis pas plus tard, pour ensuite t'enfuir avec Bess ou Mariel, lui dit-elle après lui avoir fait une petite bise.

— C'est promis.

Il lui poussa alors le derrière tout en la soulevant de ses genoux, ce qui la fit glousser, puis elle s'éloigna d'un pas léger. John me regarda alors droit dans les yeux.

— Je serais plus heureux, si tu avais l'air jalouse plutôt que joyeuse, me dit-il calmement.

Je souris, je n'y pouvais rien.

— Jalouse? Oh, John, n'arrête pas de faire la bête à deux dos juste pour moi.

— Scar, me dit-il en souriant, je suis irrésistible. L'un de ces jours, je te convaincrai.

— Alors, finalement, lui répondis-je en remuant la tête tout en souriant, qu'est-ce qui t'a fait décider que je te plaisais?

Il rit sous cape. En fait, il semblait même qu'il rougissait, mais il donna un petit coup sec sur le rebord de mon chapeau.

— Scar, tu me gardes en éveil.

— Avec nos disputes? lui demandai-je en plissant le nez. C'est quelque chose de bien?

— Parfois, reprit-il après avoir hoché la tête, je n'ai aucune idée de ce qui te caractérise. Les filles, poursuivit-il en baissant la tête, les filles ne me surprennent guère. C'est généralement pourquoi elles me plaisent. Mais toi, je suis toujours en train d'essayer de te rattraper, ajouta-t-il avant de me regarder de nouveau. C'est mieux qu'avec les autres filles.

— Pourquoi n'aimerais-tu pas que les gens te surprennent? lui demandai-je. Moi, je suis tout le temps en train d'essayer de comprendre une chose ou une autre.

Il haussa les épaules, et sa figure changea, comme si tout son charme l'avait quittée.

— Ça fait un petit moment que j'estime avoir eu assez de surprises.

Sous la table, je pressai mon genou contre le sien, car je savais qu'il parlait de sa famille, et je voulus le lui faire savoir. Il déglutit, ce qui fit gonfler sa gorge. J'eus envie de lui dire quelque chose, mais je ne savais comment causer de telles choses avec lui.

— Est-elle morte ? me demanda-t-il alors.

— Qui ?

— Ton amie, celle dont tu ne veux jamais parler.

Du plomb me tomba au fond de l'estomac.

— Oui, John, elle est morte, lui répondis-je avant de le regarder. Ça s'est passé si rapidement — pas son trépas, qui ne fut guère rapide —, mais la manière qu'eut le monde d'être chamboulé. Je pensais que j'étais libre, mais c'est alors que la pire des choses s'est produite.

— Comme si, me dit-il en hochant la tête, pour le reste de ta vie, tu devais payer un instant de bonheur.

Sous la table, sa main se tordit pour agripper la mienne, mais, surprise, je la retirai.

— Euh… dis-je rapidement.

— Peu importe, répondit-il.

Je regardai alors mon broc avant de le saisir pour aller le remplir. Quand je fus de retour, Ellie était à côté de lui. J'allai donc m'asseoir de l'autre côté de la table avec Rob et Lena.

—ɯ—

Nous étions tous pleins d'alcool quelques heures après le coucher du soleil, ce qui rendit les choses encore plus terribles. C'est aussi pourquoi nous n'entendîmes point le fracas des sabots couverts par nos propres rires jusqu'au moment où il fut trop tard, quand 12 destriers noirs arrivèrent à la taverne.

Tout le monde bondit et se bouscula, mais les montures s'arrêtèrent, et nous fîmes de même. Nous nous tûmes tous. Les mains glacées de Lena s'emparèrent des miennes. Alors, Tuck sortit, son estomac paradant devant lui, avec Malcolm rageur derrière lui.

Leur chef abaissa sa capuche : Gisbourne était là, en train de dégager son visage de ses cheveux noirs. Avec un certain orgueil, je remarquai la balafre suturée sur sa joue, au même endroit que la mienne, mais mon ventre se serra, mon cœur se mit à battre à tout rompre. À ce moment, une main me toucha le bas du dos, la taille presque, mais je ne savais qui c'était. Je pus voir que John était allé plus en avant, de sorte qu'il ne s'agissait pas de lui.

— Tuck, c'est toi ? lui demanda Gisbourne.

— Oui, répondit-il.

— On nous a rapporté que, ce soir, Robin des Bois fait partie de ta clientèle.

— Robin des Bois, messire ? lui répondit Tuck, horrifié, son regard balayant la foule. Mais cherchez-le, messeigneurs ! Ne laissez pas ce vagabond vous échapper.

— Deux hommes ici, devant, deux autres derrière, les autres, entrez avec moi. On ne veut pas qu'il s'enfuie.

Juste à ce moment, Rob me prit par la taille.

— Scar, sauve-toi, immédiatement, chuchota Rob.

— Non, lui répondis-je.

Je tremblais, mais je n'étais pas une couarde.

— Je reste.

— John, fais-la sortir, lui ordonna Rob.

John se retourna alors vers nous en me regardant avec une nouvelle appréhension. Rob me libéra, et aussitôt John me prit par la taille tout en me retenant les bras contre la poitrine.

— Lâche-moi, John, je ne plaisante pas ! lui dis-je sèchement en me tordant violemment contre lui.

— Chut, me dit-il d'une voix sifflante. Laisse-moi te faire sortir rapidement pour que je puisse revenir aider Rob. Personne ne veut te faire courir de risques avec Gisbourne, compris ?

— À l'instant même où tu m'auras lâchée, espèce de gros rustre, je reviens immédiatement avec Rob et Much.

— On s'est tous mis d'accord pour te préserver de Gisbourne ! grogna John. N'ose même pas nous mettre en péril pour jouer au héros.

Cette logique m'enragea, mais je savais qu'il n'avait point tort.

— Occupe-toi aussi de Lena. Elle est morte de peur.

— Je ferai ce que je peux, mais je suis avec Rob.

— Je ne m'en mêlerai pas seulement tant que vous serez en sécurité, Lena y compris, lui dis-je en lui donnant un violent coup de coude.

Il me serra le bras plus fermement, puis se redressa tandis que nous nous dirigions vers les arbres.

— Si je fais sortir Lena, tu me donnes un baiser, un vrai.

Il me lâcha, et je lui en mis aussitôt une en pleine face.

— C'est un marché déloyal, John !

— Alors, c'est oui ? me demanda-t-il en riant.

— D'accord, lui répondis-je en le poussant, mais vas-y !

Je me cachai derrière un arbre, gardant mes couteaux à la main, prête à leur venir en aide si je le pouvais. Cependant, ce n'était pas Lena qui les intéressait. En effet, je vis Gisbourne attraper un garçon que je ne reconnus point, à peine plus vieux que moi, et le tenir à la hauteur de son cheval pour que tout le monde le voie.

— Où est Robin des Bois ? demanda Gisbourne.

— Il n'est pas ici, cria un homme.

Pour toute réponse, Gisbourne ouvrit la gorge du garçon, puis le jeta par terre, sans même que j'eus le temps de soupçonner que cela pourrait arriver. Je m'appuyai alors lourdement contre un arbre, du vomi me remontant à la gorge.

Je vis Rob s'avancer, prêt à se revendiquer Prince des voleurs, mais Malcolm le repoussa.

— Combien de plus dois-je en tuer ? demanda alors Gisbourne d'une voix impérieuse.

Mon regard se précipita sur Rob. En effet, je savais que si Malcolm et les autres ne l'en empêchaient, il s'avancerait en l'espace d'un instant pour prendre la place d'un innocent.

— Il n'est pas ici ! hurla une femme d'une voix perçante, qui, même si elle n'était point celle de Lena, me fit sursauter. Que devons-nous faire ?

— Je ne vous crois pas. Vous, vous le cachez tous, vous l'abritez comme un héros, mais vous devez le voir pour ce qu'il est vraiment : l'homme qui provoque le massacre de votre peuple.

Il en désigna un autre, qui se débattit, toute la foule avec lui. Les hommes de Gisbourne les entourèrent, les rouant de coups de pied, les poussant les uns contre les autres. De mon côté, je ne pouvais voir aucun de mes compagnons jusqu'au moment où Gisbourne en leva un devant lui.

C'était Much.

Je m'éloignai de l'arbre. Je vis Rob se débattre contre les villageois, car personne ne voulait qu'il s'avançât. Comme il ne faudrait que quelques secondes avant que Gisbourne ne s'en aperçoive, je n'attendis pas.

L'une de ses mains était sur le menton de Much pour le soulever en lui étirant le cou en préparation du couteau qu'il tenait dans l'autre. Je savais que c'était horriblement proche du visage de Much, mais je devais me fier à ma précision.

Je saisis alors l'extrémité du couteau, puis je le lançai.

Il s'enfonça dans l'avant-bras de Gisbourne. Celui-ci lâcha Much qui se cogna sur l'encolure du cheval, fit un roulé-boulé par terre avant de s'enfuir rapidement.

— Suivez-moi ! hurla alors Gisbourne. Robin des Bois est dans la forêt !

Des cris éclatèrent, mais j'entendis clairement le rugissement de Rob au milieu de tout ça.

— SCARLET !

Mon cœur se débattait contre ma poitrine entourée de mousseline tandis que les chevaux se dirigeaient vers moi avec fracas. Je saisis la branche la plus proche, me propulsant vers le haut, pour ensuite me précipiter d'arbre en arbre.

— L'arbre ! cria Gisbourne, en arrêtant sa monture à son pied. Ils sont dans cet arbre !

Je me dépêchai de grimper plus haut.

— Abattez-le, ordonna-t-il.

Mon sang se glaça quand j'entendis son ordre, mais ce n'était pas un problème : le froid me permettait de mieux penser.

Je montai aussi haut que je le pus avant de bondir dans l'arbre suivant, ratant toutefois presque la branche dans la noirceur. Comme je répétais cette manœuvre, cependant, je surpris un hibou perché là que les hommes entendirent battre des ailes.

— Il est par là-bas! gronda alors Gisbourne.

Je jurai en m'immobilisant. Ils ne pouvaient me voir — il faisait trop noir —, mais ils savaient, à un ou deux arbres près, dans lequel je me trouvais. Le couteau à la main, j'appuyai la tête contre l'écorce en essayant de me débarrasser de l'image du jeune garçon égorgé. Je pouvais entendre Gisbourne ruer de tous côtés tandis que certains de ses hommes donnaient des coups de hache sur les arbres et que d'autres essayaient d'y grimper, seulement pour en tomber.

Ensuite, ils se saisirent de leurs arcs et se mirent à tirer à l'aveuglette. Une pluie de flèches s'abattit sur les arbres autour de moi, effrayant les oiseaux de nuit. L'une d'elles me frôla même la figure, une autre m'égratigna la main avant qu'une autre enfin ne vienne se loger dans mon épaule. D'un geste sec, je serrai la tête contre l'arbre pour ne pas crier, puis je l'arrachai et la jetai, mais sa pointe était toujours enfoncée profondément.

— Monseigneur, il est parti, finit par dire l'un des hommes en laissant tomber la hache avec laquelle il avait était occupé à frapper.

— Ils disent que Robin des Bois est en partie enchanté, c'est un esprit de la forêt. Jamais ils ne le trahiront.

— Exactement, murmurai-je.

—◦—

Néanmoins, il fallut près d'une heure pour que Gisbourne lève le camp. Je me mis alors à passer lentement d'arbre en arbre pour m'éloigner davantage. J'avais surveillé — il n'y avait pas grand-chose d'autre que je puisse faire, là-haut —, et il y avait longtemps que les garçons étaient partis de chez Tuck, avec le reste de la foule. Pas bien loin de son auberge, je me laissai tomber des arbres pour courir le reste de la distance jusqu'à la caverne.

— Scarlet! s'écria Much.

Avant que j'aie le temps de réagir, Rob me serra violemment dans ses bras en me soulevant du sol, me pressant les os jusqu'au sang. Peu m'importait que mon épaule brûlât de douleur, j'enfonçai le visage contre son cou, le serrant aussi fort que lui me serrait.

Il me reposa par terre, me tenant par les côtés comme si j'allais m'écrouler entre ses mains.

— Scar, dit alors John, ce qui me fit me retourner brusquement, me cognant presque sur lui.

Il inclina alors la tête vers la mienne comme s'il allait m'embrasser en m'écartant des bras de Rob, mais, au lieu de cela, je m'avançai pour le serrer dans mes bras.

— Pas si vite, Scar, dit-il alors en gloussant de rire, tu m'as promis un baiser.

— Tu saignes, souligna Rob en me prenant le bras. Much, va chercher les pansements.

John me libéra.

Much pénétra dans la caverne pendant que Rob essayait de me retrousser la manche, mais elle n'allait pas assez haut. Alors, ses doigts se dirigèrent jusqu'à l'encolure de ma chemise. Mon regard croisa le sien. Sur ma peau, le bout de ses doigts me faisait l'effet de l'acier brûlant. Toujours en me regardant, il rabattit alors ma chemise, mais sans que cela ne découvrît toute ma blessure.

Il effleura ensuite les lacets de ma chemise qui la gardaient fermée. Mon cœur se mit à battre dans ma gorge, au
point de ne plus pouvoir respirer.

— Soulève-la un peu que je puisse l'ouvrir sans que rien
ne paraisse, me dit-il doucement.

Mon visage s'embrasa tandis que ses doigts restaient
suspendus un instant au-dessus de mes lacets, pour ensuite
à peine effleurer l'ossature de ma gorge. Juste à ce moment,
quelque chose explosa en moi. J'aurais pu jurer que Much
mettait de nouveau le feu aux poudres.

— Moi, ça ne me gênerait pas de la voir un peu, dit alors
John, mais Rob me lâcha pour se retourner brusquement et
appuyer sa main contre le cou de John.

— Ne parle *jamais* à une femme d'une telle manière,
petit John, grogna-t-il.

John ricana et le poussa, pour ensuite être repoussé à
son tour par Rob.

Je tenais ma chemise serrée contre mon cou. Voyant
Much sortir de la caverne, je courus jusqu'à lui et m'assis sur
un rocher pour défaire le haut des lacets. Je laissai ensuite
ma chemise me découvrir l'épaule, mais en serrant le reste
fermement. Je savais que je portais ma mousseline, mais tout
de même. J'étais une fille, et eux, des garçons, et je n'en avais
jamais été aussi convaincue que lorsque Rob me touchait la
peau comme si c'eut été de l'or.

Much regarda alors Robin qui était maintenant éloigné
de nous de quelques pas. Je le regardai à mon tour, un instant à peine.

— Much, voudrais-tu t'en occuper ?

— Si tu veux, Scar, mais je ne suis pas très doué.

— Bien sûr que oui.

— Scar, je vais devoir ouvrir ta plaie.

Je hochai la tête, puis une main se logea dans la mienne. Rob était assis à mes côtés, et tourné de manière à ce que nous soyons face à face pour que son dos me protège de John. Ma poitrine s'emplit alors d'une respiration saccadée.

— Vas-y, Much, lui dit Rob en me pressant la main.

Il souleva son couteau. Je détournai le regard et m'agrippai à la main de Rob.

Je sentis la première incision du couteau. Je dus ravaler un cri tout en projetant ma tête contre l'épaule de Rob et en lui broyant la main. Il la broya à son tour, plaçant son bras sur mon dos tout en me gardant contre son épaule, sa joue pressée contre la mienne tandis que le couteau s'enfonçait davantage.

Je ne criai ni ne hurlai, cependant. Ce garçon était mort parce que je ne m'étais point fiée à ce que je savais déjà sur Gisbourne. S'il s'agissait de ma punition, alors, tant mieux.

Quand Much eut terminé, je m'écroulai presque contre Rob. Il me prit comme un bébé, puis m'emporta tout au fond de la caverne où il m'enveloppa de fourrures et de couvertures.

— Tu as besoin de dormir, maintenant, me dit-il.

— Lena, les autres ?

— Ils sont avec des villageois d'Edwinstowe, me dit-il tout en dégageant mes cheveux de mon front, pour ensuite me retirer mon chapeau.

— Le garçon est mort.

— Mais Dieu merci, Scar, me répondit Rob après avoir hoché la tête, il ne t'a pas attrapée, toi aussi. Nous l'avons sous-estimé.

Ce fut à mon tour de hocher la tête, tout en me sentant faible, prête à m'assoupir.

— Scar, reprit-il en me pressant la main, Scar, si John exagère avec toi, je m'en chargerai à ta place.

Je serrai alors mon poing contre sa chemise avant de perdre connaissance sans ajouter un mot.

—⁓—

Quand je m'éveillai, il faisait jour. Rob était à mes pieds, accroupi le dos contre un tronc. Je grognai en me tournant sur mon épaule, ne m'étant pas souvenu qu'elle était blessée. Rob se releva tandis que je me redressais.

— Bonjour, lui dis-je doucement tout en regardant derrière moi ; les deux autres dormaient encore.

— Bonjour. Comment va ton épaule ?

— Je suppose que je vais survivre.

— Scar, hier, tu m'as fait peur.

— Je n'y pouvais rien. Tu allais te rendre, lui dis-je en rapprochant mes genoux de moi, me sentant plus petite.

— Il a ouvert la gorge d'un garçon qui était pour lui un parfait inconnu. Que te fera-t-il, à toi ?

Je baissai la tête.

— Scar, tu dois me dire comment tu le connais.

— C'est lui qui m'a fait cette balafre, répondis-je sans relever la tête.

J'avais les os qui tremblaient comme s'ils avaient perdu quelque chose. Je m'étais accrochée à ce secret si longtemps que cela me semblait étrange de le révéler si facilement. Il ne répondit pas. Je me hasardai à jeter un coup d'œil ; il me regardait, attendait la suite.

— Celle-ci, ajoutai-je en me couvrant la joue.

— Il essayait de t'attraper ?

— Quelque chose du genre.

— Scar, dis-le-moi.

Je regardai Robin et ouvris la bouche. Juste comme c'était sur le point de sortir, John se redressa en nous appelant. Je me levai donc, puis je sortis de la caverne.

Robin me suivit.

— Promets-moi que tu me le diras plus tard. Je dois savoir le genre de menace qu'il représente pour toi.

Je regardai de nouveau en direction de John en train de sortir de la caverne avant de hocher la tête. J'avais froid jusqu'aux os, mais j'acquiesçai. Honnêtement, s'il y avait jamais un moment pour Dieu, la prière et tout cela, j'étais en train de prier de tout mon cœur que Rob ne me renverrait pas du camp une fois qu'il saurait tout.

— Compagnons, appela Rob, et nous nous dirigeâmes tous jusqu'au feu éteint. Le cens sera prélevé aux paysans dans moins de deux semaines. Les villageois ont besoin d'argent. Nous serons donc sur la route à prélever notre propre cens. Quand ce ne sera pas le cas, il faudra nous entraîner. Gisbourne nous a surpris hier soir ; nous devons être préparés.

Nous hochâmes tous la tête.

— Scar, je veux que tu restes au faîte des arbres. Tu nous suis, mais sans participer jusqu'à ce que ton épaule soit guérie.

Je hochai la tête. C'était équitable.

— Et à partir de maintenant, je change les paires. John, tu iras avec Much, et Scar, avec moi.

— Allons, Rob, lui répondit John avec un petit rire tout en se faisant craquer les jointures, ne me dis pas que tu es jaloux.

Je sentis ma figure chauffer. Je regardai Rob.

— Jaloux ? répéta ce dernier en croisant les bras.

— Scar et moi, on est en train de se rapprocher, et tu es jaloux.

Je baissai la tête.

— John, tu l'as peut-être embrassée, mais depuis, elle semble sacrément mal à l'aise avec toi. Mais ce qui est plus grave, c'est que, en dépit du fait qu'elle t'intéresse tant, tu n'as pas pris la peine de la protéger de Gisbourne, hier soir.

John se leva d'un bond, le visage aussi plat qu'une plaque de plâtre.

— Je l'ai fait sortir, je l'ai protégée.

— Après que je te l'ai demandé.

— Je peux me protéger moi… tentai-je.

John crispa sa mâchoire.

— Le simple fait que tu y aies pensé un instant avant moi ne signifie pas…

— Justement, c'est exactement ce que ça signifie. Gisbourne n'hésitera pas, lui, donc, si je pense plus rapidement que toi, je suis avec Scar et toi avec Much. Tu détermineras à quel point vous vous rapprochez quand personne ne courra de risque.

— Allez vous faire voir, tous les deux ! dis-je alors sèchement, les bras croisés. Petit John, le simple fait que *toi*, tu m'aies embrassée ne signifie pas que nous commençons à nous rapprocher. *Peut-être* t'embrasserai-je de nouveau, mais seulement si j'en ai la satanée envie. Arrête d'essayer de vouloir me séduire — je n'aime point ça, dis-je, mais j'entendis Rob pouffer, aussi me retournai-je vivement de son côté. Quant à toi, Robin de Locksley, sur ton noble destrier, je ne me souviens pas que tu m'aies aidée non plus. Je me suis tirée de là moi-même, j'ai réussi à sauver Much de Gisbourne. Je fais autant partie de cette bande que toi. Alors, arrête de parler de moi comme si j'étais une gente dame !

Tous me regardaient.

— Vraiment, ajoutai-je en remuant la tête.

— Si le problème est de déterminer les paires, peut-être que, pour le moment, toi et moi devrions rester ensemble, proposa alors Much.

— C'est parfait, en convins-je.

Rob et John se poignardèrent alors du regard. Je suis la seule à en lancer de vrais.

— Très bien, acquiesça Rob.

John hocha la tête.

— Mettons-nous au travail, dis-je alors.

Much poussa John de l'épaule pour le faire avancer.

Je me retrouvai la dernière sur la route, mais Rob m'attendit pour marcher un instant en ma compagnie.

— Scar, mets ceci au clair. Décide si tu es avec John ou non, parce que, pendant que tu joues avec lui, tu joues avec ma bande et donc avec le peuple du comté de Nottingham.

Je sentis avec épouvante des larmes me couler des yeux.

— Je pensais que tu avais dit que tu t'occuperais de lui pour moi.

— Scar, me répondit-il en remuant la tête, tu joues aussi avec moi. Je t'aiderai si tu en as besoin, tu le sais. Mais tu me forces à t'observer comme un aigle, et je n'en ai pas envie. Tu es avec John ou tu ne l'es pas.

Sur ces mots, il me laissa seule sur le sentier.

CHAPITRE 11

J'étais assise sur le coude d'un arbre, appuyée sur un genou en train de faire tourner un couteau dans ma main. J'observais les garçons, sifflant lorsque nécessaire. Pour le reste, je réfléchissais. Puis, je regardai John. Comme c'était étrange! Quand je lui parlais seule à seul, j'avais plutôt l'impression que nous avions des points en commun, mais, quand on le mettait avec les garçons, ses fanfaronnades ressortaient. Quand il était comme ça, je ne l'aimais guère — bon, si, en tant que compagnon, mais pas comme garçon. Cependant, quand nous étions seuls, tous les deux, c'était… bien.

Ensuite, je regardai Rob. Ce n'était pas comme si je le voulais, ou comme si j'avais pu l'avoir, ce qui était la même chose, non?

Il sentit que je l'observais aussi leva-t-il la tête, croisant mon regard. Ses yeux se plissèrent, comme s'il était inquiet. Je remuai alors la tête avant de détourner le regard.

Les routes étaient animées et, pour une fois, on avait l'impression de ne pas être en train de combattre une véritable montagne de problèmes. Une paire de nobles nous offrirent des bourses bien remplies, un petit convoi de chevaliers nous donna aussi de belles armes, notamment quatre énormes et longues épées qui nous rapporteraient une fortune dans l'une des plus importantes villes marchandes.

Apercevant du mouvement au bout de la route, je les avertis d'un sifflement, puis je me penchai vers l'avant.

Quatre chevaliers firent d'abord leur apparition, en train d'escorter une calèche. Je levai les yeux au ciel. Mon Dieu, c'était une dame. Que je détestais cela !

Ils étaient suivis de quatre autres chevaliers. C'était donc une femme de haut rang. Ma mère ne se déplaçait pas sans moins de huit chevaliers, souvent plus, en partie à cause de sa position, mais aussi en partie à cause de son stupide orgueil. Les choses importantes ne l'étaient jamais pour elle.

Rob était à la tête de cette attaque. J'aimais sa manière de procéder. Moi, j'aime bien discuter, mais lui, il va droit au but.

— Arrêtez-vous, au nom du peuple de Sherwood ! lança-t-il.

Les huit chevaliers se précipitèrent tous à l'avant de la calèche, mais je vis John y bondir pour s'emparer de la belle dame et la faire en sortir. Elle scintillait comme l'océan ensoleillé avec tous ses bijoux.

— Milady ! crièrent les gardes en se retournant.

Rob traversa leur rang. Les gardes restaient tous figés sur place quand la dame était en difficulté. Je croisai les bras.

Ce n'était pas que j'éprouvais du ressentiment. J'aimais bien les courbettes et tout si ça permettait d'accomplir notre mission, mais les dames n'étaient qu'une proie parmi tant d'autres, pour moi. Pour Rob, évidemment, c'était un peu différent, mais ce n'était pas comme si j'avais quelque droit d'éprouver du ressentiment parce que lui faisait des courbettes. C'était une existence que j'avais laissée derrière moi, tout comme être le genre de femme qu'il aurait remarquée, devant laquelle il se serait prosterné, et tout le reste.

Étrangement, aucune de ces pensées n'apaisait mon estomac qui brûlait.

— Ma chère dame, dit-il alors en se prosternant comme le seigneur qu'il était tout en lui baisant la main, où donc vous dirigez-vous?

John la laissa alors aller, mais elle haletait toujours au point de risquer de s'évanouir.

— À Northumberland, répondit-elle d'une voix timide.

— Dans quel but?

— Pour en épouser le seigneur, lui apprit-elle alors en rougissant.

— Ah, le duc, répliqua-t-il en hochant la tête. C'est un homme bien, et très riche, ajouta-t-il, assez riche pour vous acheter un tout nouveau coffre à bijoux, ne pensez-vous pas?

— Écarte-toi de milady, voyou! cria l'un des gardes, mais ils ne firent un geste, ne pouvant risquer la vie de leur maîtresse, surtout que mes compagnons étaient plus près d'elle, et armés.

— Pourquoi les voulez-vous? lui demanda-t-elle en serrant son collier.

— Milady, c'est un voleur! rugit son garde.

— Milady, le shérif de Nottingham affame son peuple, il les tient en sujétion par le cens.

À ces mots, la bouche de la dame s'entrouvrit légèrement.

— Et mes bijoux pourraient leur venir en aide?

Robin hocha la tête avec gravité, comme si elle sauvait l'univers. Alors, elle retira les bagues de ses doigts, le peigne orné de pierres précieuses de ses cheveux, les bracelets de ses poignets, les boucles de ses oreilles, pour finir par enlever son énorme collier tandis que Rob penchait la tête pour qu'elle le lui mette autour du cou. Enfin, elle l'embrassa sur la joue.

Ah, elle pouvait être une dame tout en distribuant tout de même ses faveurs ? Comme c'était bien, ça.

— Alors, sauvez votre peuple, Robin des Bois.

À ces mots, Rob sourit comme s'il venait d'avaler une bouchée de diamants.

— Vous saviez qui j'étais ?

— Les femmes bavardent, monseigneur, de plus, tout le monde aime les légendes. Je suis heureuse de sacrifier mes bijoux pour votre cause.

— Alors, milady, reprenez votre chemin, lui dit-il après lui avoir de nouveau baisé la main, et saluez votre fiancé de ma part.

— Gardes, laissez ces messieurs partir librement, dit-elle après avoir fait la révérence.

— Quoi ? s'écria leur chef.

Rob, pendant ce temps, l'aidait à remonter dans la calèche.

— Messieurs, vous m'avez entendue, dit-elle aux gardes en agitant les doigts dans leur direction.

—⁓—

Rob était toujours en train de plastronner quand nous rapportâmes les bijoux à la caverne. Nous avions maintenant du butin à fourguer. Qui plus est, les bijoux n'auraient pas même à être cassés avant d'être vendus puisque la dame ne les chercherait pas. Rob avait à la main sa bague qu'il ne cessait de retourner avec un grand sourire idiot sur les lèvres.

Je le regardai avec fureur pendant tout ce temps, haïssant la dame, haïssant la bague et le haïssant, lui.

— Tu sais, tu les traites différemment, lui dis-je alors.

— Qui, différemment ? demanda-t-il en levant les yeux.

— Les femmes nobles. Tu les traites différemment des roturières.

J'étais assise contre un arbre, gardant mon long manteau serré sur moi, tandis qu'il se trouvait à l'entrée de la caverne.

— Vraiment ? me demanda-t-il en souriant tout en croisant les bras.

— Tu sais bien que oui.

— Alors, pourquoi me le dis-tu ?

— Pourquoi les traites-tu différemment ? Qu'est-ce qui ne va pas avec les roturières ?

— Scarlet, je traite tout le monde avec respect, me répondit-il d'une manière assez insultante.

— Oui, mais pas en te prosternant ni en leur baisant la main. Tu leur parles même différemment. Tu penses que les riches ne comprennent pas le langage ordinaire ?

— Bien sûr que si, me répondit-il avec un petit rire. Mais ils comprennent aussi un langage plus élégant.

— Donc, tu penses que les roturiers ne peuvent parler avec élégance ?

— Scar, répliqua-t-il en éclatant de rire, tu es un peu en train de prouver que j'ai raison.

— Alors, présumerais-tu, parce que je peux parler un langage élégant, châtié, que je suis née de sang noble ? lui demandai-je avec un air renfrogné en imitant sa « dame » et, surtout, la vie que je n'avais plus — ce qui avait le goût d'une bouchée de sel. Parler d'une manière ou d'une autre ne rend personne supérieur, repris-je. Or, tu te comportes comme si c'était le cas.

Il plissa les yeux comme s'il pouvait voir droit à travers moi.

— Toi, tu te comportes comme si je faisais quelque chose de méchant.

— Ce n'est pas le cas ? Pour les roturiers ? Tu penses que tu es un hors-la-loi, Robin des Bois, mais tu es né noble. Tu ne changeras pas.

— Je suis qui je suis, Scarlet. Le fait que je sois né noble n'est pas un secret. C'est même en partie la raison pour laquelle les gens me considèrent comme leur chef. C'est mon droit de naissance de les protéger.

— C'est assez vrai, rétorquai-je en tendant les épaules tout en baissant les genoux pour me relever. Mais tout de même, ça ne signifie pas que les nobles soient supérieurs.

— Je n'ai jamais dit que c'était le cas. Je fais tout cela pour les gens ordinaires, Scar, pas pour les nobles. Par ailleurs, quand donc es-tu devenue l'étalon moral de la bande ? me demanda-t-il.

Cette dernière question me piqua. Ce n'était pas son intention, mais ça me piqua tout de même.

— John, dis-je en prenant le sac de bijoux qu'il restait, veux-tu venir à Nottingham avec moi pour les vendre ?

— On peut attendre demain, dit cependant Rob.

— Je ne veux pas, lui répondis-je. John ?

— Bien sûr, dit-il en accourant. Je porterai même ce sac, milady, ajouta-t-il en se prosternant devant moi comme un seigneur.

— Scar, je suis aussi courtois avec les femmes ordinaires, cria Rob tandis que je m'éloignais avec John.

Je lui fis un signe de la main sans me retourner. Rob n'en fit rien, lui non plus. Il ne voulait rien reconnaître, mais je ne voulais pas admettre non plus que j'étais un peu jalouse. Avec moi, il n'était pas du tout « courtois ».

« Tu me forces à t'observer comme un aigle, et je n'en ai pas envie. »

Jamais il ne dirait une telle chose à une dame noble.

— Tu fronces les sourcils, me dit alors John.

— Rob est tellement arrogant, lui répondis-je, ça m'irrite.

— Il est comte, on ne peut l'oublier.

— Aucun risque.

— Allons, tout de même, tu le suis pour les mêmes raisons que moi. C'est un bon chef, en dépit de graves injustices. Il est revenu de la Croisade pour découvrir qu'il n'avait plus de maison. C'est plutôt dur.

— C'est stupide. Les hommes pensent qu'ils sont leur titre, alors que les femmes ne peuvent en détenir un jusqu'au moment où elles se greffent à celui de leur mari.

— Je pensais qu'il s'agissait seulement d'argumenter contre les femmes nobles. Tu as changé d'opinion ?

— Non. Je n'apprécie point que Rob pense qu'il nous est supérieur ni que les femmes ne reçoivent rien pour elles-mêmes.

— Scar, Rob nous *est* supérieur. Il m'est supérieur, assurément.

— Ne dis pas une chose pareille, m'exclamai-je en le poussant. Pourquoi ? Parce qu'il est noble ? Tu lui es tout à fait égal.

Il accusa le coup après que je l'ai poussé tout en balançant d'avant en arrière.

— Es-tu en train de dire que tu ne voudrais pas de la possibilité d'être noble ? De n'avoir que des cuillères d'argent et des « oui, milady » ?

— Non, je n'en voudrais pas, lui dis-je, les joues très rouges. De toute manière, qu'est-ce que ç'a à voir avec le fait d'être supérieur ou inférieur ?

— Tout le monde veut être riche, me répondit-il en haussant les épaules, avoir des terres, un titre. Voilà pourquoi ils sont supérieurs — parce qu'ils ont ce que tout le monde veut.

Avant même de pouvoir m'arrêter, je tapai du pied par terre comme un enfant.

— Ça n'a rien de supérieur d'être riche, d'avoir des terres, d'avoir un *titre*. Si j'avais le choix, je choisirais d'être exactement ce que je suis, encore et encore ! criai-je.

Sauf que, en moi, ça ne me parût pas être la vérité. En effet, voir cette dame, voir aussi le sourire de Rob, tout ça m'avait fait me poser des questions. S'il m'avait connue, à l'époque, avant le brigandage et la balafre, avant aussi que mon âme ne devienne si noire, aurais-je eu droit à son sourire ?

Cela aurait-il fait que cette existence horrible en vaille la peine ?

— Non. Moi, je la prendrais en un instant, poursuivit John. Des coffres de bijoux à distribuer à toutes les dames du royaume. Je pourrais en soudoyer une pour qu'elle m'épouse.

— John, reviens-en, lui dis-je en levant les yeux au ciel. Tu n'as point besoin de soudoyer quelque fille que ce soit, tu es déjà un homme bien.

— Bon, qui pourrait te résister quand tu dis des choses pareilles ? me dit-il en me passant le bras autour de la taille.

Ensuite, il me poussa contre un arbre tout en inclinant la tête comme s'il allait m'embrasser. J'essayai de ne pas éclater de rire tout en lui mettant la main sur la bouche.

— John, l'arrêtai-je.

— Quoi? me demanda-t-il après avoir ouvert les yeux, ma main toujours sur sa bouche.

— Sais-tu à combien de filles je t'ai entendu dire la même chose?

— Ça ne veut pas dire que ce n'est pas vrai, répliqua-t-il avec un petit sourire avant de m'embrasser la main, mais je la retirai. Je peux t'embrasser, oui ou non?

— Je suppose que oui, lui répondis-je alors en lui passant les bras autour du cou, mais je ne pense pas que tu le veuilles.

— Je ne veux pas?

— Tu aimes seulement avoir quelqu'un à qui plaire.

— Ouais, et j'ai l'intention de te plaire pour quelque temps, me dit-il en frottant son nez contre le mien.

— Mais pas pour toujours, lui dis-je en haussant les épaules. Or, je ne suis pas ce genre. De plus, je pense que je t'aime davantage quand tu ne me fais pas la cour.

— Vraiment? me demanda-t-il en riant.

Je hochai la tête en étirant le cou pour lui embrasser la joue avant de m'écarter de ses bras.

— Reprenons notre route, gros pataud.

—⁂—

Nous réussîmes à fourguer la plus grande partie des bijoux avant la nuit, puis quittâmes le marché avant la fermeture des portes de Nottingham. Je glissai la bourse derrière mon gilet, avec du pain et de la viande séchée enveloppée de mousseline que j'avais piqués.

— Finalement, combien en as-tu obtenu ? me demanda John.

— Pour les bijoux ? Tu étais là !

— Je veux dire, qu'as-tu volé ?

— Tu m'as vue voler ? lui demandai-je en rougissant un peu.

— Non, répondit-il avec un petit rire, mais ça ne signifie pas que ce n'est pas ce que tu faisais. De temps à autre, je te voyais là où je ne t'attendais pas.

— Qu'est-ce ça signifie ?

— Que tu volais, j'imagine.

— Un peu de pain, dis-je alors en haussant les épaules, de la viande, et aussi des pièces de monnaie. Arrêtons-nous à Edwinstowe pour les donner à Lena et aux autres. Sais-tu où ils sont ?

Il hocha la tête tout en se rapprochant de moi, son épaule frottant contre la mienne.

— Alors, ton histoire ?

— Mon histoire ?

— Tu es au courant, pour ma famille. Quelle est ton histoire ?

— Pas vraiment, tu sais. Much, un jour, m'a chuchoté qu'ils étaient morts dans un incendie, mais je ne connais pas toute l'histoire.

— Mon père était forgeron, dit-il en baissant la tête. Je suis né dans le sud, à Locksley, tu sais. Petit, je connaissais déjà Rob, enfin, je l'avais rencontré. Nous sommes venus dans le Nottinghamshire peu après que le shérif s'est emparé des terres des Huntingdon. Il avait commandé 100 épées à mon père, mais après, il n'a pas voulu les lui payer.

» Mon père a refusé de les lui donner parce qu'il ne voulait pas payer et il m'a envoyé en tirer un bon prix au marché. Ce n'était pas comme si on pouvait les vendre à Nottingham, alors je suis allé à Newark, près de la Trent, où j'ai dû passer la nuit, ajouta-t-il en remuant la tête. C'est cette nuit-là que j'ai sauté ma première fille.

Je demeurai silencieuse.

— J'avais passé chaque jour de ma vie avec ma famille, Scar. Je pouvais regarder ma petite sœur et deviner ses pensées en un instant. Avec une telle intimité, je pensais que j'aurais senti, que j'aurais eu le pressentiment qu'ils étaient en danger, qu'ils étaient morts. Mais je n'ai rien ressenti. Ma petite sœur et mon petit frère sont morts en pleurant pour… s'interrompit-il.

Je ne sus pas au juste s'ils avaient pleuré pour lui, pour leur vie, ou pour autre chose, mais ça me semblait horrible.

— Et moi, j'étais avec une fille, termina-t-il après avoir dégluti en ayant l'air d'être en train d'avaler son propre cœur.

Je n'étais pas du genre à beaucoup toucher les autres, mais je ne pus m'en empêcher. Je plaçai la pointe de mes doigts à l'intérieur de sa main. Ça ne me parut pas si étrange, aussi les glissai-je plus avant. Les siens se refermèrent, de sorte que, sans que je l'aie voulu, je lui tenais maintenant la main.

Il s'arrêta, la tirant de manière à m'entraîner contre lui. Je levai la tête. Il tenait nos mains entre nous comme un canard paré.

— Scar, cette histoire, je ne la raconte pas aux filles.

— Je ne la répéterai pas.

— Je sais. Mais Bess, Ellie et les autres — je ne leur raconte pas, d'accord ?

Je me mordis un peu la joue. Était-ce censé être une bonne chose ? Je n'aimais point garder les secrets, j'avais assez des miens.

— D'accord.

Il me tira de nouveau la main, puis nous nous remîmes en marche. Toutefois, je la lui retirai. Il n'en avait plus besoin, et si l'on ne fait pas attention à ce genre de chose, ça peut s'éterniser : on ne se les laisse plus jamais aller.

— Alors, et ton histoire ?

— J'en ai plein, lui répondis-je en haussant les épaules.

— Comment as-tu commencé à voler ?

— De la même manière que la plupart des gens, j'imagine, répliquai-je en haussant de nouveau les épaules. J'avais besoin de quelque chose que je ne pouvais payer.

— Qu'as-tu volé la première fois ?

La réponse n'était éloignée de Joanna que d'une seule autre question.

— Je ne me souviens point.

— Bien sûr que si.

— Je pensais que tu avais dit qu'avec toi, je n'aurais pas à répondre à des questions.

— Non, tu n'as pas à le faire. J'étais seulement curieux.

— C'était des médicaments contre la toux, lui dis-je alors, volés à des moines.

— Tu ne fais pas les choses à moitié, toi, hein ? s'exclamat-il alors avec un petit rire. C'était incroyablement effronté de ta part de commencer à voler dans un monastère.

Je souris, mais pas vraiment parce qu'il m'avait traitée d'effrontée, surtout parce qu'il ne m'avait pas demandé qui toussait.

—ıⁿ—

Lena se trouvait chez les Morgan, une famille de paysans d'Edwinstowe qui nous accueillit dès qu'ils nous virent assombrir leur porte.

— Petit John, le salua Matilda Morgan en le prenant dans ses bras. Comment vas-tu, mon cher garçon?

— Très bien, dame Morgan. Comme vous êtes ravissante, ce soir.

— Grand séducteur, lui dit-elle en rougissant avant de le lâcher, mais quand elle me vit, sa bouche s'aplatit comme celle d'un crapaud.

— Will.

— Bonjour, dame Morgan, lui dis-je en soulevant mon chapeau.

Elle regarda derrière elle. Je vis alors les trois idiotes aux cheveux bouclés qu'elle aimait appeler ses filles.

— Bas les pattes, Will, me dit-elle.

Je baissai alors la tête tout en sentant cependant la colère s'élever en moi. C'était John le sauteur, pas moi. Ce n'était pas parce que ses filles aimaient ce qu'elles voyaient en moi que c'était ma faute, d'autant plus que je savais en fait que John ne s'était pas toujours conduit en gentilhomme avec Aggie Morgan, son aînée aux cheveux roux.

D'ailleurs, il était en train de lui sourire, et elle en gloussait de rire.

J'enfonçai mon chapeau tout en me dirigeant vers l'âtre où je vis Lena. Je pensais qu'elle était assise avec messire Morgan, mais c'était Mark Tanner.

— Will Scarlet, me salua Lena en se levant d'un bond.

Elle me serra dans ses bras en me faisant asseoir à ses côtés.

— Will, dit Mark tout en me serrant la main.

— Mark, répondis-je. Je ne savais pas que tu habitais ici, toi aussi.

— Oh, je suis seulement venu rendre visite à Lena.

Ma bouche s'ouvrit, mais juste à ce moment, John nous rejoignit en traînant les filles derrière lui. Je me rapprochai donc de Lena, mais ils s'attroupèrent autour de nous.

— Leur as-tu déjà donné ? me demanda alors John.

Je rougis tout en passant la main derrière moi pour prendre la nourriture. Je donnai la viande à Lena et me mis à distribuer les petits pains, mais à ce moment, Matilda vint se placer devant ses filles, puis elle saisit la viande qu'elle me jeta sur les genoux.

— Non ! dit-elle sèchement.

— Mère ! s'écria alors l'une des filles.

— Quoi ? dis-je en clignant des yeux.

— Je sais ce que tu es, Will Scarlet, et comment tu te procures tes « cadeaux ». Nous sommes une bonne famille chrétienne. Ce sera Dieu, et non un voleur, qui subviendra à nos besoins.

Je savais que mes joues étaient écarlates, cependant, je ne pouvais imaginer que répondre.

— Mais… essayai-je donc.

— Tu m'as entendue, me dit-elle en me prenant l'oreille. Tu devrais avoir honte, et Robin aussi, qui te laisse faire.

Je reculai, me sentant plus petite, en me tenant la tête du choc que je ressentais.

— Doucement! intervint cependant John en bondissant devant moi pour se placer entre nous tandis que Lena passait son bras autour de moi. Will essaie seulement d'aider.

— Nous n'avons pas besoin d'aide, répondit-elle, et certainement pas de quelqu'un comme lui.

— Will n'est *comme* personne, rétorqua John. Il travaille plus fort que quiconque pour sauver notre peuple.

— John, c'est noble de ta part, mais je pense qu'il devrait s'en aller. Immédiatement.

Je n'allais pas attendre qu'elle me mette à la porte. J'étais déjà debout ayant dépassé Mark Tanner pour sortir par la porte de derrière en courant, sans même attendre John.

J'emballai la nourriture, puis la laissai à George, Mary et Robin, leur petit bébé, avant de retourner à la caverne. Rob et Much s'y trouvaient, aussi grimpai-je à un arbre pour me retrouver au-dessus de la caverne sans leur avoir parlé.

— Rob! appela John en traversant la forêt à toute allure, Much, avez-vous vu Scar?

— Non, pourquoi? lui répondit Rob en criant, dressé, l'arc à la main.

— Dame Morgan l'a mise à la porte pour avoir volé.

Le visage de Rob se crispa, ce qui me rendit malade.

— Elle a volé les Morgan?

— Bien sûr que non, lui répondit John en lui jetant un regard noir. Elle leur a apporté de la nourriture parce qu'ils prennent soin de Lena, et ils lui ont presque jetée à la figure.

— Parce qu'elle l'a volée, dit alors Rob en soupirant.

— Elle s'est probablement enfuie pour un moment, dit alors Much. C'est ce qu'elle fait.

— Je sais, Much. Mais elle ne peut s'enfuir chaque fois que quelqu'un dit ou fait quelque chose, lui répondit Rob en remuant la tête. Ou alors, elle le peut, mais si c'est ce qu'elle veut, on ne peut compter sur elle comme membre de notre bande.

J'ouvris la bouche pour lui dire que j'étais là, que je ne m'étais point enfuie, mais rien ne sortit.

— On peut toujours compter sur Scar, répliqua cependant Much.

— Je dois reconnaître que, dans le passé, je l'ai traitée de lâche, dit John.

Je serrai mes genoux.

— Mais on peut compter sur elle, poursuivit-il. Elle a le droit d'être blessée.

— Elle n'est pas lâche, répondit Rob, jamais je ne l'ai accusée et jamais je ne l'accuserai de l'être. Il n'y a pas plus courageuse qu'elle —, mais son réflexe est toujours de se cacher de nous, de moi.

— Pourquoi ne devrais-je pas me cacher ? criai-je d'en haut, quand tu me dis à tout bout de champ comment tu souhaites m'exclure de la bande.

Je sautai un peu plus bas dans l'arbre, restant debout, pleine de défi. J'avais les larmes aux yeux, mais peu m'importait.

— Mon Dieu, Scar, tu étais là tout ce temps ? me demanda alors Rob.

Mon visage se mit à tressaillir. Je devais lui poser la question sans trembler ni frissonner.

— Robin des Bois, veux-tu que je m'en aille ?

Sa mâchoire s'avança comme s'il mâchait cette proposition, puis il poussa un soupir tout en passant son arc dans son dos, pour ensuite grimper dans l'arbre et venir à côté de moi. Je n'osai cligner des yeux. En effet, des larmes se seraient mises à couler de toutes parts. Or, jamais je ne pleurerais devant lui.

— Monte, me dit-il.

Je grimpai plus haut en clignant des yeux tout en m'essuyant la figure avec ma manche. Je grimpai plus rapidement que lui, même si mon épaule me faisait horriblement mal, aussi l'attendis-je sur la plus haute des branches sur laquelle je pouvais m'asseoir.

Il vint s'asseoir à côté de moi.

— Oui, je veux que tu t'en ailles, me dit-il alors, mais je crus avoir mal entendu, aussi le regardai-je, les larmes aux yeux. Je veux que tu t'en ailles, Scar, si tu ne peux avoir confiance en moi. Si tu es incapable de te livrer à moi, alors, tu dois t'en aller.

— Rob, j'ai confiance en toi, ç'a toujours été le cas. Je ne le veux point, mais tu es simplement… toi. C'est terrible. Faut-il donc que tu connaisses toute mon horrible histoire pour que tu aies confiance en moi ?

— Non, mais il m'arrive parfois de craindre de ne pas du tout te connaître.

— Tu n'as point confiance en *moi*.

— Je le veux, pourtant, me répondit-il en soupirant, mais nous savons tous les deux que tu me mens.

— Je ne peux point te mentir, répliquais-je, je ne pense point. J'essaie de ne point parler de certaines choses, cependant.

— Je sais, mais pour quelle raison ?

— Dans le passé, raconter mes secrets ne m'a guère profité.

— Qui était-elle ?

— Qui ?

— La fille de Londres, celle dont tu ne veux pas me parler.

Je déglutis, mais son nom me remonta à la gorge.

— Joanna, répondis-je, ma sœur.

— Elle te protégeait ? demanda-t-il en fermant les yeux.

Je hochai la tête. Des larmes me coulaient le long du nez.

— Et toi, tu volais de la nourriture pour elle, poursuivit-il en soupirant. Que lui est-il arrivé ?

— Elle est tombée malade, elle n'arrêtait pas de tousser, dis-je en serrant les bras sur mon ventre. Je volais de la nourriture, des médicaments, du lait et de l'eau, un peu de whisky —, mais rien ne marchait. Elle toussait du sang partout.

— La phtisie ? me demanda-t-il doucement.

— Je ne sais point, lui répondis-je en haussant une épaule. Je n'ai jamais eu de nom pour sa maladie.

— Elle est morte ?

Je hochai la tête.

— Le lendemain, je t'ai rencontré et je t'ai laissé m'attraper, lui dis-je.

— Tu m'as laissé t'attraper ? s'exclama-t-il en se redressant. Tu ne m'as pas laissé.

J'essuyai mes larmes, sans le regarder.

— Mais c'est ridicule. Pour quelle raison m'aurais-tu laissé t'attraper ?

Il arrêta de bouger. Je ne le regardai pas, mais je pouvais sentir son regard désolé. Il reprit :

— Parce que le châtiment pour le vol est la mort, et tu croyais que j'étais un seigneur de haut rang. Tu t'es dit que si, tout simplement, tu me volais, tu mourrais et tu pourrais être avec elle. Tu es si pieuse que jamais tu ne t'enlèverais la vie.

— Je ne pense pas être pieuse, dis-je en reniflant, pas tout à fait.

— Mais c'est ça, n'est-ce pas ?

— Tu n'as pas fait ce que tu aurais dû faire, lui répondis-je après avoir hoché la tête. La prison était une chose un peu différente de la mort. Jamais je ne voudrais d'une mort comme la sienne, lente et douloureuse, même si ça me ramenait à elle.

— Mon Dieu, murmura-t-il.

— Je me suis contentée de la laisser dans la chambre que nous louions, repris-je, et c'était comme si le barrage avait craqué, qu'un geyser se déversait et que, pour une fois, tout ce que je voulais, c'était parler de Joanna. Elle était comme de la pierre dans le lit, avec du sang tout autour d'elle. Je ne savais… je ne savais que faire, poursuivis-je, mes larmes coulant toujours ; alors, je l'ai laissée là. Il n'y avait nulle part pour l'enterrer. J'ai écrit son nom dans un livre que j'ai laissé sur son lit pour qu'on trouve un de nos parents, mais je n'ai jamais vérifié. Je suis simplement partie.

— Scarlet, tu avais perdu tout ce que tu possédais. Personne ne peut te juger, peu importe comment tu as réagi.

— C'était pire que de la laisser mourir. Je l'ai laissée seule.

— Où es-tu allée ?

— À l'église, lui répondis-je en essuyant mes larmes. Je m'y suis assise et j'ai pleuré. Tous les saints me jetaient des regards noirs. Il pleuvait horriblement. Puis, une bougie est tombée, mettant le feu à une partie du mur. Je l'ai éteinte, mais je me suis enfuie. Il n'y avait rien d'autre que je pusse faire. Je me suis dit que c'était un signe divin, que je n'étais plus la bienvenue où que ce soit sur terre. Alors, quand je t'ai vu, ça m'a semblé être un autre signe, ajoutai-je en remuant la tête tandis que plus de larmes coulaient. Mais ensuite, tu ne m'as pas laissée mourir, tu m'as fait venir avec toi, tu m'as montré combien d'autres personnes souffraient. Et tu me fais vivre un échec chaque fois que je ne puis y remédier.

— Scar, finit-il par me demander après être resté long-temps silencieux, souhaites-tu toujours mourir?

— Je ne sais pas, murmurai-je en fermant les yeux. Parfois, je n'ai pas l'impression que ça vaut vraiment la peine de vivre. Parfois, je pense que je suis une malédiction pour tout le monde parce que je mène une vie si immorale, que je donne à l'Église de l'argent volé, et que je viole la plupart des commandements divins. Mais aussi longtemps que le Seigneur me donnera la chance d'expier ce que j'ai fait, je la prendrai, dis-je en reniflant et en m'essuyant le visage avec ma manche. Tu sais que je vais à l'église?

— Je t'y ai vue, me répondit-il en hochant la tête.

— Je pensais que tu n'allais pas à la messe, lui dis-je en le regardant.

— En effet, répliqua-t-il en se tournant, et sa voix était calme. Je souhaiterais pouvoir y aller. Une fois, je t'y ai suivie, espérant que peut-être si tu étais là, je pourrais. J'ai beau désespérément chercher le pardon, pour le moment, Dieu ne me l'accorde pas, ce qui fit ressortir sa pomme d'Adam. Pourquoi mets-tu une robe?

— On ne peut mentir à Dieu.

— Scar, tu ne mens pas, tu es qui tu es. Dieu te connaît en jupe ou en culottes, me dit-il en remuant la tête. Le bon et le mauvais, malheureusement.

— Ça me paraît toujours mal, répondis-je en haussant les épaules.

Il se pencha alors un peu vers l'avant, se déplaçant sur la branche, pour frotter son pouce sous mes yeux et y ôter les larmes.

— Quand Gisbourne t'a-t-il fait cette cicatrice?

— Il y a des années. Il nous a surprises, Joanna et moi, en train de nous enfuir de chez nous. Il m'a mis un couteau au visage. Je lui ai alors dit que jamais il ne l'utiliserait sur moi. Aussi l'a-t-il fait.

— Salaud! À une fille. Tu devais être petite, en plus.

— J'avais 13 ans, le corrigeai-je, deux jours avant d'avoir 14 ans. Je n'étais pas si petite.

— C'est étrange. Ça paraît si jeune, mais la plupart des femmes nobles sont fiancées à 14 ans, certaines sont même mariées, encore que, traditionnellement, on attend qu'elles aient 15 ans.

— J'en ai entendu parler, dis-je en déglutissant avec difficulté.

Je levai alors les yeux sur lui, mes yeux si étranges. Pour la première fois, je souhaitai briller dans son esprit. En vérité, j'avais rencontré Rob, avant que Gisbourne ne me balafre, avant que Joanna et moi partions à Londres. Je l'avais rencontré — une seule fois, pas très longtemps. Aussi, quand je le vis sur la place du marché, lors de ce jour horrible suivant la mort de Joanna, sachant qu'il était un seigneur, cela me parut être un don. Je l'avais immédiatement reconnu —, mais jamais alors ni depuis non plus, il ne s'était souvenu de l'ancienne moi.

— Alors, sache, Scar, reprit-il, que je ne veux pas que tu ailles où que ce soit. De plus, je suis désolé pour les Morgan. C'était cruel.

— Je ne veux pas m'enfuir, lui dis-je en baissant la tête. C'est seulement que parfois, j'ai l'impression que tout va sortir, comme une plaie sanglante et... dis-je avant de m'arrêter tout en haussant les épaules.

— Je sais. Mais peu importe à quel point tu saignes, on va te raccommoder. Fais-nous confiance.

Je hochai la tête.

— Veux-tu descendre avec moi ?

— Je vais rester ici un moment. Je me suis déjà fait assez mal à l'épaule pour monter. Je vais la laisser se reposer un peu.

— Mon Dieu, me dit-il alors en me prenant le bras. J'avais oublié ton épaule. Allez, monte sur mon dos, je vais te porter jusqu'en bas.

Ça me faisait bien un peu mal, de plus, après avoir pleuré comme une fontaine, je me sentais faible et fatiguée, pourtant, je fis non de la tête. Je pense que j'aurais préféré dégringoler jusqu'en bas plutôt que de lui monter sur le dos comme un singe — ou pire, comme une espèce de marmot.

Il fronça les sourcils, mais ne me força pas, puis il descendit de l'arbre à mes côtés. Une fois à terre, John m'appela pour que j'aille m'asseoir à côté de lui. Je jetai un coup d'œil vers Rob, avant d'aller m'asseoir près de John. Il me donna un peu de soupe, puis se rapprocha de moi, passant même le bras autour de mes épaules. Une partie de moi ne sut plus où se mettre, mais j'étais surtout heureuse de ce bras, de ce flanc chaleureux, de cette soupe chaude.

— Cette soupe devrait être assez facile à manger, me dit alors John avec douceur.

Je hochai la tête. Il me pressa alors légèrement la main.

— Je suis désolé pour les Morgan.

En prenant un peu de soupe, j'eus envie de repousser son bras, de remonter dans l'arbre et de tirer Rob là-haut avec moi, pour y rester et me fondre dans le bois.

Juste à ce moment, je le surpris en train de nous observer, mais dès que j'eus levé la tête, il alla voir Much sans plus me regarder.

CHAPITRE 12

Les jours se mirent à filer. Nous les passions à nous entraîner ainsi qu'à rôder sur la route, à amasser autant que nous le pouvions en pièces de monnaie, car l'échéance arrivait assez vite. Pendant les nuits, nous chassions dans la forêt du roi, pour ensuite distribuer la viande, mais, en presque deux semaines, six personnes avaient été prises. Nous savions que ce serait pire le jour du cens.

Cependant, Gisbourne ne les exécutait pas, ce qui était bien et mauvais à la fois. Bien, parce qu'ils n'étaient pas morts, mais mauvais parce qu'ils étaient tous en prison. Je savais qu'il avait transformé le château en forteresse, que même le jour, les gens ne pouvaient y entrer ou en sortir. De sorte que si nous devions les libérer, il faudrait que ce soit tous en même temps. Or, nous voulions attendre jusqu'au jour de leur pendaison, ou jusqu'à la nuit de leur pendaison, je suppose, car la pendaison le matin ne donnerait guère de bons résultats.

Mon épaule avait guéri. Elle me faisait mal seulement si je la cognais, ce qui était bien — en effet, quand elle était douloureuse, c'était difficile de grimper et, ces temps-ci, je me retrouvais davantage dans les arbres. Gisbourne ne pouvait se rendre là où j'allais, c'était la seule chose qui me faisait sentir plus en sécurité.

—ɯ—

Je sautai de l'arche pour atterrir sur la route. Les voyageurs étaient passés, et John me lança un gros sac de pièces de monnaie qu'il avait volé à l'un des seigneurs.

— C'est vraiment lourd, Scar. C'était un bon endroit.

Tout en les secouant, je les écoutais se frotter les unes contre les autres, bruisser comme une douce ondée.

— C'est le plus joli bruit qui soit.

Puis, je le lançai à Much tandis que Rob et moi commencions à choisir les bijoux et les armes. Voulant tous les deux saisir la même épée, nos regards se croisèrent.

Cependant, je retirai la main, le laissant plutôt la prendre.

John prit l'une des épées et la pointa vers moi.

— Allez, Scar, tu as envie de te battre ? me demanda-t-il avant de voir un poignard sur lequel nous sautâmes tous les deux.

Sa main le saisit juste un peu avant la mienne, puis il le brandit bien haut au-dessus de sa tête.

— Tu le veux, Scar ? me demanda-t-il en agitant le poignard d'avant en arrière.

Je bondis alors pour le lui arracher, ce qui le fit sourire, mais il m'attrapa en me soulevant du sol de manière à ce que nous nous retrouvions nez à nez.

Je le regardai droit dans les yeux, pas le moins du monde effrayée.

— Ce n'est pas pour ça que je sautais, John.

— Tu en es sûre ? me demanda-t-il, les yeux sur ma bouche.

Puis, il se pencha un peu vers moi, mais je lui envoyai alors un coup de pied dans le tibia avant qu'il ait le temps de faire quelque chose de stupide, comme m'embrasser.

Il me laissa alors tomber en gémissant. Je pris le couteau, tout en voyant le regard de Rob et son air mortellement renfrogné.

Much lui-même me regardait les sourcils froncés, mais je me détournai en sentant mon ventre se serrer. Ce n'était pas juste. Rob ne serait jamais du genre à avoir le ventre serré pour moi, mais John et moi, si on se mettait à se rapprocher un peu, il se comportait comme si je déchirais la bande.

—⁓—

Comme, à vrai dire, nous avions fait un assez bon coup de filet sur la route, ce matin-là, Rob et moi nous nous dirigeâmes vers Trent pour vendre les objets qui avaient le plus de valeur.

— Je pense que cela fait trop longtemps, lui dis-je.

— Quoi ? me demanda-t-il en me regardant avec curiosité.

— Trop longtemps que nous n'avons eu une échauffourée ou quelque chose du genre. Il y a quelque chose qui cloche aujourd'hui.

— Peut-être est-ce parce que John n'est pas avec toi, me dit-il avec un sourire, mais les dents aiguisées. Le monde n'est pas le même sans lui ?

— Ce n'est pas ça, lui répondis-je avec un air renfrogné. De plus, tu n'as pas besoin d'être méchant.

— Ce n'était pas méchant.

— Bon, ne me dis pas que tu vas te mettre à me faire des reproches.

— Non, me dit-il avec un sourire plus doux.

— Mais sérieusement, j'ai un très mauvais pressentiment.

— Parce qu'on va à Trent ? me demanda-t-il en me regardant, ou parce qu'on va vendre les bijoux ?

— Trent, je pense, lui répondis-je après avoir soupesé ces deux idées.

— Dans ce cas, dit-il en hochant la tête, nous devrons être doublement sur nos gardes.

Cela me fit sourire. C'était ce que j'aimais avec lui. Il me taquinait bien un peu, il me lançait des regards noirs encore plus souvent, mais il avait confiance en moi.

— Alors, et toi ? lui demandai-je en sentant ma figure rougir en lui posant cette question.

— Moi ?

— Et les filles, les dames. Tu ne... Je veux dire, John est toujours amoureux de quelqu'un, mais toi, ça ne semble jamais beaucoup t'intéresser.

— C'est ce que tu penses représenter pour John, un intérêt momentané ?

— Ce n'était pas ma question, lui répondis-je en donnant un coup de pied dans une pierre.

— Avant de partir, j'étais comme John. Chaque fille était une aventure. Puis, il y a eu la Croisade et tout ce dégât. De sorte que, maintenant, je suis un noble sans titre, me répondit-il en remuant la tête. Épouser une fille du peuple déshonorerait ma lignée familiale, mais je n'ai rien à offrir à une femme noble.

— Ce n'est pas comme si Bess ou Ellie voulaient que tu les épouses.

— Je vais laisser ces ébats à John, me répondit-il en haussant les épaules avant de me regarder droit dans les yeux. Je n'essaie pas de dire qu'il ne t'est pas fidèle, Scar.

— J'espère qu'il ne l'est pas, lui répondis-je en remuant la tête.

— Quoi?

— Je te l'ai déjà dit, je ne suis pas certaine de lui, je ne suis point sûre qu'il m'aime vraiment, qu'il ne recherche pas simplement à aller se rouler dans les foins avec moi.

— Lui semble plutôt sûr pour toi, me dit cependant Rob en se frottant la tête.

— Je pense que Bess ou Ellie dirait la même chose, lui répondis-je avec un petit rire en serrant davantage mon long manteau sur moi, dans lequel le vent pénétrait par les coudes usés. De toute manière, je t'ai dit que je ne me marierais pas.

— Alors, me répondit-il en souriant, tu refuses d'être sûre de lui de manière à ne pas avoir à l'épouser.

— Quelque chose du genre, lui dis-je en regardant ses pieds. Mais tu ne te sens pas seul?

— C'est pour ça que tu es avec John?

— Je ne suis point *avec* lui. Mais si je l'étais, je suppose que ce serait pour cette raison. C'est plutôt agréable, tu sais. Avoir quelqu'un qui s'accroche à soi donne l'impression d'exister vraiment.

— Je sais, me dit-il en hochant la tête. Mais ce qui est agréable n'est pas pour moi, en ce moment. Je dois me concentrer sur la protection de mon peuple afin qu'ils puissent sentir ce réconfort, non pas le prendre égoïstement pour moi.

— Peut-être penses-tu ne point le mériter, lui dis-je parce que c'était ce que je ressentais la plupart du temps.

— Peut-être que je ne le mérite pas.

Je hochai la tête tout en avançant à ses côtés. Rob et moi, parfois, nous avions des points en commun.

—ɯ—

Quand nous arrivâmes à Trent, il était midi. Il n'y avait pas de meilleur moment pour faire nos ventes. Nous enfonçâmes nos capuches sur nos têtes de manière à nous cacher le visage. Comme les couteaux étaient plus faciles à cacher dans une place achalandée que les arcs, je me séparai de Rob pour veiller sur lui, prête à lancer une lame si nécessaire.

Pendant qu'il faisait le tour de la place, je jetai un coup d'œil sur les armes que le marché proposait. Je n'avais vu le genre de lame à obtenir pour Much qu'une seule fois, aussi ne m'attendais-je pas à la trouver ici, mais ça valait toujours la peine de regarder. Sinon, une fois que les choses se seraient calmées, peut-être que John pourrait lui en forger une.

Je m'arrêtai pour observer le bijoutier. Son regard se déplaçait de tous côtés alors qu'il n'avait pas encore vu Rob. Il n'avait aucune raison d'être si nerveux. Je sifflai deux fois, deux coups brefs, et Rob s'arrêta, s'éloignant de l'étal du bijoutier pour regarder les marchandises du tanneur. Je restai proche des échoppes, à suivre les regards d'écureuil du joaillier. Les hommes de Gisbourne, dans leurs livrées noires à garniture rouge, étaient au marché.

Mon sang ne fit qu'un tour. Cette fois, je poussai trois brefs sifflements. Rob se retourna vivement, puis se mit à traverser la foule.

Juste à ce moment, une main se referma sur ma tête, saisissant ma capuche et mon chapeau en me les arrachant. Je tressaillis, me tordis, et toute ma chevelure cachée se répandit de ma tête comme des serpentins.

C'était l'un des hommes de Gisbourne. Il fixait la capuche comme moi-même je le fixais.

— Au secours ! criai-je de la voix la plus aiguë que je pus prendre. Au secours, je vous en prie.

Les hommes semblent apprécier de prêter main-forte aux demoiselles en détresse, aussi, quand je me retournai pour m'enfuir à travers la foule et qu'ils virent ma longue chevelure, mon menton sans barbe, ils ne remarquèrent pas ma culotte et le reste et ils arrêtèrent les hommes de Gisbourne assez longtemps pour que je puisse détaler du marché.

En courant, je dépassai Rob qui m'attendait, puis je l'empoignai par la chemise pour la lui tirer tandis qu'il me regardait bouche bée.

— Seigneur, Rob, hurlai-je, viens !

Il courut alors avec moi, puis nous nous enfonçâmes tous les deux dans les bois comme des coups de tonnerre. Quand Rob ralentit, je tentai de continuer de courir, en regardant par-dessus mon épaule.

— Scar, ça va. Ils n'ont pas vu par où nous sommes allés, me dit-il alors.

Je m'arrêtai donc pour prendre une grande respiration. Puis, je me mis à cracher chacun des jurons que j'avais jamais appris, même si je savais que dimanche je devrais tout confesser.

Rob semblait un peu choqué.

— Ne me regarde pas comme ça, lui dis-je sèchement. Ce n'est pas parce que je ne peux pas me tailler la barbe que je ne sais pas jurer.

— Comme un charretier, ajouta-t-il. Je n'avais jamais entendu autant de jurons de toute ma vie, tous ensemble.

Je pris un air renfrogné avant d'en proférer un autre pour faire bonne mesure, puis je crachai par terre. S'il y avait quelque chose qui pouvait attirer le mal, c'était bien les jurons.

— Pourrais-je savoir pourquoi tu es dans tous tes états ?

— Rob, maintenant, les hommes de Gisbourne savent que je suis une fille.

— C'est mauvais, ça, dit-il, tandis que les muscles de ses mâchoires se tendaient.

— Oui, sacrément mauvais ! m'exclamai-je en hochant la tête. Maintenant, c'est moi qu'il va tout de suite prendre. Dieu sait si vous, les garçons, vous êtes durs et bons, mais s'il met une lame sous la gorge d'une fille, vous allez tout de suite vous rendre. Et tandis qu'il le fera, il me regardera bien le visage et… m'interrompis-je, les mots se tarissant dans ma bouche tandis que je me mettais à trembler de tous mes os.

Mon Dieu, s'il y avait jamais eu un moment pour me cacher, c'était maintenant. Je ferais mieux de fuir. Il le fallait. Une fois que les garçons se seraient endormis, je pourrais marcher aussi loin que York avant qu'ils s'en rendent compte, peut-être même jusqu'en Écosse. Ou peut-être devrais-je aller à Douvres prendre un navire pour la France.

— *Scarlet*, dit alors Rob, comme il l'avait déjà dit quelques fois.

L'avait-il dit ? Ses grandes mains se fixèrent sur mes épaules. Je le regardai. J'avais l'impression que mes yeux allaient sortir de leurs orbites. Il croisa mon regard et inclina légèrement la tête.

— Tu vas bien, tout va bien se *passer*. Nous ne laisserons pas Gisbourne s'approcher de toi.

— Tu n'auras pas tellement le choix quand tu respireras par un trou dans ton cou, lui répondis-je sèchement avant de m'écarter.

Il me lâcha, puis s'empara de mon visage, ses mains sur mes joues, ses yeux dans les miens. C'était comme si la mer réchauffée par le soleil entrait en moi. Mon souffle, mon esprit agité se figèrent.

— Tu ne penses pas que je sois à la hauteur de Gisbourne?

Je ne répondis pas — je ne pense pas que je l'aurais seulement pu. De la manière qu'il me tenait le visage, aucun mot n'aurait pu sortir de moi. Son regard devint plus sombre, avec une lueur froide.

— Tu n'as vraiment pas vu de quoi je suis capable, Scar. C'est lui qui devrait avoir peur.

Je clignai des yeux.

Il passa le pouce sur ma cicatrice. En moi, tout cliqueta comme si j'étais suspendue à une corde.

— Il y a déjà beaucoup de choses desquelles il devra répondre. Mais s'il vient pour toi, c'est un homme mort.

Je sentis ma mâchoire se décrocher, mais je n'y pouvais pas grand-chose. En fait, je n'y pouvais pas grand-chose pour quoi que ce soit quand il me touchait comme ça. De plus, il continuait de me caresser de ses pouces, faisant table rase de ma raison. Mes joues étaient chaudes et rouges sous ses doigts. Puis, il sourit, le regard chargé comme du poids de l'océan.

— D'accord ?

Je m'enfonçai les dents dans la lèvre inférieure avant de hocher légèrement la tête.

Alors, il retira ses mains de mon visage, mais il se prit un peu les doigts dans mes cheveux.

— Tu as une belle chevelure, tu sais.

Ma gorge serrée m'empêchait de bien respirer.

— Merci, réussis-je à dire. Euh, toi aussi.

— Merci, Scar, dit-il en retirant sa main avec un petit rire, pour ensuite s'éloigner.

« Par tous les saints du ciel et de l'enfer, que vient-il de se passer ? » hurlai-je. Bon, je ne hurlai point, mais j'aurais voulu. « Pourquoi mets-tu tes mains sur moi ainsi ? Tu ne peux pas me toucher, me mettre la peau dans tous ses états quand on sait tous les deux que tu n'es pas amoureux de moi. »

Le simple fait d'y penser assécha ma colère comme une feuille sur une branche. Je me mis donc en marche derrière lui. C'était une véritable torture quand il me touchait, me regardait et restait avec moi, mais Robin était un seigneur. Jamais son cœur ne battrait pour une voleuse.

—⁂—

— Eh bien, peut-être se trouvaient-ils simplement sur la place du marché, suggéra Much. Peut-être ne surveillaient-ils pas le bijoutier. Après tout, c'est Scar qu'ils ont attrapée, pas toi, Rob.

— Je n'ai jamais été près d'eux, elle était plus proche que moi, lui répondit Rob en remuant la tête. Je pense qu'ils le surveillaient.

— Il avait le regard fuyant, dis-je alors. C'est à cause de lui que je t'ai prévenu. Il avait dû repérer ma capuche et me prendre pour Robin des Bois.

— Alors, peut-être que l'homme de Gisbourne ne t'a pas reconnue comme faisant partie de ma bande.

— Reconnue ? s'exclama John, dont le visage était devenu blanc. Tu veux dire que c'est à cause de *lui* que tu as perdu ton chapeau ? Gisbourne sait donc maintenant que tu es une fille ?

Mes cheveux étaient de nouveau attachés, mais je les touchai néanmoins avant de hocher la tête.

— Oh, mon Dieu, gémit alors Much.

— Ce n'est pas la pire nouvelle que nous ayons jamais reçue, dit cependant Rob.

— Mais, c'est mauvais, lui répondit John en se frottant la tête.

— Hé, s'exclama Rob, l'œil mauvais, qu'aucun de vous, toi y compris, Scar, n'oublie à quel point Scar est mortellement dangereuse. Qu'il vienne lui chercher des noises et il aura un peu de son esprit gravé sur la peau.

Je souris.

— Et nous, nous le tuerons.

Ce fut à lui que je souris.

— Quoi qu'il en soit, nous n'avons pas le temps de nous faire du mauvais sang pour tout ça, reprit-il, et tous, nous le regardâmes. Après-demain, c'est le jour du cens. Nous devons fourguer ces bijoux immédiatement, mais, pendant ce temps, nous ne pouvons laisser la caverne sans protection.

— Personne ne sait où elle est située, répliqua John.

— On ne peut courir ce risque, pas quand nous avons l'argent pour le cens pour presque tous les gens d'Edwinstowe, de Worksop et de Nottingham là-dedans.

— Pourquoi ne l'avons-nous pas déjà réparti ? demanda Much.

— Much, les gens sont pauvres, lui expliquai-je alors en soupirant. Ils l'auraient dépensé pour autre chose avant le cens, ensuite de quoi ils auraient été sans le sou, ou même pire.

— Pire comment ? demanda John.

— Demande au garçon de chez Tuck, grommelai-je.

— Quoi qu'il en soit, nous allons devoir nous séparer encore plus que d'habitude. Scar, je veux que tu ailles à Leicester. John, tu iras à Derby, et toi, Much, à Lincoln. Moi, je resterai ici pour garder les trésors que nous détenons.

— On y va seuls ? lui demanda Much.

— Non, lui répondit Rob en se frottant la tête, ce n'est pas possible. Je vais envoyer Mark Tanner avec John, Thom Walker avec Scar. Toi, Much, tu iras avec Lena. Elle saura utiliser son charme pour te sortir des embûches, si nécessaire. C'est encore mieux qu'un bras puissant. Ce ne sont pas les meilleurs choix, mais ils sont les seuls à ne pas être en train de se tuer à la récolte et à la moisson.

— Savent-ils seulement se servir d'une arme ? Ce n'est pas le cas de Lena, du moins.

— Non, ils ne seront pas là pour se battre, mais pour garder l'œil sur vous, pour être une paire d'yeux en plus — et pour courir, si nécessaire.

Je croisai les bras. Je n'aimais pas beaucoup Thom Walker, je ne lui faisais absolument pas confiance, mais je ne le connaissais pas vraiment non plus. Cependant, il n'avait jamais fait grand-chose pour mériter ma confiance.

— Écoutez, ce n'est que pour une journée. On a besoin que tout cela soit accompli.

Nous hochâmes tous la tête.

— Très bien. Mettez-vous deux par deux pour l'entraînement armé. Ensuite, on se couche tôt, car nous devrons tous être debout avant le lever du soleil.

—m—

Le lendemain matin, John me donna sa cape à la lourde capuche en laine sous laquelle je pouvais glisser mon petit arc sans que personne ne s'en rendît compte, aussi l'acceptai-je. J'enfonçai des brindilles dans mes cheveux — autrefois, j'utilisais des peignes, aussi savais-je comment les garder attachés avec des épingles, mais je voulais un nouveau chapeau. Peut-être pourrais-je en piquer un à Leicester.

Ensuite, je passai prendre Walker à Edwinstowe, comme une espèce d'enfant trouvé, me contentant de lui faire un signe de tête, pour ensuite me mettre en chemin.

— Alors, essaya-t-il, Leicester, hein? C'est ce qu'a dit le comte.

Je ne répondis pas. Je n'aimais point qu'on appelât Rob «le comte», non plus.

— Tu es le voleur, n'est-ce pas? poursuivit-il avec un petit rire. Je ne peux imaginer que tu aimes trop la lumière du jour.

Je levai les yeux au ciel. Franchement, je n'étais pas une espèce de démon.

— Pas d'humeur pour un brin de causette.

Je me contentai d'accélérer. Dieu sait que je ne me compare point au fils de Dieu, mais en ce moment, j'aurais peut-être accepté les flagellations et la couronne d'épines plutôt que d'écouter Thom Walker bavarder pendant des heures tandis que nous marchions jusqu'à Leicester, à condition de ne point mourir à la fin. De peur de ressusciter — ce qui met quelque peu la mort en perspective. Je pense que même le Christ aurait été tout à fait satisfait de mourir eut-il su que ce n'était pas une situation éternelle.

Nous sautâmes sur un chariot après avoir marché pendant environ deux heures. Là, je gardai les yeux fermés pendant quelque temps, mais sans jamais vraiment dormir. Je n'aimais point avoir quelqu'un de nouveau si près de moi, mais Walker ne bougeait pas beaucoup, il changeait seulement de position. De plus, il avait arrêté de bavarder.

Nous restâmes sur le chariot pendant quelque temps avant d'en descendre au croisement. C'était toujours le matin, la route était assez pleine de gens, aussi pûmes-nous nous y mêler, ou moi, en tout cas. Walker, lui, était imposant — pas autant que John —, mais il ne se rendait guère compte de sa propre taille, et il ressortait comme le pouce de la main.

Quand nous fûmes proches de Leicester, je lui enjoignis de rester loin de moi de manière à ce que chacun puisse veiller sur l'autre. Je lui dis aussi de ne pas se mêler aux bagarres, de siffler si quelque chose n'allait pas. Cela le fit sourire comme s'il s'agissait d'une partie de plaisir, et non de la vie des gens.

Le marché était bondé. Des impôts justes et des seigneurs équitables avaient comme résultats des échanges économiques vigoureux comme le marché le montrait bien.

Il y avait des marchandises en quantité telles que je n'en avais jamais vu ; des vêtements, des tartes, de grosses pièces de viande, des épées, et toutes sortes d'armes. À l'étal d'un des marchands, je devins beaucoup trop empressée. Captivée par le sombre éclat du métal sarrasin de piètre qualité, je m'approchai et j'aperçus ce que je cherchais, l'arme qui serait parfaite pour Much et personne d'autre.

Mes doigts se refermèrent sur elle de leur propre volonté. Le marchand, un forgeron musclé aux épaules tel un tronc d'arbre, s'étira de mon côté en souriant.

— C'est un katara, me dit-il, il provient d'Orient — une arme rare, unique.

Je le saisis. Sa poignée évoquait un peu un « H » avec une tige transversale pour le tenir et protéger les jointures. Juste au-dessus de la tige la lame commençait, aussi large que la paume d'un homme, et presque aussi longue que son avant-bras, une lame fuselée comme un triangle. Sans même y réfléchir, je sortis mes deux couteaux sarrasins.

— On échange ? lui proposai-je.

— Des imitations de mauvaise qualité ! s'exclama-t-il avec mépris. Ils ne se comparent pas à un katara.

— Ce sont des vrais, avec des rubis.

— Des faux, insista-t-il.

— Bon, très bien. Je les vendrai ailleurs, lui dis-je en baissant le bras.

Il se pencha en avant pour dégager quelques lames sur sa table tout en les laissant s'entrechoquer avec un bruit métallique.

— Un échange équitable, alors.

Je lui souris en hochant la tête. Ce n'était pas vraiment équitable, mais pour Much, ça ne me gênait pas. Il enveloppa le katara dans du jute avant de conclure l'échange.

Une fois partie, je glissai la lame enveloppée dans mon gilet tout en me mettant à la recherche d'un nouveau chapeau. Il y avait des casquettes, et j'en piquai une en laine feutrée bon marché et d'une drôle de forme. Je ne laissai point d'argent. Après tout, j'étais une voleuse. De plus, ce n'était pas comme si ce genre de choses faisait autant de mal que dans le Nottinghamshire. Je la glissai donc aussi sous mon gilet avant de me mettre à la recherche des bijoutiers.

Leicester comptait trois bijoutiers : l'un spécialisé dans les métaux, un autre dans les pierres précieuses, et un autre qui, semble-t-il, faisait strictement affaire avec la noblesse. Mais peu importe, les trois hommes étaient acheteurs. Dans de telles conditions, il ne fut pas difficile d'obtenir un bon prix. J'allai de l'un à l'autre, marchandant jusqu'au moment où j'obtins un prix bien élevé, le triple de ce que nous obtenions à Newark.

Ce fut alors qu'enfin on me payait que je vis l'ombre se rapprocher du côté de la porte en attendant que je sorte. Je regardai vivement ; où était Walker ? Je ne le vis d'abord pas, il me fallait sortir de la boutique pour le trouver.

C'était justement chez le bijoutier qui faisait affaire avec la noblesse que je me trouvais, de sorte que, avec un peu d'effronterie, j'abaissai ma capuche pour qu'il pût voir ma figure et une boucle de mes cheveux.

— Je vous en prie, murmurai-je, s'il vous plaît, aidez-moi.

— Sainte Vierge ! s'exclama-t-il en écarquillant les yeux. Tu es une gamine.

— Une *dame*, le corrigeai-je en relevant le menton. Je vous en prie, vous devez m'aider. Dehors, il y a des hommes qui essayent de me ramener chez le seigneur qui est mon mari. Il me tuera, lui dis-je en commençant à avoir un peu les larmes aux yeux.

— Votre mari ? Je ne contrarie pas un noble, même pour une dame.

— Il me tuera, lui répétai-je avant de poser la main sur son bras. Il doit y avoir une autre sortie à l'arrière. Vous n'aurez qu'à prétendre que je suis passée en courant. Laissez-moi donc m'en aller, sans avoir besoin de contrarier qui que ce soit. Je vous en prie, ajoutai-je en le regardant dans les yeux pour lui montrer toute l'étrangeté de mon regard. Il a fallu que je vende mes bijoux. Ne les échangez pas contre ma vie.

Il soupira, puis il indiqua du pouce derrière son épaule. Je saisis donc la bourse pleine d'argent, puis je rabattis ma capuche avant de détaler.

Son atelier menait à une salle équipée d'un soufflet et d'un four avec une grande porte qui menait à un petit espace où se trouvait un cheval, que je regardai, tentée.

Je grimpai plutôt sur le toit. Puis, en m'appuyant sur les poutres, je regardai en bas.

En réprimant mes jurons, j'aperçus trois hommes, et peut-être un quatrième, qui rôdaient dans le marché. Comment les hommes de Gisbourne nous avaient-ils encore trouvés ? Il devait me suivre, d'une manière ou d'une autre, car j'étais la seule aux deux endroits, à moins que les autres aient aussi été suivis.

Walker, lui, était toujours au marché en train de regarder des ris de veau sans se rendre compte du danger. Quel guetteur il faisait ! Je passai de toit en toit, pour ensuite bondir dans le marché en lui saisissant le bras et le poussant.

Je me faufilai dans la foule en courant. J'étais plutôt douée pour cela, mais Thom, non. Il s'arrêtait, puis repartait en bousculant les gens auprès desquels il s'excusait à haute voix.

— Maudit sois-tu! grognai-je en lui montrant un couteau tout en me retournant pour le regarder droit dans les yeux, et il s'arrêta.

— Ferme ton clapet et suis-moi en courant, ou bien je te laisse ici et *tu* te débrouilles avec Gisbourne.

— Je viens, me répondit-il en déglutissant.

Je hochai la tête, rangeai mon couteau et me mis à courir.

CHAPITRE 13

Nous courûmes à Edwinstowe, puis une fois que j'eus mis Thom Walker en sûreté et qu'on prit soin de lui, je courus jusqu'à la caverne avec mon butin tout en faisant un long détour autour du lac Thoresby pour que personne ne me suive. Je ne pouvais prendre ce risque. Il y avait des manières par lesquelles ils connaissaient nos mouvements, ça c'était sacrément sûr, mais maintenant, nous n'avions plus que quelques heures avant que les hommes du shérif viennent au matin pour leur collecte. Avant cela, il y avait beaucoup d'argent à répartir en paquets.

Quand j'arrivai à la caverne, seul John n'y était pas encore.

— Holà ! criai-je, et Much et Rob se retournèrent. On vous a suivis ?

— Non, répondit Much, bien sûr que non.

— Gisbourne était à Leicester, répliquai-je après avoir juré. Rob, il doit me suivre.

— Je doute qu'il te suive, Scar, me répondit-il après que sa bouche eut tressailli. Tu es bien trop soupçonneuse.

— Alors quoi, il a sacrément bien deviné ? Il doit nous suivre d'une manière ou d'une autre.

— Si le chasseur de brigands est après toi et qu'il te surveille, ne t'aurait-il pas déjà attaquée ? me demanda cependant Much.

Je me passai les jointures sur ma balafre. Il n'avait pas tort.

— Scar, pour le moment, on n'a pas le temps d'y penser. Il ne peut t'avoir suivie, car sinon, il t'aurait déjà attaquée, ou nous, ou la caverne. Il faut se concentrer et commencer à séparer les pièces de monnaie.

Je hochai la tête. Je n'étais pas trop convaincue, mais il avait raison — il y avait d'autres choses dont il fallait d'abord s'occuper.

— Comment va-t-on procéder ?

— Comptons ce que tu as, puis on comptera les pièces de John quand il sera de retour, puis je pense qu'on se séparera ce soir, car il faut procurer de l'argent à tous ces gens.

Je serrai les épaules, sentant un frisson sur mon cou.

— Rob, je ne pense pas qu'on devrait être seul. On a assez de temps pour distribuer l'argent avant le lever du soleil.

— Je ne veux absolument pas que quiconque soit au village seul — ça ne laisserait pas assez de temps pour distribuer l'argent. Alors, mêmes partenaires qu'aujourd'hui.

— Je n'ai pas confiance en Thom Walker, répondis-je en remuant la tête. C'était surtout un boulet, de toute manière. Il m'a horriblement ralentie.

Rob considéra ce que je venais de lui dire.

— Même si on a les mêmes partenaires qu'aujourd'hui, quelqu'un devra être seul. Je préfère y aller seule plutôt qu'avec Walker.

— Être seule n'est pas une bonne idée, pas avec Gisbourne, le shérif et leurs hommes si nombreux, ce soir. De toute manière, on a besoin de toute l'aide qu'on peut trouver.

— De quoi s'agit-il ? dit alors John en laissant tomber un sac qui fit entendre le son de pièces de monnaie s'entrechoquant. Aider qui ?

— Nous parlions de ce soir, lui répondit rapidement Much en baissant la tête. On a besoin de plus de gens, mais Scar ne veut pas être avec Thom Walker.

— J'irai avec Scar, répondit-il vivement.

— Je viens juste de dire qu'on a besoin de plus de gens, pas de moins.

— Eh bien, on s'occupera d'Edwinstowe, Much, lui, peut aller à Worksop avec Lena et Thom, Mark Tanner et toi, vous pouvez vous occuper de Nottingham. Ça marchera.

— Pas vraiment, lui répondit cependant Much. En fait, ça devrait être Tanner et moi à Worksop, Lena, Walker et toi à Nottingham, puis Rob et Scar à Edwinstowe, afin d'équilibrer vitesse et force. Ce n'est pas comme vendre des bijoux.

— D'accord, dit alors Rob en soupirant. Comptons et séparons l'argent, puis on se mettra en route.

Je hochai la tête, mais sans pouvoir me départir de mon mauvais pressentiment. Quelque chose n'allait pas, je le savais. J'espérais seulement que j'aurais assez de couteaux quand j'en aurais besoin.

C'est à cette fin que j'attirai Much à l'écart pendant que Rob et John continuaient de compter l'argent. Je sortis alors la lame de mon gilet et lui présentai le paquet enveloppé de jute.

— C'est quoi? me demanda-t-il.

— Je pense que ça pourrait bien être l'arme pour toi, lui répondis-je.

Il retira le jute puis, de son bon bras, passa la ceinture à laquelle son bouclier était attaché de manière à ce qu'elle soit disposée haut sur ses hanches, après quoi il glissa la main le long des tiges pour agripper la barre transversale.

Much sortit l'arme. Dans la noirceur de la forêt, le métal parut plus riche encore, se tachetant du vert de la terre et de l'argent du ciel. Il sourit en donnant un coup de couteau dans le vide. C'était comme si le bout de ses doigts était maintenant soudé fermement pour se transformer en une dangereuse lame.

— C'est vraiment bien mieux qu'un couteau! s'exclama-t-il.

— Que tu aies dit «bien» est plus important que le fait que ce soit «mieux», lui dis-je en souriant à pleines dents pour lui montrer ma fierté.

— Et maintenant, me répondit-il avec un petit rire, il ne me reste plus qu'à comprendre comment m'en servir.

— Tu es plus futé que chacun de nous, Much, tu trouveras.

En tenant la lame loin de moi, il s'avança, puis me serra de son mauvais bras, plus fort que j'aurais cru qu'il pouvait serrer, mais au bout d'une minute il me repoussa.

— Prends tes couteaux, Scar. Battons-nous!

—⁓—

Ce fut après le crépuscule que nous partîmes tous pour Edwinstowe. Lena, Mark et Thom étaient tous devant la maison des Morgan. Je ne m'en approchai pas, car je savais que je n'étais pas davantage la bienvenue que Saladin dans cette maison.

— Bon, dit Rob, Mark, voudrais-tu aller avec Much?

Celui-ci fit oui de la tête.

— Lena et Thom, vous êtes avec John.

— Je ne vais pas avec Scarlet?

— Appelle-moi Will, lui dis-je en durcissant les yeux.

— Pourquoi? me répondit-il avec un petit rire, je sais que tu n'es pas un garçon.

Cela me donna l'impression que du plomb chaud me coulait dans la gorge.

— Et comment sais-tu cela? lui demanda Rob.

C'était davantage un rugissement. Au même moment, John se plaça devant moi.

— C'était un secret? Je m'en suis rendu compte.

— Ce soir, elle vient avec moi, lui dit alors Rob.

— Ouais, et tu me laisses m'occuper de Scar, ajouta John.

— Oh, rétorqua Walker comme s'il venait tout juste de comprendre quelque chose de nouveau. Tu es son amie, alors?

— Non.

— Oui.

John et moi avions répondu en même temps. Je croisai les bras.

— Je ne suis pas ton amie, John, lui dis-je d'une voix sifflante.

— Mais je vais y arriver, dit-il en me faisant un clin d'œil.

Je remuai la tête, puis nous nous séparâmes. Much et Mark se mirent en marche. John vint à moi et me frotta le bras.

— Alors, pourquoi ne suis-je pas encore ton ami ? me demanda-t-il.

Je fermai les yeux de manière à ne pas chercher Rob du regard.

— Allez, John, tu ne t'intéresses pas sérieusement à moi. Ça finirait mal, si tu étais mon ami et que je te voyais en train de faire du charme à Bess ou Agatha Morgan.

Il passa ses bras autour de ma taille avec un sourire dévoilant toutes ses dents qui brillaient comme des étoiles.

— Scar, es-tu en train de me dire que tu es du genre jalouse ?

— Je suis en train de te dire qu'il y a des filles qui donnent des gifles, mais que moi, j'ai des couteaux.

— Pour Agatha ou pour moi ?

— Pour vous deux.

Alors, il me serra plus fort contre lui, mais j'avais toujours les bras croisés de sorte que mes coudes s'enfoncèrent dans sa poitrine.

— Et si je gardais tous mes sourires pour toi ?

— Ce n'est pas ton genre, John, lui répondis-je en remuant la tête tout en riant. Pourquoi voudrais-tu changer pour moi ?

— Parce que tu en vaux la peine.

Je sentis des papillons dans mon estomac, mais je plaçai la main contre sa puissante poitrine pour le repousser de sorte qu'il me lâche la taille.

— John, on a du travail qui nous attend.

— Bon, dit-il en soupirant. Faisons cela rapidement. Plus tard, je t'offre un verre chez Tuck.

— Marché conclu.

Les autres s'éloignèrent. Rob et moi nous partageâmes le contenu du sac et commençâmes par les extrémités opposées d'Edwinstowe. Le village était constitué de deux longues rangées de maisons avec un grand puits au milieu, près duquel se trouvait une église avec encore d'autres maisons regroupées autour d'elle. Il n'y avait pas de porte pour le village, juste une grosse grange où tous gardaient leur bétail. Je commençai par le côté éloigné, Rob par celui de l'auberge de Tuck. Comme il ne s'agissait pas du genre de livraison que je pouvais simplement laisser à la porte, je frappais doucement à chaque porte, donnais une poignée de pièces, suffisamment pour le cens et un peu de nourriture aussi. La plupart des gens étaient reconnaissants, mais certains se montraient plus bourrus. Ce n'était pas grave. Je comprenais que l'orgueil puisse parfois constituer un obstacle.

J'avais peut-être fait 10 maisons, ce qui n'était pas beaucoup — il m'en restait 35 —, quand j'entendis un *bruissement*.

Je me retournai juste à temps pour voir une branche me frapper sur le côté, me faisant tomber par terre à côté d'une maison en me coupant le souffle. Incapable de le retrouver, mes ongles s'enfoncèrent dans le sol, mais quelqu'un me retourna en m'arrachant ma capuche.

— Thom ? dis-je, à bout de souffle.

En même temps, je ressentis un élancement de douleur dans la poitrine qui m'empêchait de respirer. Il me prit par les cheveux en me tirant à même le sol.

Mon regard allait de tous côtés tandis que j'essayais de respirer et de souffler le nom de Rob tout en me tortillant pour me libérer de son étreinte. Il me traîna derrière une maison, près du bois et, ce faisant, des cailloux me coupèrent et m'égratignèrent. Je réussis à respirer un peu, assez pour attiser ma rage, puis pour m'élancer et lui donner un coup de pied au genou. Il s'écroula, mais sur moi, me coupant de nouveau le souffle par la même occasion.

— Bon, fais comme tu veux, me lança-t-il. Gisbourne m'a dit que je n'avais qu'à te retarder quelques minutes. C'est une aussi bonne manière qu'une autre, ajouta-t-il tandis que, les doigts enfoncés dans mes cheveux, il me maintenait les jambes au sol avec les siennes et me retenait les bras avec le sien.

— *Salaud!* lui dis-je d'une voix sifflante en soulevant brusquement le front pour frapper le sien.

Il rugit de douleur et me frappa en pleine figure, mais je le frappai à mon tour tout en cherchant un couteau. Il me prit alors le poignet, puis me leva violemment le bras, les tenant tous les deux au-dessus de ma tête. Avec colère, je me débattis comme un poisson qu'on avait attrapé, mes cheveux se répandant partout.

— Comment as-tu pu faire une chose pareille? lui demandai-je. Gisbourne?

Sa main libre s'enfonça dans ma chemise, la tira en la déchirant sur le devant.

— Il paie bien! Et il y a certains avantages qui viennent avec l'emploi.

Il m'attrapa les rondeurs à travers la mousseline, mais je lui crachai dessus. Ensuite, je me redressai brusquement pour de nouveau lui donner un coup de tête. S'il pensait que j'étais une gamine sans défense quelconque, il se trompait complètement. Il ferma les yeux de douleur après quoi, une fois encore, je lui envoyai un coup de tête sur le nez.

— Rob! criai-je alors.

Thom se tordit en hurlant de douleur, assez en tout cas pour me libérer la jambe et pour que je lui donne un coup de genou dans les parties. Il se redressa, mais je lui enfonçai mon poing minuscule dans les mâchoires. Cependant, ce satané idiot s'écroula, m'écrasant de tout son poids. J'essayai de bouger, mais il était sonné.

— Rob! criai-je alors de nouveau, dépêche-toi!

En même temps, je me plaçai de manière à sortir la jambe pour me soulever, mais dans la ruelle, j'entendis des pas sous lesquels le gravier crissait. Je le repoussai donc pour me relever et aller à la rencontre de Rob.

Toutefois, ce ne fut pas la forme de Rob que je vis, mais celle de Gisbourne, près de la route, en train de déployer son ombre sur moi entre les maisons. Il eut un petit rire tandis que je restai figée sur place.

— Je le savais dès que Thom a mentionné tes yeux. Avant cela, je n'osais espérer, dit-il avec un sourire brillant comme celui d'un loup. Mais quand il a dit que tu avais des yeux comme des pierres de lune, j'ai su que j'avais enfin trouvé ma capricieuse fille. Alors, on t'appelle Scarlet, maintenant, n'est-ce pas? Comme c'est ironique que tu te sois tellement éloignée de ton ancienne vie seulement pour prendre le nom de tes rubans si coûteux, me dit-il avant de se rapprocher de moi. Eh bien, aucune parole gentille pour ton fiancé[1]?

Tout mon dos étant traversé d'élancements de douleur, je m'appuyai contre la maison. Derrière moi, une ombre venant de l'arrière de la maison se rapprochait. Je ne pouvais qu'espérer qu'il s'agisse de Rob, non des hommes de Gisbourne. Je crachai alors par terre en lui montrant les dents comme quelque animal sauvage.

---

1. N.d.T.: En français, dans le texte original.

— C'est merveilleux, s'écria-t-il alors. Ma chère fille est devenue une païenne. Eh bien, je suis sûr qu'il sera distrayant de te faire perdre tes mauvaises habitudes, ajouta-t-il en inclinant la tête. Je constate que ta dernière punition a bien guéri. Avec un peu de chance, tu y penseras à deux fois avant de me quitter de nouveau.

— Tu es un monstre, grognai-je, jamais je ne resterai avec toi.

— C'est toi qui as *fait* un monstre de moi ! rugit-il. Penses-tu que je n'ai rien de mieux à faire que de rôder dans Londres, à la recherche de nouvelles de toi ? De ratisser le pays pour toi ? Tu m'obsèdes, petite démone. Je ne tolérerai pas qu'on me quitte. Alors, je serai un monstre jusqu'à ce que tu sois mienne, par le mariage ou la mort, ou peut-être les deux, ajouta-t-il, des flammes dans les yeux.

Juste à ce moment, Rob sortit de derrière la maison avant que Gisbourne pût s'approcher davantage. Il me prit la main en la tirant fermement. Mes jambes se mirent en mouvement sans qu'on le leur ait ordonné et coururent avec lui.

— Rob, l'or ! criai-je cependant, le voyant renversé sur le sol.

C'était maintenant moi qui le tirais par la main.

Il ne tint pas même compte de moi, continuant de foncer en me tirant par la main comme avec une laisse, à courir dans les bois ténébreux tandis que Gisbourne appelait ses hommes pour qu'ils nous suivent, puis je l'entendis éclater de rire tandis que nous nous enfuyions. Ce son résonna dans ma tête.

Rob courait avec l'énergie du désespoir, comme si des démons le pourchassaient, sa main fermée sur la mienne telle une menotte de fer, la mâchoire tendue et dure, le regard fixé devant lui comme celui d'un aigle. Mes jambes et ma force cédaient sous moi, mais je continuais à avancer, ne serait-ce que pour garder ma main dans la sienne tandis qu'il traçait furieusement son chemin vers Nottingham. Je ne pouvais déterminer si nous avions semé Gisbourne ou si, en fait, il ne nous avait jamais suivis.

Une fois que nous fûmes à la caverne, il me lâcha la main. Je m'aperçus alors que je tremblais violemment. Ma chemise était déchirée devant et toute râpée dans le dos où j'avais quelque chose de chaud et gluant à quoi mes cheveux collaient. Je la serrai sur moi, mais elle se déchira tout à fait.

Je me laissai tomber par terre en serrant les genoux contre ma poitrine, ce qui me tira la peau du dos et me fit gémir de douleur.

— Prends-la, me dit Rob en me donnant une cape. Tiens-la devant toi, ton dos est en mauvais état.

Il courut chercher les bandages dans la caverne, dont notre réserve diminuait joliment. Il faudrait que j'en vole d'autres bientôt. Ensuite, il s'assit à côté de moi, puis il toucha la mousseline du bout des doigts. Mon dos se contracta à son toucher, aussi les retira-t-il pour plutôt me placer les cheveux sur l'épaule. Je pouvais voir des morceaux de tissu brillant noir taché de sang.

Quand il tira la première fois, la toile de ma peau arrachée me fit l'effet du feu. Je serrai plus fermement la cape tout en tressaillant tandis qu'il retirait de la poussière et des cailloux. Ça me cuisait chaque fois qu'il me touchait. J'en avais les larmes aux yeux, mais je n'émettais pas le moindre son. Simplement, j'entendais le rire de Gisbourne dans ma tête comme une folle ballade.

— Scar, essaie d'arrêter de trembler, me dit Rob.

Sa voix n'était pas douce comme elle l'était d'habitude, mais dure et pleine de tension.

Alors, je serrai encore davantage mes genoux contre ma poitrine, cependant, le dos me fit encore plus mal.

Il termina de me retirer des débris, puis il se mit à me passer du baume sur le dos. J'enfonçai ma tête dans la cape tout en versant des larmes. Ça faisait mal. C'était comme de la douleur avec de la douleur en plus.

— Voilà, dit-il.

Je ne m'étais pas même aperçue qu'il avait arrêté de me frotter jusqu'à ce que je le voie devant moi. Il retira sa chemise, puis en fit une boule qu'il poussa vers moi. Je levai les yeux sur lui, le visage tout humide. Les muscles de sa mâchoire se contractèrent. La main tremblante, je pris la chemise, puis l'enfilai avec précaution avant de lui tendre la cape. Mais son regard était seulement furieux.

— Non, mets-la.

Je lui obéis tout en me mordillant la lèvre.

— Rob, je suis désolée pour les pièces…

— Arrête.

J'arrêtai donc.

— Ne dis rien.

Je clignai des yeux.

— Je pense ne rien pouvoir écouter pour l'instant. Pas après ça, pas après t'avoir vue, la chemise toute déchirée comme Thom… dit-il sans terminer, puis sa bouche se tendit comme un cordon, pour ensuite entendre Gisbourne dire « fiancé[2] ».

---

2. N.d.T.: En français, dans le texte original.

Je tremblais si violemment que j'avais l'impression que mon ventre était sur le point de se détacher à force de trépider.

— Rob...

— Pas un mot, m'interrompit-il en remuant la tête tandis que ses yeux se fermaient. Je ne sais même pas laquelle des deux visions me fait sentir comme ça, comme si j'allais vomir mes organes. Thom t'a fait mal?

Je fis non de la tête, trop effrayée pour parler.

Alors, il me pointa du doigt. Il n'était pas en face de moi, se tenant plutôt de côté, le bras tendu, la poitrine dévêtue.

— Donc, tu es Lady Marian Fitzwalter, n'est-ce pas? La fille cadette de Lord Leaford, la promise de Gisbourne.

Je m'accrochai à la cape. J'étais glacée de part en part.

— Réponds-moi! me dit-il sèchement.

Je hochai la tête. Il détourna le regard. Mes yeux brûlèrent comme si on les avait fouettés, mais en fait, je pleurais, je pleurais comme la fille stupide que j'étais. Tout mon corps palpitait de douleur, me donnait l'impression que quelqu'un m'enfonçait ses pouces dans les yeux.

Il hocha alors la tête, puis alla dans la caverne chercher une tunique qui avait l'air bête sans chemise.

— Ne bouge pas, m'ordonna-t-il tandis qu'il revenait, pour ensuite se diriger dans la forêt.

— Où vas-tu? lui demandai-je en laissant échapper un hoquet avant de me cacher le visage dans les mains, car je ne voulais point le regarder.

— Prévenir les autres. Si Thom est un traître, Gisbourne sera bientôt après eux. Reste ici, me dit-il avant de faire quelques pas. Non, va chez Tuck. Dis-lui de te *cacher*. Si je te vois assise dans la taverne, je jure que je te tuerai moi-même.

Je m'y rendis en courant, laissant le vent emporter mes larmes. Tuck me mit dans une petite chambre de l'auberge où je me lovai dans un coin en prenant une couverture du lit dont je m'enveloppai. Puis, je serrai les genoux contre ma poitrine avant de me mettre à sangloter. J'avais l'impression de perdre Joanna une nouvelle fois, comme si la seule chose au monde qui m'aimait était morte, était partie.

—⁓—

Il se passa beaucoup de temps avant que quelqu'un ne frappa à la porte, ce qui me fit sursauter.

— Scar?

Je ne répondis pas. On ouvrit simplement la porte. C'était John. De nouveau, je me mis à verser des larmes. Je ne voulais pas que ce soit lui, je voulais que ce soit Rob, qu'il me dise que tout allait bien, que je n'avais laissé tomber personne. Ce genre de choses…

— Oh, chérie, me dit-il, puis il approcha, s'assit à côté de moi en me tirant sur ses genoux, me laissant me serrer contre lui.

Je me mis à pleurer encore davantage. Il me frotta le dos.

Cela me fit gémir, aussi m'écartai-je. Il émit alors quelques sons rassurants avant de me serrer de nouveau contre lui en faisant attention à mon dos.

— Chut, murmura-t-il comme si j'étais une enfant. Je suis juste content que tu ailles bien. Les filles, en bas, sont horriblement inquiètes pour toi. Bon, elles ne savent pas que c'est toi que Tuck a placée ici, mais elles m'ont dit que quelqu'un pleurait.

J'agrippai sa chemise, car mes larmes me faisaient de nouveau trembler. Je voulais juste que ça arrête.

— Scar, je suis là. Je ne m'en irai pas, me dit-il tandis que ses mains essuyaient les larmes sur mes joues et que son pouce me caressait le côté de la tête. Scar, je ne m'en irai pas. Je t'aime.

Il attira ma tête plus près de la sienne, puis pressa ses lèvres contre les miennes. Moi aussi, je l'embrassai. Je savais que j'étais une sacrée idiote de le faire, mais je ne pus m'en empêcher. De son côté, il me caressa le cou tout en me gardant plus près de son visage.

Mais ça ne me fut d'aucun secours. Même, en réalité, ça empira tout. J'étais vidée, tordue, malade de toutes sortes de manières. J'avais l'impression que plus rien jamais ne serait bon. Je retirai mes lèvres, mais sa main me garda contre lui.

— John, dis-je doucement, John…

— Ne vous arrêtez pas pour moi.

Je tournai brusquement la tête pour regarder Rob, dans l'embrasure de la porte, son poing serrant la poignée à l'arracher.

— Je suppose donc que tu es remise ?

— As-tu trouvé Thom ? lui demanda John.

— Pas encore.

— Robin, dit alors Tuck qui arrivait dans le couloir. Il faut que vous veniez tous voir ça.

Rob me lança de nouveau un regard furieux, mais je me levai. John voulut m'aider, cependant j'étais déjà debout. J'avais mal partout. Mon côté me faisait mal là où la branche m'avait frappée, j'avais la joue qui palpitait, et de la chaleur se dégageait de mon dos comme d'un feu, ce qui faisait frissonner le reste de ma personne. Ma tête me donnait aussi l'impression qu'on la frappait avec une casserole. Le baiser n'avait pas aidé.

À la porte, Rob m'arrêta, m'empêchant de passer, mais sans vouloir me regarder.

— La cape, me dit-il.

Ses paroles me faisaient l'impression d'une malédiction. John me la passa sur les épaules, puis me mit la capuche. Ensuite, Rob nous laissa tous les deux passer.

Much n'était pas dans la taverne, ce qui me parut étrange. En fait, il n'y avait personne. Tuck sortit. Nous le suivîmes.

Je m'arrêtai net. Tout le monde était silencieux, formant un cercle. Nous avançâmes, puis du vomi, de la douleur et du sang se mirent à se battre les uns contre les autres en moi.

Je n'en suis point fière, c'était assez honteux. Je jetai un coup d'œil au corps, pris environ quatre inspirations désespérées avant que la douleur ne l'emportât et que je m'évanouisse. Thom Walker était par terre, le corps lardé de coups de couteau, la chemise en lambeaux. On lui avait cousu la bouche avec un fil trempé de sang, symbole de la trahison. Le sang avait séché sur son visage. Sur sa poitrine, sur une épaisse couche de sang qui noircissait, Gisbourne avait taillladé ces mots : *DONNEZ-MOI MARIAN.*

CHAPITRE 14

« **A**ujourd'hui, je vais mourir. »

Je m'éveillai. J'étais dans la chambre de l'auberge de Tuck, dans le lit cette fois. On m'avait retiré la cape de sorte que j'étais maintenant recouverte de couvertures. Je me sentais pétrifiée. Je remuai, mais tout mon corps était endolori. J'avais les yeux comme de la sciure, mes côtés étaient chauds et enflés. J'avais des ecchymoses et du sang partout, en moi, sur moi.

Je restai longtemps sur le lit, sans bouger, sans cligner des yeux. C'était tout ce à quoi je pouvais penser, encore et encore. « Aujourd'hui, je vais mourir. » Car je savais que dès que je me mettrais à bouger, je devrais me livrer à Gisbourne. Je ne pouvais laisser quelqu'un d'autre souffrir.

Les garçons n'aimeraient pas ça. Il me faudrait m'enfuir en douce. Je n'aurais pas non plus l'occasion de leur dire adieu. Ensuite, une fois que je serais entre les mains de Gisbourne, il me tuerait. Dieu sait que j'avais fait assez pour le mériter. De plus, comme mon père avait signé le contrat de mariage toutes ces années auparavant, il en avait le droit.

— Je peux voir que tu es réveillée, tu sais.

Je me tournai de l'autre côté en me mordant la lèvre tout en roulant sur mes contusions et mon dos. Puis, je me redressai. Un étourdissement me fit basculer.

C'était Rob, assis le dos à la porte. Il était tout chiffonné, l'air doux, sauf son regard qui était dur, rivé sur le plancher.

— Combien de temps ai-je passé à dormir?

— Tu veux dire, évanouie? Tu as perdu connaissance, Scar.

Le souvenir du corps me revint brusquement et me glaça.

— Ah, oui.

— Tu as été évanouie pendant toute la nuit, sans jamais bouger.

— Pourquoi es-tu ici?

— Parce que je te connais. Je savais que dès que tu te réveillerais tu te sauverais pour te livrer à Gisbourne, me répondit-il en souriant un peu. Ou bien que tu t'enfuirais. D'une manière ou d'une autre, je ne te laisserai pas le faire.

Ma figure se mit à chauffer, mais ça semblait davantage être une menace.

— J'aurais pu jurer que tu me haïssais, hier soir.

— Ç'a peu à voir avec le fait de te livrer ou non à Gisbourne.

— Ce n'est point légal, tu sais, de ne pas me livrer à lui.

— La dernière fois que j'ai vérifié, j'étais un hors-la-loi, alors c'est sans importance. Pourquoi cette manière de parler?

Je baissai la tête pour jouer avec les fils de la couverture.

— Quand j'étais petite, je le faisais pour rendre ma mère folle. J'en étais venue à la conclusion qu'on pouvait me dire quoi faire, mais pas me forcer à bien parler. Alors, j'imitais tous ceux que je pouvais pour la mettre en colère. Puis, nous nous sommes enfuies. Comme Joanna était l'aînée, c'était elle qui parlait aux gens, la plus grande partie du temps.

Horriblement vite, nous nous sommes retrouvées dans l'eau chaude. Alors, je me suis mise à imiter les roturiers. Plus c'était fruste, mieux c'était. C'était si aisé. Plus je parlais de cette manière, plus je pensais comme ça, plus éloignée je me sentais de Leaford et de mes parents. Plus je ne parlai point — pas — bien, plus je me sentais libre.

— J'aurais dû le savoir, répondit-il en remuant la tête, quand tu étais si fâchée contre moi parce que je traite les femmes nobles de manière différente et que tu as parlé comme ça… Je pense que je l'ai su.

— Rob, tu n'as rien su, lui dis-je d'un ton moqueur.

— Non, me répondit-il en soupirant, mais j'aurais dû. Je le savais quand tu parlais, j'en avais souvent une vague idée, mais je ne voulais pas comprendre, ajouta-t-il en déglutissant. Je t'ai rencontrée, une fois, tu ne t'en souviens probablement pas, tu n'étais qu'une petite fille. J'ai traversé tes terres quand je suis parti pour la Croisade, reprit-il, puis il se toucha la poitrine. Ta sœur et toi, vous m'aviez fait une guirlande de petites fleurs pour me porter chance.

— Je n'étais pas si petite, lui répondis-je.

Même en sachant à quel point il était fâché contre moi, penser qu'il m'avait bien remarquée toutes ces années passées me fit rougir.

— En tout cas, je ne pensais pas l'être, repris-je. C'était un peu plus d'un an avant l'affaire avec Gisbourne, alors je suppose que je l'étais.

— Scar, j'aurais dû le savoir, quand j'ai vu tes yeux. Mais je n'ai pas voulu savoir.

— Moi non plus, je ne voulais pas que tu le saches.

— Pourquoi ta sœur et toi vous êtes-vous enfuies? demanda-t-il.

— Joanna était la seule personne qui comptait pour moi, lui répondis-je en reniflant, et moi pour elle. Mes parents avaient signé mon contrat avec Gisbourne. On s'attendait aussi à ce qu'une offre d'un seigneur écossais arrive d'un jour à l'autre pour elle. Nos parents possédaient de très grandes terres, mais pas d'argent pour les garder. Et ils ne pouvaient les vendre, car c'étaient nos dots. Gisbourne et cet autre lord sont donc venus faire leur cour avec de l'argent. Mes parents ont sauté sur cette occasion, poursuivis-je en remuant la tête. On aurait été si loin l'une de l'autre, murmurai-je en fermant complètement les yeux à cette idée, j'avais tellement peur de lui. Mes parents nous avaient présentés l'un à l'autre, puis il avait reçu la permission de m'emmener marcher dans le jardin. En allant avec lui, tout mon corps était comme de la glace. Je ne pouvais l'expliquer, mais il me faisait une sensation tellement horrible. J'ai donc envoyé mes servantes parler à ses serviteurs. Les histoires qu'elles me rapportèrent me glacèrent le sang. Mais quand j'ai dit à mes parents que je ne voulais pas l'épouser, ils ont dit que j'étais têtue, que je ne savais pas ce qui convenait le mieux. Alors, nous nous sommes enfuies, lui dis-je en me mordant violemment la lèvre, la tordant jusqu'à ce qu'elle me donne l'impression d'être un ver dans ma bouche. Elle, elle serait restée, elle aurait épousé son seigneur écossais. C'était moi.

— Qui l'a fait partir ?

Mes yeux se rivèrent sur le plancher pour ne plus se déplacer.

— Elle a pris sa propre décision, Scar, elle était plus âgée que toi.

— Ça n'avait pas d'importance. Si je n'avais pas été lâche, elle serait restée, et si elle était restée, elle ne serait pas morte.

Ces paroles s'interposèrent entre nous, en prenant toujours davantage de place jusqu'à ce que tout ce à quoi je puisse penser, c'était le silence, jusqu'au moment où Rob soupira.

— Pourquoi ne pouvais-tu me faire confiance avec tout ça ? Pourquoi ne pouvais-tu me le dire ? me demanda-t-il.

Je levai la tête. Son regard était sur moi, désolé, mais ouvert et bienveillant.

— Parce que tu es honorable, Rob, parce que ton honneur t'oblige à me rendre à lui.

— Tu n'es pas un cheval, me dit-il en remuant la tête. Tu n'appartiens pas à Gisbourne. Je ne te livrerai pas à lui contre ta volonté. Pour ce qui est de mon honneur, il y a deux opinions quant à cette situation.

Je ne sus plus où me mettre.

— L'une d'entre elles m'est-elle favorable ?

Il sourit, mais ce n'était pas un vrai sourire.

— Gisbourne est un monstre. Je t'ai dit que je te protégerais avec ma propre vie, que je passerais toute ma vie à protéger des filles telles que toi d'hommes comme lui.

— Mais mon père a fait la promesse, lui dis-je, cependant, je savais ce qu'il allait dire.

— Non, répondit-il d'une voix qui me fit de nouveau regarder ses yeux. Non, Scar, tu es *fiancée*. Tout le reste, j'aurais dû le savoir, mais ça…

Je n'ai vu l'océan que quelques fois dans ma vie. L'une d'entre elles, c'était pendant une violente tempête. Le ciel était sombre, traversé de furieuses veines de lumière, les eaux étaient remuées comme si elles bouillaient dans une casserole. C'était tout ce à quoi je pouvais penser en regardant ses yeux.

— M'avoir laissé penser que tu étais libre? C'est le pire mensonge que tu m'aies jamais dit.

Il n'y avait plus de douleur. Le cœur me battait dans la poitrine. Ma bouche devint sèche, comme si tout mon corps refusait de poser la question que je m'apprêtais à lui poser.

— Pourquoi?

Il remua la tête. Des éclairs traversèrent la tempête de son visage.

— Ne me pose pas cette question, Scar, Marian, quel que soit ton nom.

— Pourquoi ne le puis-je pas? lui dis-je en me levant.

Il se leva à son tour, puis s'approcha de moi. Il était plus grand, assez grand pour baisser les yeux sur moi en me faisant sentir petite. La plupart du temps, son regard me faisait sentir plus grande que je ne l'étais. Il me passa le pouce le long de la mâchoire pour se blottir devant mon oreille. Le reste de sa main était sur ma nuque. J'en perdis le souffle.

— Parce que tu es fiancée et parce que si tu ne l'étais pas, tu serais avec John.

— Non, lui répondis-je.

Il me repoussa de la main. Il avait l'air en colère, mais son regard semblait dire que je l'avais poignardé.

— Eh bien, dans ce cas, ça fait de toi une putain.

Mes yeux prirent feu à ce mot horrible.

— C'est bien à toi de dire cela! lui répondis-je sèchement. Gisbourne est un monstre, alors je ne peux être à lui, mais John est quelqu'un de bien, il peut tout à fait me posséder, n'est-ce pas? Il dit qu'il m'aime, alors peu importe ce que je ressens, n'est-ce pas ? Peu lui importait, et peu t'importe, à toi aussi.

— Scar, dit-il alors en m'attrapant par le bras, tu l'embrasses, tu dors avec lui, tu restes seule avec lui — par l'enfer, que veux-tu donc que je pense ?

— En fait, pourquoi donc penses-tu à moi ?

— Je ne pense pas à toi, me répondit-il avant de me regarder droit dans les yeux, puis de me repousser. Je ne penserai pas à toi.

Je fis un pas en arrière. Mon Dieu, comment pouvait-il faire une chose pareille — me faire sentir blessée, petite, seule avec un seul mot stupide ?

— Par le saint Crucifix, Robin de Locksley, je te hais, lui crachai-je avant de le pousser, de saisir ma cape et d'ouvrir la porte.

Il me saisit aussitôt par le poignet, mais je me libérai d'un geste sec.

John était dans le couloir. Il me prit par la taille.

— Hé, chérie, me dit-il.

Un accès de douleur me traversa le dos, aussi le repoussai-je.

— John, je ne suis pas ta chérie !

Il eut tellement l'air d'avoir reçu une gifle que je sentis des larmes me venir aux yeux. Je m'arrêtai pour lui mettre la main sur la joue, pouvant sentir Robin derrière moi.

— Je t'aime, John, mais je ne veux pas du tout que tu m'embrasses. En plus, la seule raison pour laquelle tu veux m'embrasser, c'est que tu as vu mes rondeurs dans une robe.

Il frotta alors sa joue rugueuse contre ma main à la manière d'un chat.

— Ce n'est pas vrai, tu *veux* que je t'embrasse, ne me mens pas.

Ma main tomba tandis que mon visage se mettait à brûler.

— Non, John!

Ses yeux se durcirent en me regardant avec beaucoup d'inquiétude, mais je remuai la tête. Rob le regarda alors avec un air moqueur. Les yeux de John passèrent alors à Rob, puis il éclata de rire. Ce n'était pas un rire joyeux.

— Ah, je vois ce dont il s'agit.

Je fus de nouveau traversée par un accès de honte en sentant l'horrible regard de Rob dans mon dos. Mon visage se décomposa tandis que John devenait tendu.

— Y a-t-il quelque chose dont on devrait discuter, toi et moi, Rob? lui demanda alors John.

— Non, lui répondit-il.

Je m'avançai, laissant John derrière moi, les larmes aux yeux.

— Scar, où vas-tu?

— Tu le sais très bien, lui répondis-je.

— Où? demanda John.

Je ne m'arrêtai point, mais Rob me suivait.

— Tu dois tout au moins réparer les pots que tu as cassés. Le shérif a arrêté 27 personnes pour ne pas avoir payé le cens, dont 13 sont des enfants, Scar. Tu ne peux pas simplement laisser cela derrière toi.

— Ce n'est pas ce que je fais!

— Alors, tu voudrais qu'ils te voient mourir? Tu voudrais que tous ces enfants te voient te faire tuer en sachant que c'est leur faute? rugit-il. Tu leur mettrais ça sur les épaules, sur leur conscience?

Je dus m'appuyer contre le mur, anéantie, sans me retourner pour le regarder. Je n'osais pas. Il était furieux, mais je me demandais — souhaitais — qu'il soit en train de dire que *lui* ne voulait point me voir mourir. Rob avait parfois cette manière de dire autre chose que ce qu'il pensait.

— Ce n'est pas sa faute, intervint Much qui arrivait dans l'escalier.

— Par l'enfer, ça l'est, lui répondit Rob, ce qui me fit grimacer comme s'il m'avait frappée de ses paroles et fracassé mes espoirs contre des rochers. Je ne la laisserai pas se livrer, mais oui, en ce moment présent, je pense que c'est sa faute.

— Rob! s'écria Much, nous sommes tous en colère, certains de nous pour différentes raisons, mais ce n'est pas le moment de blâmer les autres pour ce qui s'est passé.

— Much, lui dis-je alors, les yeux brûlants, c'est juste de me blâmer.

— Ce n'est pas toi qui as fait ça, persista-t-il. De toute manière, que peux-tu faire sans nous?

— C'est facile, lui répondis-je doucement. Gisbourne fera presque n'importe quoi pour m'attraper. Je peux m'échanger contre les gens du village.

— Alors, tu es Marian? me demanda-t-il en soupirant.

Je hochai la tête.

— Scar, tu ne peux pas y aller. Il connaissait à peine Thom. Que te fera-t-il, à toi?

— Peu importe. Ma vie peut en acheter 27 autres. Que voudrais-tu que je fasse d'autre, Much?

Il monta une nouvelle marche, se rapprochant de moi.

— Que tu te battes.

Je le regardai alors.

— Que tu te battes, Scar, répéta-t-il, parce que Dieu sait que moi, je ne peux me battre comme je le voudrais.

Je ne pensais jamais beaucoup au bras de Much si je pouvais l'éviter, à ce moignon noir plein de cicatrices là où sa main avait été coupée par les hommes du shérif et qu'il gardait dans une poche ou sous sa cape. Mais maintenant, il le mit entre nous, et je posai ma main dessus. Si jamais je pouvais guérir quoi que ce soit, comme je souhaitais que ce soit son bras.

— Je vous aiderai, puis je partirai, lui répondis-je, pour de bon.

Much regarda alors du côté de Rob, puis je le croisai, le laissant derrière moi. La porte d'entrée de la taverne était vraiment tentante, mais je me dirigeai plutôt dans la cuisine où je pris un peu de bouillon. Le soulagement me traversait par accès avec la douleur, tout comme un degré de peur effarant, écrasant, terrassant.

—ɷ—

Tuck me laissa rester dans la chambre pour les jours suivants. J'avais besoin de guérir un peu, ce qui se faisait mieux nourrie et au chaud. Je pense que les garçons acceptèrent parce que Tuck et sa femme veillaient davantage sur moi qu'eux le faisaient. C'était étrange d'être si loin d'eux, étrange d'être si loin de Rob, mais je ne souhaitais nullement penser à ça.

Je ne voulais point aller au village, car j'étais convaincue qu'on me lapiderait, ou bien qu'on me ferait quelque chose d'horrible. De plus, je devais trouver un plan, mais rien ne me venait. Rob arriverait à tout moment pour me dire que les gens du village mourraient le lendemain, et je n'aurais pas de plan.

Les garçons arrivèrent ensemble pendant que je passais la serpillière sur le plancher, car la femme de Tuck, Ethel, pensait qu'il n'y avait aucune raison pour que je ne fasse quelques travaux légers puisque je ne payais rien. Je m'arrêtai donc tout en me redressant.

— C'est pour quand ? leur demandai-je.

— Dans cinq jours, me répondit John.

— Cinq jours ? lui demandai-je, mais n'est-ce pas le mariage de Ravenna ?

— Du shérif, tu veux dire ? me dit alors Rob. Dans quatre jours. On pendra tout le monde le lendemain de la noce, parce que le shérif est déçu que les gens d'ici ne l'aiment pas comme ils le devraient.

Je le regardai ; il avait l'air usé, comme une vieille poupée.

— Ce n'est pas tout, reprit John, et sa voix semblait plus pesante que l'ancre d'un navire. Ils ont déplacé la prison. Tous nos villageois sont prisonniers d'un lieu où nous ne sommes jamais allés et dont on ne sait comment sortir.

La serpillière m'en tomba des mains.

— Comment le savez-vous ? lui demandai-je.

C'était mauvais de tellement de manières.

John regarda alors Rob, qui se pencha vers moi, en se méfiant des autres personnes dans la salle.

— Par Ravenna.

Je haussai le cou vers lui, certaine d'avoir mal entendu.

— Quoi ?

— Ravenna. Elle nous a fait passer ces renseignements. Elle tentera aussi de nous avoir un plan de la prison.

Je fis deux pas vers lui en lui poussant ses grosses épaules.

— Espèce d'imbécile, tu vas la faire tuer ! lui dis-je d'une voix sifflante.

— Du calme, Scar, me dit John en me retenant. C'est Godfrey qui nous l'a fait passer. Nous ne sommes pas allés lui demander.

— Eh bien, vous ne devriez pas accepter ce plan ! Ils vont s'en rendre compte. Gisbourne est plus intelligent que vous tous. Il devinera. Il le dira au shérif, puis ce dernier *la tuera*. Je suis peut-être responsable du reste, mais Robin, c'est toi qui es à blâmer pour elle ! grognai-je.

Ce n'était pas vrai, je le savais, mais je me sentais malade, en colère, et j'éprouvais une haine horrible envers lui.

Rob poussa John, puis me bouscula. Je perdis pied, plus de surprise que de douleur. Jamais il ne s'était conduit avec une telle muflerie.

— Je suis responsable d'eux *tous*, Marian, me dit-il alors en crachant mon prénom comme une malédiction. Chaque mort, chaque souffrance qu'ils ont à supporter sont une nouvelle tache à mon âme — comprends-tu cela ?

Je fus prise de fureur et de honte comme s'il y avait eu un incendie en moi.

— Non, tu n'as pas ce droit ! hurlai-je.

Enfin, dans la mesure où je pouvais hurler, tout au moins. Puis, je le saisis par les épaules pour lui envoyer un coup de genou dans les parties, ce qui le fit se plier tandis que John et Much poussèrent tous deux un gémissement pour lui. Ensuite, par terre, je le redressai.

— Tu ne vas *pas* faire ton maudit martyr, tu m'entends ? Tu es un garçon stupide, têtu, obstiné, et tu ne mettras pas davantage de gens en danger. On va trouver la disposition de la prison comme on l'a fait pour l'ancienne, puis on les fera sortir sans l'aide de Ravenna. Et ne m'appelle plus jamais, *jamais* Marian.

Sur ces mots, je repris la serpillière pour me remettre à laver le plancher tandis que Rob se relevait avec difficulté, le visage rouge. John riait et Much cachait un sourire.

— Vous trouvez ça drôle, vous deux ? leur demandai-je alors. Je vais vous émasculer, vous aussi, si c'est ce que vous souhaitez.

Ils firent un saut en arrière.

— Tu ne m'as pas *émasculé*, grogna cependant Rob, et je n'apprécie pas ce que cela implique.

— Ce n'était qu'un coup de semonce, lui répondis-je en jetant la serpillière par terre. La prochaine fois, je ferai plus d'effort.

— Pas de prochaine fois, Scar, répliqua-t-il en se couvrant.

Je pourrais mentir en disant que je n'avais point remarqué qu'il m'avait appelée Scar, mais ce n'était pas le cas, et ça m'excitait.

— Écoutez, repris-je tout en continuant de passer la serpillière, j'ai peut-être un plan.

Rob croisa les bras, cependant les autres semblaient assez intéressés.

— Gisbourne a tout chamboulé dans le château, mais il reste toujours une espèce qui peut y pénétrer.

— Les rats ? me demanda John avec un petit rire.

— Je ne pense pas qu'elle parle d'animaux, John, lui répondit calmement Much.

— Une espèce sainte, leur dis-je alors en regardant Rob.

— Tu veux qu'on se fasse passer pour le *clergé* ? s'écria alors Robin dont les yeux se levèrent brusquement au ciel.

—ᴍᴍ—

— Il connaît ton secret, me dit Rob en grommelant tout en réarrangeant sa robe monacale tandis que nous marchions derrière frère Benedict.

— On ne peut mentir à Dieu.

— Il n'est pas Dieu, me répondit-il en tendant brusquement le bras en direction du religieux.

— C'est un moine, Rob.

— Alors, tu ne me l'as jamais dit parce que je ne suis pas assez saint ?

— Contente-toi de te taire. Quand ce sera fini, on n'aura plus jamais besoin d'en parler ni de se revoir.

— Tu vas vraiment partir ?

— Je te l'ai dit.

— Mais tu l'avais déjà dit à John aussi, pourtant, ça ne s'est pas produit.

— Je ne te mens pas, Rob. Je n'ai jamais parlé de mon passé, mais je ne t'ai jamais menti, et ce n'est pas le cas en ce moment. Une fois que les villageois seront en sécurité, je m'en irai.

— Très bien.

— N'est-ce pas toi qui es toujours en train de me dire de partir ? répliquai-je sèchement.

— J'ai dit « très bien ».

Je lui lançai un regard noir, mais il était caché sous sa capuche monacale, de sorte qu'il ne s'en aperçut point. La nuit tombait sur nous quand nous arrivâmes au château. Le garde nous examina.

— Vous êtes trop nombreux, mon frère.

— On m'a dit que vous aviez beaucoup de gens dont il fallait s'occuper.

— Mon Dieu, c'est bien vrai, lui répondit alors le garde en regardant la herse. Entrez, ajouta-t-il en faisant signe aux autres gardes de nous ouvrir le portail.

Franchement, c'était ce que je préférais dans le fait d'être une voleuse — et une sale voleuse. Parfois, si seulement on avait un peu d'ichor dans le sang, on pouvait s'infiltrer là où personne ne le pouvait, faire des choses que personne d'autre n'oserait faire, comme pénétrer au château de Nottingham avec une escorte dont le but n'était point de nous faire prisonniers.

Nous nous dirigeâmes à travers les divers niveaux du château, dépassant l'ancienne prison dans l'enceinte intermédiaire jusqu'à la supérieure, puis le garde nous conduisit du côté des appartements où, il y avait presque un mois, j'avais vu les ouvriers et les gardes aller et venir. Comme j'avais été bête ! Pourquoi n'étais-je pas allée voir ? Nous aurions été au courant depuis une éternité, j'aurais eu le temps d'échafauder un plan adéquat.

Il y avait un escalier taillé à même le sol que nous descendîmes pour nous enfoncer dans la roche dans laquelle le château de Nottingham était bâti. Il était étroit, se terminant dans une large enceinte où se trouvaient de nombreux gardes, ce qui voulait dire que son entrée aurait tout aussi bien pu être la faux même de la mort. Jamais ne nous infiltrerions-nous par là vivants.

Les gardes nous laissèrent nous rendre jusqu'aux cellules disposées en U. Il y en avait 30. Des lampes les éclairaient, mais l'air était lourd, renfermé, me rampait sur la peau. Comme il n'y avait pas d'air frais, cela signifiait qu'il n'y avait aucun conduit d'aération, aucun moyen pour moi de me faufiler pour entrer ou sortir. Il y avait aussi dans un coin, à l'autre extrémité, un escalier menant plus bas, vers lequel mon esprit se projeta immédiatement.

J'entendis claquer un fouet dans cette direction, ce qui me fit deviner ce qui se passait à cet étage. Je donnai un coup sur le poignet de Rob et, pendant qu'avec les autres il se dirigeait vers les prisonniers pour prier avec eux, je me précipitai de l'autre côté pour descendre l'escalier.

Je restai près du mur, sans savoir au juste si le fait de jouer au moine ou au vif voleur me secourrait avec ce qui se trouvait au bas de cet escalier, peu importe ce que c'était. Je descendis lentement tout en voyant le mur rugueux qui avait été creusé et qu'une infiltration d'eau rendait humide. Je m'accroupis pour regarder dans la salle, puis je me redressai. Il y avait un grand feu, et du sang, du sang partout. La prison ne datait que de quelques semaines, pourtant le sang paraissait déjà avoir trempé le sol, avoir coulé dans la grille qui se trouvait au centre de la salle. Il y avait des tenailles, des chaînes, tout un mur d'instruments de torture qui firent flageoler mes genoux. Certains étaient enfoncés dans le feu pour qu'ils soient prêts à être utilisés. Du côté de la grille se trouvait aussi un bloc dans lequel un sillon avait été taillé. Il était taché, inondé de sang. Je savais à quoi il servait : à couper les mains, comme on l'avait fait pour Much.

Je ravalai le goût amer que j'avais dans la bouche avant de descendre l'escalier. Un homme imposant avec une

fourrure de poils sur la poitrine se trouvait là, vêtu seulement d'un pantalon. Sa peau était couleur de bronze, mais je
ne savais point si cela était dû à l'éclairage, à la sueur et au
sang, ou si c'était plutôt sa propre étrange couleur. D'une
manière ou d'une autre, il était une fois et demie plus imposant que John, de sorte que je sentis la peur monter en moi.

— Par tous les démons de l'enfer, qui es-tu ?

— Le frère Francis, lui répondis-je. Je suis venu prier
avec le prisonnier.

Il cracha dans la rivière de sang par terre, puis hocha la
tête avant de s'éloigner pour me laisser un peu de temps
seule avec le prisonnier.

L'homme, tenaillé, était affaissé, le dos déchiré et en
sang. Ses chaînes se tordirent tandis qu'il se retournait lentement. C'était Hugh Morgan, le mari de cette idiote de dame
Morgan.

— Mon frère, gémit-il en baissant la tête.

Je pouvais entendre de l'eau couler, le feu qui brûlait,
mais il était à bout de souffle, et sa voix n'était qu'un râle,
accompagné de bave et de postillons.

— Mon enfant, repris-je d'une voix dure, pourquoi te
traite-t-on d'une telle manière ?

— Ils pensent que je sais où Robin des Bois se cache.

— Et tu refuses de leur dire ?

— Ils m'ont tout pris. Ma femme et mes filles sont en
haut — les avez-vous vues ?

— Pas encore. Je regarderai.

— Dites-leur que je les aime.

— Vous n'allez pas mourir, Hugh.

— Vous connaissez mon nom ?

Bon sang.

— Eh, lui dis-je, je suis un homme de Dieu, Hugh.

C'était un bien faible mensonge.

— Mon frère, je ne leur donnerai rien quand eux m'ont tout pris.

Je posai une main sur sa poitrine en espérant qu'il souffrait trop pour voir comme elle était petite et douce, sans jointure poilue.

— Le salut viendra, Hugh. Le quatrième jour. Je vous en prie, résistez.

— Jésus viendra pour moi ? gémit-il.

— Non, lui répondis-je en rabattant assez ma capuche pour qu'il puisse voir mes yeux. Mais moi, oui.

Ce fut alors que je le vis, dans ses yeux : l'espoir. La seule raison pour laquelle nous faisions tout cela, la seule raison pour laquelle je n'étais point sûre de pouvoir jamais quitter Rob — c'était l'espoir.

— Reste fort, Hugh, et prie. Ça aide.

— Occupe-toi de ma famille.

Je hochai la tête tandis que le tortionnaire descendait l'escalier.

— Cet homme s'est confessé. Il jure ne pas savoir où se terre le Prince des voleurs. Je ne peux imaginer qu'il risque son âme immortelle pour protéger un vaurien.

L'homme poussa un grognement en le regardant.

— De toute manière, j'en ai terminé avec eux. Si Robin des Bois a un repaire, ces gens ne le connaissent pas.

Je m'engageai alors dans l'escalier avant de m'arrêter.

— Si vous souhaitez vous confesser, Dieu et son Fils attendent tous deux d'alléger votre âme, lui dis-je.

Il réfléchit à ma proposition un instant. Je ne savais point s'il avait un secret bien juteux à confesser, cependant, j'étais certaine que je devrais moi-même me confesser une fois dimanche, mais ça valait certainement la peine.

— Non, mon frère.

Je hochai la tête, puis montai l'escalier. Les autres se trouvaient avec les prisonniers, leur parlaient, priaient avec eux. Je me dirigeai jusqu'à eux et vis dame Morgan et ses filles regroupées. Elles sanglotaient. À travers les barreaux, je lui passai du pain, sans que mon regard croisât le sien quand elle l'accepta. Mais elle me prit le poignet et le serra, pas de manière agressive, mais gentille. Je hochai la tête. Ce n'était pas le moment pour l'orgueil.

Ensuite, je répartis le reste de la nourriture que j'avais apportée sans dire un mot, car Hugh ferait passer le message en faisant moins de bruit que moi.

Partir me faisait une horrible sensation. Je pensais à Ravenna, à Joanna, à toutes les fois où j'avais laissé quelqu'un derrière moi, pour ensuite presque me tuer de l'avoir fait. Avec eux, ça ne serait pas comme ça : je vais les sortir.

Nous partîmes tous les trois sans dire un mot jusqu'au moment où nous nous réunîmes chez Tuck, après avoir reconduit frère Benedict et ses robes. Une fois là, nous descendîmes à la cave. Tuck nous apporta de la bière.

— Ce n'est point éloigné du tunnel, dis-je alors, beaucoup plus près que l'ancienne prison.

— Oui, mais on devra compter avec une énorme diversion. Quelque chose qui attirera tous ces gardes hors de la prison, car la seule manière d'y entrer ou d'en sortir, c'est par la porte.

Je hochai la tête en pensant à la grille du niveau inférieur. Il faudrait que je voie où ça menait avant d'en parler, cependant.

— Je pense pouvoir en provoquer une, dit cependant Much, avec la poudre de la caverne.

— Une explosion ? lui demanda Robin.

— Je n'en ai pas trouvé assez pour ça, répondit-il en secouant la tête. Presque, mais pas assez.

— Mais que peut-on allumer qui leur tiendra assez à cœur ? demandai-je. Les appartements sont trop proches, ça ne nous donnerait vraiment pas assez de temps.

— Les appartements nobles, me répondit Rob en vidant son broc, mais je suppose que tous les gardes ont leurs familles dans des cahutes. Or, nous voulons que les gardes s'enfuient, non ?

— Sans faire de mal à personne, ajoutai-je.

— Ça, je peux y arriver, répondit Much en hochant la tête. Avec John.

Celui-ci regarda dans ma direction. Je sentis son regard sur moi.

— Il te faudra vraiment la protéger, Rob.

— Je vais la protéger de toute ma vie, de tous mes os, John, tu le sais bien.

Ses paroles étaient implacables. En outre, c'était vraiment ce qu'il pensait. Aussi me retrouvai-je à le fixer tandis que son regard se posa un bref instant sur moi, mais il le détourna.

— On se protège tous les uns les autres, personne ne sera blessé ni ne se fera prendre. Rien, dis-je alors.

— Nous avons deux jours pour obtenir tout ce dont nous avons besoin. Nous irons la veille du mariage, annonça alors Rob.

— Pourquoi pas la nuit suivante ? lui demanda Much. On a beaucoup de préparatifs devant nous.

— Nous ne pouvons prendre ce risque, lui répondit Robin. S'il y a un problème, s'ils nous attendent, on aura besoin de cette nuit supplémentaire pour s'assurer de tous les faire sortir vivants.

CHAPITRE 15

Ces deux jours passèrent à grande vitesse. J'avais vérifié le cours d'eau qui passait près du château, mais il ne s'y trouvait pas la moindre goutte de sang, de sorte que si la grille de la prison était reliée avec l'extérieur, ce n'était pas par là. Fidèles à notre plan, nous étions ensemble dans la caverne en train de nous préparer au combat. Je couvris tout mon corps de couteaux, et Rob avait sa grande épée de la Croisade, des couteaux ainsi que son grand arc. Much avait son katara, John, son bâton de combat et une épée. Les garçons avaient aussi des morceaux d'armure que nous avions piqués, mais rien ne m'allait bien, aussi m'étais-je recouverte de cuir épais. La mère des chatons me tournait autour des chevilles, aussi me dis-je que c'était chanceux, comme si elle m'ornait d'une ancienne magie celte.

John me saisit par le poignet pour m'attirer à l'extérieur de la caverne, là où les autres ne pouvaient nous voir. Il m'embrassa, mais d'un petit baiser rapide. Je lui jetai cependant un regard noir.

— Pour te porter bonheur, me dit-il avant que j'aie le temps de crier. Et ça aussi.

Il me mit du métal froid dans les mains sur lequel je baissai les yeux. Mon couteau préféré, celui que le garde avait cassé, était réparé. Il était parfait, jusqu'au petit grenat de la poignée. Il y avait même attaché mon ruban comme je l'aimais.

— Scar, tu dois rester en vie. C'est peut-être tes rondeurs dans une robe ou c'est peut-être seulement toi, mais il y a là quelque chose que j'aime vraiment beaucoup. Alors, ne va pas te faire tuer.

Je sautai légèrement pour lui passer les bras autour du cou, mais il me tint contre lui, me serrant dans ses bras sans que je touche le sol.

— Toi aussi, lui dis-je. Et assure-toi de garder Much en vie. Je vous aime tous vraiment beaucoup.

— Mais pas moi spécialement ? me demanda-t-il en me posant par terre.

— John, je ne pense pas que mon amour soit du genre que tu recherches.

— Allez, Scar, on sait tous les deux que tu m'aimes bien, me dit-il en me souriant, mais je détournai le regard.

Much et Rob venaient d'apparaître à l'entrée de la caverne, et mon regard se posa directement sur Rob.

À cette vue, le visage de John prit un air renfrogné.

— Oui, tu m'aimes bien, sauf que je disparais dès que le noble comte Huntingdon est présent, n'ai-je pas raison ?

— John… tentai-je en le regardant de nouveau, mais il remua la tête en s'éloignant.

Je glissai le couteau sous mon gilet là où était sa place, tout en soupirant. Ensuite, je serrai Much dans mes bras, puis j'allai trouver Rob. Je restai en face de lui pour ce qui me parut une vie entière.

— Rob, on va les libérer, je le jure.

— Je sais, me répondit-il. Pour ça, tu es la seule personne en qui j'ai confiance, femme ou non.

À ces mots, mon cœur se gonfla.

— Tu es la seule personne en qui j'ai confiance, Rob.

Cependant, son visage tressaillit comme si je l'avais giflé.

— Je ne veux pas entendre que tu as confiance en moi. Tu m'as menti sur toute la ligne.

— Pas sur toute la ligne, Rob.

— Non ? Sur quoi m'as-tu dit la vérité ? Ton nom ? Ta famille ? Ton fiancé ?

— Je t'en ai dit plus que je n'en ai jamais dit à quiconque, lui dis-je, l'air renfrogné. Personne ne sait pour Joanna. Jamais je n'ai dit à personne ce que je t'ai dit à toi. Je sais que tu es fâché après moi. Tu as le droit de l'être. Mais tu l'as toi-même dit — tu m'as vue, et tu m'as connue, au moment où je ne voulais point que personne ne me regarde.

— Ça, Scar, c'est ce qu'il y a de pire, me répondit-il en remuant la tête. Je pensais que je te connaissais mieux que quiconque, que je pouvais te raconter ce qui me tenaillait le cœur, te confier cela en toute confiance, que tu pourrais faire la même chose avec moi. J'étais *stupide* de penser… s'inter-rompit-il subitement en remuant de nouveau la tête. Mais j'avais tort. Tu me connais parce que je me suis offert à toi. Mais toi, tu ne pouvais te donner, tu n'étais plus à toi. N'est-ce pas ?

— Rob, le suppliai-je.

— Arrête, me répondit-il en levant une main pour me faire taire. On pourrait bien mourir aujourd'hui, et de tous les moments où nous avons frôlé la mort, c'est la première fois que j'ai l'impression qu'il n'y a aucun espoir vers lequel revenir. Alors, contentons-nous de libérer les villageois, puis ce sera terminé. Tout sera terminé.

Le regard orageux de Rob croisa alors le mien, ce qui me mit les larmes aux yeux. Sa mâchoire tressaillit, mais il se contenta de me regarder jusqu'à ce que je hoche la tête, puis il se détourna.

—‌ɷ—

Nous nous séparâmes tôt, Rob et moi, passant d'abord par le tunnel pour disposer les cordes qu'utiliseraient les villageois pour descendre. Puis, nous escaladâmes la muraille, passant entre deux groupes de gardes, pour ensuite sauter par terre. Après quoi j'allai ouvrir la porte du tunnel avant de le rejoindre. Nous attendîmes dans le noir près de la prison, épaule contre épaule. Mon cœur battait à un rythme régulier.

Au bout d'un moment, nous entendîmes le crépitement d'un feu qu'on allumait, suivi de cris et de gens qui commençaient à se diriger vers la muraille pour voir ce qui se passait. Peu après, les voix se firent plus aiguës tandis que davantage de gens sortaient. Il fallut un moment pour que les gardes remontent puisqu'ils étaient en bas, mais une fois qu'ils furent en haut et qu'ils virent l'incendie, ils n'hésitèrent pas. Ils se mirent à courir en se dirigeant vers le portail principal, un, deux, trois, quatre.

Cela voulait dire qu'il en restait toujours un en bas. Rob se dirigea le premier vers l'entrée en prenant son arc avant de descendre l'escalier à toute vitesse. Il laissa partir une flèche avant d'avancer tandis que je le suivais. Je vis alors le garde tomber, une flèche directement dans la gorge. Je l'entendis aussi pousser son dernier souffle, ce qui me fit grimacer. Une mort rendait cette soirée mauvaise, en particulier en se produisant ainsi dès le début.

Nous avançâmes ensuite, Rob s'emparant des clés du garde mort tandis que je commençais à crocheter les serrures. C'était la pire partie. Nous fîmes taire tout le monde, mais nous savions que peu importe le temps qu'il nous faudrait, ce serait trop long. Chaque souffle faisait croître le danger.

Les gens commencèrent à sortir, les familles restant ensemble tandis que je les comptais et que nous les envoyions en avant.

— Rob, l'appelai-je.

— Oui ? murmura-t-il.

— Vingt-six.

— Il doit y en avoir un en bas, me répondit-il en hochant la tête.

— Il ne sera pas seul.

— Je peux m'en occuper. Conduis ces gens au tunnel. Je t'y rejoindrai. Il ne nous reste plus beaucoup de temps.

Je hochai la tête et me précipitai vers l'avant.

— Suivez-moi d'aussi près que vous en êtes capables ! leur dis-je en montant l'escalier avant de jeter un regard dehors.

Des nobles sortaient des appartements en grand nombre maintenant, ce qui nous donnait une petite couverture pour la prochaine étape, c'est vrai, mais toutes ces paires d'yeux qui regardaient de l'autre côté pouvaient tout aussi rapidement nous voir et lancer l'alerte.

— *Courez*, leur ordonnai-je, puis je me précipitai en haut, traversant la porte, pour ensuite pousser les gens de l'autre côté.

L'incendie projetait des trombes de fumée dans les airs. Dans la cour, tout le monde le regardait.

Treize personnes étaient passées quand je vis Ravenna sortir des appartements de l'autre côté de la cour, le shérif un pas derrière elle. Voyant les villageois, elle fit demi-tour, prit le bras du shérif en l'entraînant vers les archères. Tandis qu'ils se déplaçaient, je vis que Gisbourne était là, le long de la muraille, en train d'observer le spectacle.

D'abord 16, puis 18 passèrent, puis 20 quand finalement Gisbourne se retourna. En me voyant, son menton s'affaissa, son regard devint maléfique, haineux.

— Courez! criai-je en passant des couteaux entre mes doigts comme de la ficelle jusqu'à ce que de l'acier pointe entre chacune de mes jointures.

Gisbourne appelait les gardes en hurlant. Les villageois restants descendirent à toute allure hors de la prison pendant que je les cachais, me tenant devant eux à bloquer l'entrée du tunnel tandis que les gardes commençaient à se ruer vers moi pour m'attaquer.

Je me mis alors à lancer mes couteaux avec l'intention de tuer, mais il y avait trop de gens dans ce lieu, trop de gens qui pouvaient se retourner contre moi pour se mettre à me combattre. Il me fallait plus de temps, il me fallait Robin.

— Celle-là, elle est à moi! rugit cependant Gisbourne en courant vers moi.

Il dégaina son épée, une longue claymore à la poignée noire. Il rabattit le premier couteau que je lançai vers lui, mais je m'échappai et lançai deux autres couteaux dans la gorge de deux gardes qui se dirigeaient vers la porte du tunnel. Gisbourne grogna avant de faire un pas en avant, mais je me rapprochai et réussis à planter un couteau dans le bras avec lequel il tenait son épée. Puis, je m'esquivai. Cependant, il attrapa ma capuche qu'il rabattit.

Il tenait maintenant ma torsade de cheveux à travers la capuche, ce qui le fit rire, puis il me tira brusquement vers l'arrière jusqu'à ce que je tombe.

— Je t'ai! s'écria-t-il en riant.

Mon sang ne fit qu'un tour tandis qu'il me tirait de nouveau pour m'entraîner.

— Je me fous de mes cheveux, tu sais! crachai-je avant de me retourner rapidement en baissant la tête pour couper la capuche et mes cheveux afin de pouvoir m'enfuir.

Puis, d'un bond, je fus debout, prête à l'affronter.

— Et jamais tu ne m'as eue, pas même une seconde.

Je lui lançai un couteau qui alla se planter dans la partie charnue de son épaule. Il laissa tomber son épée comme un poids mort, puis s'écroula sur un genou de toute sa masse.

Juste à ce moment, un bras me saisit par la taille, mais j'écrasai le pied du garde avant de lui mettre un coup de coude en pleine face, l'assommant par la même occasion. En voilà au moins un que je n'aurais point à tuer. Cependant, un autre garde était en train d'ouvrir la porte du tunnel, aussi sautai-je par-dessus Gisbourne, mes deux derniers couteaux à la main. Puis, je me redressai sur mes deux poings refermés dont les couteaux sortaient comme les rayons d'une roue de charrette et me redressai à temps pour lui envoyer le plus pointu dans la gorge. Il tomba juste avant la porte tandis qu'à ce spectacle, deux accès d'horreur et de victoire me traversaient.

Rob atteignit le sommet de l'escalier en compagnie d'un homme ensanglanté presque incapable de marcher par lui-même qui s'appuyait lourdement sur lui. Gisbourne se releva alors d'un bond, les yeux noirs d'excitation en se dirigeant vers Robin. Le temps d'une respiration, je demeurai figée sur place à observer Gisbourne s'avancer vers lui, mais celui-ci ne le regarda même pas, sa seule préoccupation étant de mettre l'homme en sécurité.

Rob était un héros, des pieds à la tête.

Mais moi, non, encore que les anciennes femmes nobles à mauvaise réputation et en colère avaient aussi leur place. Ainsi, que Rob le voulût ou non, je me tiendrais entre Gisbourne et lui. Une voleuse pouvait bien mourir pour que le héros survive.

Il me fallut trois pas en avançant sur le sol poussiéreux aussi vite que j'en étais capable pour atteindre Gisbourne. Il était en train de brandir son épée vers Rob, un sourire tordu sur les lèvres pendant que Rob, lui, tentait d'entraîner l'homme qui n'allait pas assez vite. Avec un cri de banshie, je plongeai vers l'avant pour me précipiter sur Gisbourne en l'attrapant par la taille et le détourner de Rob. Son épée me frappa gauchement l'épaule, ce qui me fit crier quand la lame m'ouvrit la peau en s'enfonçant profondément.

Il me saisit alors par la gorge en me projetant de l'autre côté avant de se jeter sur moi. Ensuite, il se mit à me la serrer à tel point que j'en eus les larmes aux yeux.

— C'est tout ce que je veux, petite traînée, cracha-t-il, littéralement, sur mon visage. Je veux te voir mourir. Je veux voir la lumière quitter tes yeux de démon. Tu m'as humilié, tu m'as nargué pendant toutes ces années. Maintenant, je veux que tu sentes que tu es en train de mourir.

Je cherchai par tous les moyens à respirer, lui égratignant le visage tout en remuant les jambes de tous côtés. Puis, je lui envoyai un coup en pleine figure, mais ça le fit seulement rire, comme si quelque démon le possédait. Je lui enfonçai alors les pouces dans les yeux, mais il me repoussa comme un insecte.

Dans mes propres yeux, des feux d'artifice explosaient, traçant des éclairs qui m'étourdissaient. Je pouvais aussi sentir mon corps s'agiter hors de ma volonté en paniquant pour de l'air.

— Ôte-toi de là, par tous les diables! hurla Rob.

Je vis alors son épée apparaître sur le cou de Gisbourne, prête à le trancher.

Gisbourne me lâcha, mais en roulant de manière à me bloquer le passage. Cependant, Robin l'attaqua. Avec la fumée et les éclairs que j'avais dans les yeux, il avait l'air d'une espèce d'ange, traversé de fureur sainte et d'ardeur vertueuse. Leurs épées s'entrechoquèrent et revolèrent dans la fumée, Robin le combattant tout en le faisant rapidement reculer.

— Scar, va au tunnel! rugit-il. Un garde a réussi à y entrer, je ne sais pas où il est rendu.

Mais, moi, j'étais toujours en train de crachoter en essayant de retrouver le souffle. Un garde se jeta sur moi, mais je lui envoyai un coup de pied en pleine poitrine avant de lui déchirer le visage, puis de l'envoyer par terre.

— Je ne partirai pas sans toi! criai-je sèchement.

— Comme c'est mignon, dit alors Gisbourne en frappant Rob. Alors, tu es le nouvel amant de cette petite putain? Ne la crois pas si elle te dit qu'elle t'épousera, le nargua-t-il avant de s'avancer de nouveau vers lui.

— Scar, occupe-toi du garde, sinon les villageois sont *morts*! Je te suis!

— Gardes, ne la laissez pas s'enfuir! cria cependant Gisbourne.

J'en repoussai un autre tout en hésitant.

— Rob, viens maintenant!

Toutefois, Gisbourne l'accula au mur, mais Rob le frappa dans les côtes.

— Marian, il est quelque peu occupé! dit alors Gisbourne.

Il avait le visage en sang, ce qui donnait à son sourire l'air d'avoir été tracé avec du sang de démon, un air fou et pervers.

— Robin! criai-je de nouveau tout en laissant le garde me repousser.

— Sacrebleu, Scar, occupe-toi du garde maintenant! m'ordonna cependant Rob.

Tout en moi hurlait, mais je me débarrassai de deux autres gardes, puis je me rendis au tunnel. Je refermai brutalement la porte derrière moi avant de partir en courant tout en écoutant le son de la porte pour savoir si on l'ouvrait ou celui des pas lourds de sa cotte de mailles du garde devant moi. Il faisait complètement noir, mais j'écoutais, entendant des voix loin devant moi et, plus près, une respiration difficile.

— Robin? demanda quelqu'un.

Je touchai un corps qui était humide de sang.

— Tu es blessé? lui dis-je. Où est-il? A-t-il pu aller bien loin?

— Qui? me demanda-t-il.

— Le garde!

— C'est dans la prison que j'ai été blessé, me répondit-il en laissant échapper un souffle. Où est Robin?

C'était l'homme que Robin avait aidé à sortir. Je me retournai alors, comprenant ce qu'il avait fait tandis que l'estomac me remontait à la gorge et que le monde se tordait autour de mes oreilles. De plus, je pouvais maintenant entendre des gardes en train de pénétrer dans le tunnel.

Rob m'avait forcé à m'enfuir sans lui en sachant qu'il ne serait pas derrière moi, en sachant que Gisbourne le tuerait. Il avait menti au sujet du garde, car c'était le seul moyen pour que je le laisse sur place.

Et cela, il l'avait fait pour me sauver la vie.

Je tombai sur un genou, mes muscles ne pouvant me supporter, les larmes me venant aux yeux. Je sentais que ma tête était bien tordue, car la moitié de mon cœur était serré d'effroi pour lui, d'horrible culpabilité, car sa vie valait mille fois la mienne. Cependant, ce qui était pire, l'autre moitié s'élançait à la pensée que, peut-être, après tout, il avait confiance en moi, que, peut-être, les choses n'étaient point aussi ruinées que je l'avais cru.

Mais c'était une terrible pensée, car, en ce moment, Rob pouvait être en train de mourir pour moi.

Cependant, ma bouche se tordit en une grimace de réprobation. Ce maudit héros avait besoin de quelques coups en pleine figure s'il pensait que j'allais simplement le laisser agir ainsi.

Juste à ce moment, le son pesant et métallique d'une cotte de mailles se fit entendre dans le tunnel.

— Viens, dis-je au blessé en me levant moi-même avec difficulté tel un poulain nouveau-né tout en passant son bras sur mes épaules. Il faut courir maintenant pour que je puisse revenir pour Robin.

Il tituba tandis que je courais en voyant la lueur glauque de la lune au bout du tunnel, mais en entendant aussi les lourds pas se rapprocher. John se tenait au bout du tunnel où il me dégagea de l'homme. Je me retournai alors pour retourner au château, mais il m'attrapa.

— Scar, tu ne les entends pas ? Les gardes arrivent !

— Rob est toujours là-bas ! dis-je d'une voix gémissante en me débattant. Il est toujours là-bas — je dois l'aider !

— Tu ne peux pas affronter une armée seule.

— Retire tes maudites mains de moi ! criai-je. Je dois aider Robin !

Au lieu de me libérer, John descendit la muraille et coupa la corde tandis que je me débattais bec et ongles. Chacun des pouces qui m'entraînaient plus loin me brisait le cœur. Nous étions presque en bas quand des gardes arrivèrent, nous regardant John, le blessé et moi descendre la muraille pour rejoindre Much et les autres villageois. Puis, John m'emporta sous les arbres qui nous recouvraient.

— Mon Dieu, Scar, tu saignes de partout.

Je ne le sentais pas. J'étais malade, engourdie, mon cœur battait, s'emballait sans aucune émotion derrière lui. Sentant soudain que j'avais des larmes — ou du sang — sur le visage, je me frottai les yeux.

— Scar ? dit alors Much.

Mais je l'ignorai.

— Scar, je doute que le shérif le tue. Il voudra quelqu'un à pendre ; le Prince des voleurs est une sacrée belle prise. Allez, on va te remettre en état, puis on reviendra. Personne ne laissera mourir Robin.

La seule chose que je pouvais entendre, c'était l'eau qui s'écoulait, cette eau et les battements de mon cœur qui se fracassait en moi. Un instant — *de l'eau qui s'écoulait.*

Je levai la tête pour examiner la falaise. Voilà d'où cela provenait, caché d'un côté. Ce n'était pas vraiment un tunnel, plutôt un embout par lequel s'écoulait l'eau du château, de la *prison.*

— Scar! cria John.

Avant que quiconque puisse m'arrêter, j'escaladai la paroi rocheuse et me glissai dans l'embout. De l'eau m'éclaboussa la poitrine, ce qui me fit pousser un cri, mais je passais. Seule, je passais. Personne d'autre ne le pourrait. Je me mis donc à avancer à contre-courant de l'eau, m'enfonçant en rampant dans les profondeurs du Castel du Roc.

« Il avait sacrément intérêt à être vivant. »

—๛—

Le tunnel était fortement escarpé, aussi dus-je m'agripper au sol pour monter, avec de l'eau glacée qui s'écoulait le long de la pierre érodée. Elle s'écoulait aussi sur moi, comme si elle ne savait pas que je n'étais pas de pierre. L'eau était vive et froide sur ma blessure, de sorte que je ne la sentais pas. Je ne savais au juste si elle saignait encore, si j'allais en mourir, mais ça ne m'importait guère.

De temps à autre, mes pieds glissaient, et je me retrouvais affalée sur la pierre ou, pire, je glissais vers le bas jusqu'au moment où j'arrivais à reprendre de nouveau pied. J'avais les épaules qui brûlaient, secouées de tremblements, mais plus ça durait, le moins je m'en rendais compte. Ça n'avait point d'importance. Je continuerais à monter jusqu'à ce que je ne puisse plus passer ou jusqu'à ce que j'aie trouvé Rob.

Au bout d'un long moment, le tunnel commença à devenir plus étroit, m'égratignant de tous côtés. L'eau n'avait plus nulle part où aller, alors elle me coulait dessus, devant, derrière, sur les épaules, le visage, les cuisses. Je la crachais, en essayant de ne pas penser au sang, à la cendre et aux détritus qui s'y trouvaient.

Un caillou me déchira l'épaule, ce qui me fit m'arrêter un instant. Je poussai la tête de côté tandis que des larmes me venaient à cause de la stupide situation dans laquelle j'étais. Rob était plus que probablement mort et moi, je mourrais dans ce tunnel. Ensuite, le shérif réduirait le comté entier en cendres pour essayer d'obtenir du peuple le moindre impôt.

Je restai là trop longtemps, appuyée contre la pierre, l'eau s'écoulant sur moi, emportant de toutes petites parts de moi le long du tunnel, puis au loin. Il n'y avait pas de lumière ni de jour, seulement le bruit de l'eau, qui jamais ne s'arrêtait.

J'aurais aussi bien pu être déjà morte. Si l'enfer existait, c'était ici, suspendu dans les limbes entre les vivants et les morts.

— Gisbourne dit qu'on peut t'étriller un peu, pourvu que tu sois toujours vivant pour être pendu, entendis-je soudain.

Je retournai la tête ; c'était le tortionnaire. Étais-je plus proche que je ne le pensais ?

— Tu peux me tuer comme tu veux. Amuse-toi.

Mon sang s'alluma comme une torche. C'était Rob. Rob, qui paraissait insouciant, confiant et, surtout, très en vie. Je m'avançai à tâtons. L'eau n'avait plus d'importance, ni ma peau ou la pierre contre laquelle elle était. Puis, je vis un rai

de lumière se tordant à travers l'eau vers lequel je me dirigeai comme un chien de chasse.

Je n'entendais point de cri, ni de claquement de fouet ni
rien, ce qui ne marchait pas. Le tunnel s'élargit un peu sous
la prison, de sorte que je pus monter à la surface en m'accrochant à la paroi pour éviter une épaisse coulée de sang qui
s'écoulait de manière visqueuse. Je pouvais distinguer la
lueur d'un feu ainsi que l'ombre du tortionnaire.

— Encore un peu ? grogna-t-il.

J'entendis Rob prendre une inspiration, puis cracher, ce
que je dus aussi esquiver. Je m'agrippai à la grille pour
essayer de la déplacer. Mais elle était soudée et fixée à la
pierre à l'aide de grosses tiges en fer.

Il y eut ensuite un gémissement sourd puis, quelques
instants plus tard, plus de sang commença à couler. De stupides larmes d'impuissance me brûlèrent soudain les yeux.
C'était le sang de Rob. Il saignait plutôt beaucoup. Je saisis
alors mon couteau pour me mettre à frapper la pierre autour
des tiges en fer.

— Je vais laisser ça prendre jusqu'au matin, puis nous
verrons ce que tu es capable d'encaisser.

J'entendis ses pas s'éloigner, aussi me mis-je au travail
sur la grille de toutes mes forces. Maintenant que plus personne ne pouvait les entendre, les gémissements de Rob
devinrent plus forts, plus pénibles.

— Seigneur, Rob, j'arrive, lui criai-je.

Mais le couteau glissait sur la pierre sans pouvoir trouver
d'espace ni d'adhérence.

— Mon Dieu, ne m'a-t-on pas assez torturé ? gémit-il.

Je m'arrêtai tandis que la douleur s'enfonçait dans mon
ventre.

— Rob... tentai-je.

— Ne retourne pas mon cœur contre moi, je t'en prie, me dit-il.

C'était désolant. Puis, j'entendis un bruissement, suivi du bruit métallique de lourdes chaînes.

— Rob ? dis-je en gémissant.

Mais je n'obtins aucune réponse.

— Rob, réponds-moi. Je suis tellement désolée. Je t'en prie ! m'écriai-je tandis que les larmes me venaient aux yeux, chaudes et furieuses, puis je donnai un coup de couteau sur la grille, seulement pour me couper à la main. Rob, je t'en prie, je suis tellement désolée de t'avoir impliqué dans cette histoire. Je suis tellement désolée d'avoir attiré Gisbourne contre toi. Je t'en prie, reste seulement en vie.

Mais encore une fois, je n'obtins aucune réponse. Mon couteau se rompit, tout comme ma volonté. Je restai là cependant, à appeler son nom jusqu'à ce que ma gorge n'en puisse plus. Quand je ne pus plus crier, je laissai tomber mon couteau avant de laisser l'eau m'emporter jusqu'en bas.

Ce qui avait pris tant de temps à escalader fut redescendu en un instant. Je fus rejetée du tunnel dans la principale chute de la rivière. Je la laissai m'emporter au loin, me laver en me ramenant à Sherwood et aux garçons.

CHAPITRE 16

Mes pieds traînaient sur les racines et les cailloux tandis que je titubai jusqu'à la caverne, mais sans y arriver tout à fait, me laissant tomber contre un arbre. Mon corps me donnait l'impression d'être enveloppée de plomb, de sorte que même une profonde inspiration ne me soulevait plus la poitrine. Aussi sifflai-je en fermant les yeux.

Il ne fallut pas longtemps avant que j'entende qu'on venait dans la forêt. J'ouvris les yeux. John était là, en train de me tirer par le bras.

— Peux-tu marcher ? me demanda-t-il.

— Évidemment que non, répondit Much. Regarde-la !

John voulut alors me prendre dans ses bras, mais Much se mit à hurler.

— Attention à son dos ! On dirait que son épaule saigne beaucoup.

John me prit alors sur son épaule avant de se remettre en chemin à grandes enjambées dans la forêt, ses os enfoncés dans mon ventre. Je laissai pendre mes bras, tout mous.

Il ne fallut pas longtemps avant que les enjambées de John ne deviennent plus petites et plus lentes, puis il me déposa sur l'une de nos paillasses. Je me tournai sur le ventre tandis que Much relevait ma chemise pour atteindre ma blessure. J'en fis une boule devant avant de fermer les yeux.

— Scar, elle est profonde.

Je hochai la tête.

Il se mit à en retirer la saleté, mais ça faisait mal et ça brûlait.

— Scar, il faut te faire des points de suture.

— Non, lui répondis-je en me redressant tout en serrant ma chemise contre moi. Ne fais pas ça.

J'avais déjà eu l'occasion de couper des points de suture. C'était le genre de douleur qui vous laissait évanoui pour la journée, tout en exigeant en plus de boire beaucoup.

— Scar, dit John d'une voix qui voulait m'avertir.

— Ne fais pas ça, répétai-je. Rob est à Nottingham. On l'a torturé toute la nuit.

Mon dos se voûta, et je me sentis malade de le dire ainsi à voix haute.

— Je ne suis pas sûre qu'il soit vivant, ajoutai-je doucement.

John s'assit, et Much s'accroupit.

— Mon Dieu, murmura ce dernier.

— Tu as réussi à entrer, par ce tunnel?

— Droit sous la prison, répondis-je en hochant la tête, mais la grille est soudée dans la pierre. Ça ne veut point bouger.

— Mais tu as vu Rob?

— Je lui ai parlé, mais je ne l'ai point vu.

Je me souvins alors du bruit des chaînes, puis du silence, ce qui me fit frissonner.

— Contente-toi de me rapiécer, Much. Nous devons y retourner.

— Tu ne retourneras pas là-bas, Scar, me dit John.

Je lui lançai un regard dur avant de me mettre sur le dos.

— Juste des pansements, Much, s'il te plaît.

— Tu perds les pédales, reprit John. Hier soir, tu t'es enfuie, pleine de coupures, à moitié morte. Nous ne savions pas ce qui se passait.

— John, Rob se trouvait là-dedans, lui répondis-je en grimaçant tandis que Much me pansait l'épaule. Je n'étais pas en train de perdre les pédales. Nous sommes une bande. Jamais Rob n'aurait laissé l'un de nous là-bas. Il m'a sauvé la vie : je ne le laisserai pas. Alors, nous allons y retourner pour le libérer.

— Sauf que Rob t'a exclue de la bande, me répondit John en croisant les bras.

— Quoi ? lui demandai-je en le regardant.

— Il aurait aussi bien pu. Tu lui as dit que tu partirais. Il t'a prise au mot. Robin ne veut pas que tu ailles à sa rescousse, Scar, il veut que tu t'en ailles.

— Quoi ? répétai-je tandis que de stupides larmes me venaient aux yeux.

— Ce n'est pas ça, intervint Much.

— Tu penses que j'ai tort ? lui demanda John.

Je regardai alors Much qui fit non de la tête.

— Non, tu n'as pas tort, mais de la manière que tu présentes ça, ç'a l'air mauvais.

— Peu importe de quoi ç'a l'air, Much.

— Non, mais tu fais comme si Rob la chassait parce qu'il ne voulait pas qu'elle soit là, alors que ce n'est pas ça.

— *Much !* lui dit alors John sèchement.

— Scar, il t'aime, me dit-il alors en me regardant. Il t'a toujours aimée. Et il ne voulait pas qu'on te fasse de mal. Il a risqué sa vie pour te faire sortir, alors ne fais pas en sorte que son sacrifice ait été inutile.

Je baissai la tête tandis que des larmes me coulaient sur le nez. Je repensai à Rob, à l'auberge, à lui me traitant de putain, en train de marcher dans la forêt en me disant qu'il aurait souhaité ne jamais m'avoir vue. Mais pire, je le vis repousser Gisbourne, pour ensuite me faire partir, ce qui fit couler encore davantage de larmes, comme si elles sortaient de moi par bonds et par sauts.

— Il ne m'aime pas, Much.

La douleur tremblait en moi, aussi me recroquevillai-je sur moi-même. Toute la poitrine me faisait mal.

Mon Dieu, était-ce donc ce qu'on ressentait quand on avait le cœur brisé ? Je hoquetai, aussi John me posa-t-il la main sur le cou pour me le frotter un peu.

Cependant, je me détournai, pour ensuite m'éloigner d'eux en sautillant et en titubant. Ils me regardèrent, les yeux mélancoliques tandis que je m'affalais contre un arbre. Voilà pourquoi jamais je n'avais voulu d'aucun d'entre eux, ni de leur regard ou de leur stupide pitié pour la fille balafrée qui avait accroché son cœur à un héros.

Puis, l'humiliation se déversa sur moi comme une vague. Je fermai alors complètement les yeux et j'essuyai mes larmes en tremblant toujours un peu.

— Je lui dois la vie. Je vais tout arranger, Much. Je m'assurerai qu'il ne sacrifie rien.

— On ne te laissera pas y retourner.

— Je n'ai pas besoin de vous pour faire ce que je m'apprête à faire, lui répondis-je en frissonnant. Toutefois, si vous êtes là, ça pourrait être plus facile de libérer Rob. Vous iriez pour lui, point pour moi. Ensuite, vous n'aurez plus jamais à me voir, je vous le promets.

— On ne veut pas que tu partes, Scar, me répondit cependant Much. Ça n'a jamais été le cas.

— Mais tu as raison, répliquai-je en haussant les épaules. Rob veut que je quitte la bande, alors, je la quitte. Cependant, je vais d'abord le libérer, comme ça, on sera quitte.

— Alors, quel est ton plan? me demanda John. Te livrer? Gisbourne te *tuera*.

— Non. Tout ça a commencé parce que j'ai oublié qui j'étais. Ce n'est pas comme si une femme noble pouvait vivre ainsi. J'ai été stupide de le penser. Mais je voulais oublier, dis-je en remuant la tête. Gisbourne acceptera de l'échanger contre moi. Oui, pour que je me donne à lui de mon plein gré. Pour cela, il échangerait n'importe quoi. Même Rob.

Ils me regardèrent. À mon tour, je leur lançai un regard furieux.

— Vous voulez retrouver Robin ou pas?

— Bien sûr qu'on veut le retrouver, mais aucun de nous n'est prêt à donner ta vie à Gisbourne pour le libérer. Robin ne nous le pardonnerait jamais, me répondit alors Much.

À ces mots, un tremblement me traversa le dos.

— S'il est toujours vivant, leur rappelai-je.

— Scar, c'est un plan stupide! À part le fait que tu es à peine plus qu'une idiote, le shérif nous attaquera seulement avec deux fois plus de violence. Ils suivront Rob dès sa sortie, puis ils nous pendront, me dit John.

— On a toujours eu un plan pour le cadeau de mariage de Ravenna, vous vous souvenez? leur demandai-je. Much, as-tu fouillé les autres cavernes?

— Je n'en ai pas eu l'occasion, me répondit-il.

— Alors, on les fouillera ce soir. On en trouvera assez pour que le château s'effondre, en partie, tout au moins, dis-je en hochant la tête. Voilà ce que nous ferons. Avec le mariage et ma proposition de m'échanger contre Robin, les gardes seront assez distraits. Vous pourrez faire s'effondrer le château, on libérera Rob, et le peuple du Nottinghamshire aura un peu de temps pendant que le shérif le reconstruira.

— Scar, je n'aime pas ce plan, me dit John. Gisbourne pourrait te tuer en un clin d'œil.

— Je suis sûre que ce sera le cas, lui répondis-je en esquissant un sourire. Mais si je ne fais plus partie de la bande, quelle importance cela a-t-il?

Ils avancèrent brusquement vers moi, mais je reculai.

— Les garçons, je le ferai avec ou sans vous. Alors, faisons tout au moins sortir Robin des murs du château pour moi.

Ils restèrent longtemps silencieux en me fixant. Je les regardai aussi en essayant de penser à quel point je les aimais. En perdant la bande, je perdais des frères — comme j'avais déjà perdu une sœur. Mais aller à la rencontre de mon destin avec Gisbourne serait presque un soulagement.

— Je pense que c'est sacrément courageux, Scar, me dit enfin Much. Je pense aussi que Rob avait raison : tu es la femme la plus courageuse que j'aie jamais connue.

— Ça devait se terminer comme ça, de toute manière, les garçons. J'ai seulement réussi à temporiser un peu. Mais maintenant, au moins, un peu de bien en sortira. Pourvu que vous fassiez sortir Robin du château aussi vite que vous en êtes capables.

Quelques instants passèrent sans que je ne regarde aucun d'eux et pendant lesquels nous restâmes silencieux.

— Dans ce cas, j'aurai besoin d'aide pour trouver plus de poudre, conclut Much.

— Dis-nous ce que nous devons faire, lui répondis-je en hochant la tête.

—m—

Il ne se passa point beaucoup de temps avant que nous eûmes à retourner à Nottingham. Le mariage de Ravenna attirait une foule de nobles et de paysans au château puisque le shérif recevait le village tout entier pour le festin nuptial. Le mariage lui-même aurait lieu dans la grande salle. Même si tous les gardes étaient à leurs postes, le château était dans la situation la plus vulnérable. En effet, nous nous y faufilerions sans difficulté comme des truites argentées.

Nous nous mêlâmes à la foule, poussant des corps pour nous rendre jusqu'à la salle. Les filles avaient des fleurs dans les cheveux, et la salle brillait de la couleur de tous ces vêtements. Ma capuche était baissée, mes cheveux sortis : aujourd'hui, je ne me cachais de personne. J'avais des égratignures sur tout le visage, la peau de mon menton était presque toute arrachée, mais c'était sans importance. J'étais marquée, balafrée, sanguinolente, crasseuse même, mais aujourd'hui, je ne cacherais pas mon visage.

Il faisait horriblement chaud dans la salle avec tous ces corps se frottant les uns contre les autres comme des bâtons pour allumer un feu. Tandis que nous nous approchions, je vis Ravenna. Elle avait l'air d'une noble dame dans sa robe de velours bleu traversée de fils d'or, le visage voilé comme la plupart des femmes nobles. Pour ma part, les voiles ne m'avaient jamais plu. Ils étaient bien parce que personne ne pouvait voir où les yeux se promenaient, mais ils étaient loin d'être aussi doux qu'ils en avaient l'air.

Sa famille n'était pas avec elle sur l'estrade, ce qui me parut assez étrange. Néanmoins, mon regard se mit à se promener un peu partout. Ce fut alors que je le vis.

Une cage en fer était suspendue au-dessus de l'estrade à une poutre. Robin s'y trouvait, loin au-dessus du sol. Il se tenait droit, avec orgueil. La cage était suspendue par de lourdes chaînes, non des cordes que j'aurais pu scier. De plus, autour de la poulie qui la maintenait en place, il y avait des soldats.

Je sentis mon estomac se tordre, se vider tandis que le prêtre montait l'escalier qui menait à l'estrade, accompagné du shérif et de Gisbourne. Ce dernier leva la tête en direction de Rob avec un sourire suffisant. J'aurais pu le tuer rien que pour cela.

Toute la salle devint silencieuse, et le prêtre se mit à dire la messe nuptiale. Pendant ce temps, je me faufilai sur le côté tandis que Much et John étaient occupés ailleurs dans le château.

Je n'écoutai pas ce que disait le prêtre. J'avais déjà entendu des messes nuptiales, quelques-unes même. En général, elles me faisaient penser à des choses auxquelles je ne voulais point penser du tout, comme à Gisbourne et au fait que j'avais presque failli l'épouser. J'entendis cependant Ravenna dire qu'elle honorerait le shérif et qu'elle lui obéirait, tout en me demandant si c'était des choses que lui ferait pour elle.

Avant que j'aie atteint la poulie qui était sous surveillance, la messe fut terminée. Le prêtre descendit de l'estrade tandis que le shérif embrassait Ravenna après lui avoir retiré son voile pour ce faire. Elle semblait effrayée, mais elle accepta son baiser, pour ensuite laisser son visage dévoilé.

Avant de savoir ce qui était en train de se passer, je vis Gisbourne faire signe aux gardes d'entourer l'estrade. Le shérif tenait toujours Ravenna, mais soudain, ses épaules se tendirent comme si elle tentait de le repousser. Ce fut alors que je vis le poignard du shérif scintiller sur sa gorge comme un éclair traversant le ciel. Sa tête tressaillit avant qu'un cri rauque et sourd ne passe entre ses lèvres.

— Non! cria alors Rob.

— Ravenna! rugit quant à lui Godfrey.

Toute la salle éclata, les femmes se mettant à crier et les hommes à rugir.

— Silence! hurla cependant le shérif plus fort que tout ce bruit.

Les gens se turent, mais sans arrêter de bouger et de se battre contre les gardes tandis que Ravenna se tordait en montrant sa gorge à la coupure large et ensanglantée. Puis, elle tomba par terre comme si elle n'avait été rien de plus qu'un déchet tandis que son sang noircissait sa robe, la laissant brillante d'humidité. Son corps était affalé, mais il fallut un moment pour que ses grandes jupes s'étalent sur le sol. Je regardai alors de nouveau le shérif, figée sur place, le souffle coupé.

Elle était morte, il l'avait tuée, pour aucune raison, alors qu'elle était sans défense, pour rien. Il l'avait tuée parce qu'il le pouvait, parce qu'elle était une oiselle qu'il pouvait écraser.

— Bonnes gens, j'essaie de vous montrer mon amour, mais voilà comment vous me remboursez! Vous me privez des impôts auxquels j'ai droit, vous échappez à votre châtiment en plus d'envoyer l'une des vôtres envoûter mon cœur, seulement pour me trahir. Ravenna Mason aidait le Prince des voleurs du sein même de mon foyer!

— Non! hurla alors Godfrey. Non! Non!

Il se fraya alors violemment un passage au travers des gardes, mais Gisbourne le plaqua au sol. Puis, il le tint là tandis que Godfrey se débattait et s'épuisait pour essayer d'arriver jusqu'à sa défunte sœur. Ses bras se tendaient, mais pas pour combattre Gisbourne. Il les brandissait vers Ravenna en essayant de l'atteindre, de la toucher avant que son âme ne s'envolât.

— Après m'être occupé de ma femme infidèle, je vais maintenant m'occuper du dernier bastion d'insurrection — ce hors-la-loi que l'on surnomme le « Prince des voleurs ».

Je passai à l'action dès que la cage commença à descendre. Rob, la poitrine haletante, le regard furieux, avait tout à fait l'air d'un lion en cage, comme on appelait le roi Richard. Je me frayai un chemin à travers la foule avec mes ongles, à coups de coude et de poings. Je poussai et poussai encore, me rapprochant, un corps à la fois, pour me trouver bien près de l'estrade gardée.

Je regardai alors vers l'entrée. Il leur fallait plus de temps pour provoquer l'explosion. Moi, c'était un miracle qu'il me fallait pour libérer Rob. Mon regard balaya la salle : il y avait des gardes *partout*. Tout en haut, il y avait des fenêtres, de grands lustres remplis de chandelles qui pendaient des poutres.

La part de moi qui n'était guère heureuse de mourir aujourd'hui les regardait avec désir, m'imaginant y grimper pour m'y suspendre, pour ensuite lancer des couteaux de toutes parts comme un ange exterminateur.

Mais ça ne serait pas pour aujourd'hui.

Je regardai alors Gisbourne en sentant mon estomac se tordre tandis que toute ma poitrine se serrait comme si quelqu'un m'avait mise au chevalet.

La cage se posa par terre avec un bruit sourd et métallique. Avec ce choc, Rob tituba contre le côté de la cage. Toute la salle était silencieuse comme la mort, stupéfiée de silence par la cruauté du shérif, par ce jour étrange où un mariage signifiait la mort au lieu d'une vie nouvelle. Les gardes s'étaient emparés de Godfrey, le maintenant à genoux à côté de l'estrade. Il fixait le corps de Ravenna, mort, sans vie, abandonné. Gisbourne était donc maintenant libre de dégainer son épée, pour ensuite se rendre jusqu'à la cage.

— Non! criai-je alors, ma voix se mêlant à des centaines d'autres.

Puis, j'avançai, mais la foule ne voulait s'ouvrir, me gardant derrière fermement, s'accrochant à moi. Cependant, l'épée de Gisbourne n'alla pas plus loin, il attendait que les cris se calment.

— À genoux, grogna-t-il. Tu vas mourir comme un vulgaire criminel, d'une manière pire que ton traître de père.

Mais Rob ne baissa pas la tête, regardant plutôt autour de lui dans la cage.

— Je voudrais vous faire plaisir, Gisbourne, mais il ne semble pas y avoir assez d'espace pour se mettre à genoux.

— Ouvrez cette cage, ordonna alors Gisbourne.

Le shérif ne protesta pas. Un garde s'avança avec les clés et ouvrit la porte. Je vis comme Rob s'appuyait lourdement au côté de la cage. Il était épuisé, faible et assez souffrant. Puis, quand il se tourna vers Gisbourne, je vis son dos. La toile de sa chemise était percée des centaines de parfaites petites rangées. À cette vue, tout le corps me brûla.

On lui avait fait subir la torture de la planche de Judas. C'était une grande planche recouverte de pointes, crasseuses, recouvertes de sang et de chair, sur laquelle on avait placé Rob jusqu'à ce que sa chair s'ouvrît et que les pointes y pénétrassent.

Que ce soit aujourd'hui ou non, je tuerais Gisbourne pour cela aussi. S'il ne me tuait pas d'abord.

— À genoux, Prince des voleurs!

— Attends! criai-je alors.

Cette fois, ma voix domina la foule. Tout le monde me regarda. Puis, on me laissa passer tandis que mes jambes tremblantes m'amenaient vers les gardes.

— Laissez-moi passer! exigeai-je.

— Laissez-la. Laissez venir ce petit voleur, dit-il alors en ricanant.

Peut-être Gisbourne connaissait-il déjà mon plan, car il avait tout à fait l'air d'avoir avalé un canari en train de lui chanter dans la gorge.

Les gardes s'écartèrent, et je montai sur l'estrade tout en croisant le regard de Rob. Il n'avait plus l'air en colère, maintenant. Il avait l'air perdu. Je me sentais perdue. En le fixant du regard, mon cœur se brisa de nouveau. L'aimer me donnait l'impression de me noyer dans l'océan de ses yeux, comme si un raz-de-marée que je ne pouvais contenir venait s'écraser sur moi, me remplissant de douleur, de honte et de désespoir. En étant si proche de lui, tout ce à quoi je pouvais penser, c'était aux centaines de choses que j'aurais dû lui dire il y a longtemps, aux centaines de moments que j'avais perdus parce que j'avais peur, parce que j'étais faible et que j'avais honte.

C'était assez tordu, mais peut-être que le sacrifice que j'allais accomplir ferait de moi, le temps d'un souffle, la personne qu'il pourrait aimer.

— Je t'en prie, dis-moi que tu n'es pas vraiment ici, murmura-t-il en laissant tomber la tête. Je t'en prie, dis-moi que je ne t'ai pas sauvé la vie pour rien.

— Tu n'as pas besoin de rendre ça si difficile, Rob, lui répondis-je. Je vais te faire sortir d'ici.

Il releva brusquement la tête, mais ce n'était pas de la colère qu'il y avait dans ses yeux.

— Ah oui, tu vas me faire sortir... Pas avec lui, Scar, s'il te plaît.

Les sourcils de Gisbourne tressaillirent en entendant ces mots, mais il se contenta de croiser les bras, comme s'il était patient, maintenant qu'il obtenait ce qu'il voulait. Je regardai Rob de nouveau, les entrailles serrées dans la gorge, et je n'étais plus sûre de rien.

— Ne me demande *pas* de te regarder mourir, lui dis-je d'une voix sifflante.

Le regard de Rob se déplaça, bleu chatoyant, humide comme des roches lissées par la pluie.

— Tu penses que tu t'en sortiras mieux? murmura-t-il.

Je regardai alors dans la même direction que lui et vis le sang de Ravenna, de même que l'épée de Gisbourne, aride et assoiffée.

— Avais-tu l'intention de te joindre à lui ou as-tu une autre raison de m'irriter? me demanda alors Gisbourne sèchement.

— Un marché, lui répondis-je rapidement en me plaçant face à lui de manière à me trouver entre Rob et lui.

— Que pourrais-je bien vouloir de toi? me demanda-t-il en m'écorchant du regard.

— La chose que tu n'aurais jamais pu avoir, même par la force ou par mon père, lui répondis-je.

À ces mots, ses yeux s'illuminèrent.

— Trois mots, Guy.

— Gisbourne, je pense que ce gamin souhaite que vous l'épousiez, lui dit alors le shérif avec un petit rire.

— Une autre raison pour laquelle vous avez besoin d'un chasseur de brigands, Nottingham, c'est que vos hommes auraient dû se rendre compte il y a longtemps que Will Scarlet est simplement une fille.

Toute la salle en eut le souffle coupé, ce qui le fit éclater de rire.

— Mon Dieu, personne ne le savait? Mais ce n'est pas tout. Elle est une femme noble dans un déguisement rusé. Elle est ma fiancée délinquante, Lady Marian Fitzwalter de Leaford.

Maintenant, c'était moi que tout le monde regardait, mais je me contentai de redresser le menton.

— Alors?

— Quelles sont tes conditions? me demanda-t-il.

— Libère Robin et Godfrey sans qu'il leur soit fait aucun mal.

— Bon, mais je lui en ai déjà fait un peu, me répondit-il en regardant Robin avec un sourire.

— Tu acceptes ou non?

— Mais pourquoi ne pas simplement le tuer maintenant, pour ensuite te forcer à m'épouser?

— Comme je te le disais, Guy, tu ne peux me forcer à dire ces mots. Or, nous ne serons point mariés tant qu'ils n'auront été dits. Si tu me veux, c'est ta seule chance.

Il s'avança, puis me saisit le menton entre le pouce et l'index. Il sourit, mais on aurait plutôt dit un chien montrant ses crocs.

— Je ferai de ta vie un véritable enfer, Marian, me dit-il alors en regardant Ravenna.

À ces mots, Rob tressaillit, mais je restai immobile.

— Es-tu prête à te soumettre à moi pour sa vie ?

— Robin des Bois, Robin de Locksley, le comte de Huntingdon — peu importe comment tu souhaites l'appeler — est le prince du peuple, Guy. Il vaut bien plus que toute ma vie.

— Ça ne vaut pas beaucoup, cracha-t-il en me repoussant le menton. Qu'on rappelle le prêtre.

— Scarlet, murmura alors Rob derrière moi.

— Rob doit être parti avant que je prononce ces mots, dis-je à Gisbourne tandis que mon pouls se mettait à palpiter.

— Comment puis-je savoir que tu les prononceras vraiment ?

— Tu as ma parole.

— Tu me l'as déjà donnée.

— Non, c'était de celle de mon père que tu disposais. Maintenant, c'est de la mienne ; je t'épouserai aujourd'hui, une fois que Robin aura été libéré et qu'il sera parti.

— Très bien, répondit-il en grimaçant. Sinon, tout au moins, pourrais-je te tuer.

— Ce n'est pas vraiment une décision que vous pouvez prendre, Guy, lui dit cependant le shérif en essuyant son poignard ensanglanté sur son bras.

La lèvre de Gisbourne s'ourla tandis que sa grosse tête se retournait brusquement pour lancer un regard noir au shérif.

— C'est moi qui l'ai attrapé.

— Je vous ai *engagé* pour cela.

— Alors, je le rattraperai. Mais ce mariage, dit-il en se retournant brusquement vers moi, ça ne peut attendre.

— Si vous le laissez partir, je ne vous paierai pas un sou avant qu'il soit mort.

À ces mots, Gisbourne ricana tandis que ses dents blanches étincelèrent.

— Je ne le fais pas pour l'argent.

La bouche du shérif se tordit de mépris, mais il se tut sans arrêter Gisbourne.

— Marian, me dit-il alors en se penchant davantage vers moi, s'il s'agit d'une ruse, tu connaîtras toute l'étendue de la douleur que je suis capable d'infliger.

— La mort de deux femmes le jour de leur mariage, ça semble chanceux, dit alors le shérif d'une voix songeuse.

— Vous pouvez me faire confiance, il me faudra bien plus d'une journée pour la tuer, rétorqua alors Gisbourne en s'adressant au shérif, mais en gardant son regard maléfique sur moi.

— Je ne suis pas si facile à tuer que ça, dis-je en leur lançant un regard noir.

— J'aime les défis, s'écria Gisbourne à qui mes paroles semblèrent faire plaisir.

Le prêtre fit son apparition, puis le shérif hocha la tête. Gisbourne soupira.

— Très bien, laissez partir le Prince des voleurs.

Je me retournai alors pour jeter mes bras autour de Rob avant de pouvoir y réfléchir ou m'arrêter. Lui aussi me serra fort dans ses bras.

— Rob, je suis tellement désolée, murmurai-je tandis que ma voix se brisait.

— Ne fais pas ça, je t'en prie. Enfuyons-nous en courant, me dit-il alors en me serrant plus fort.

— Tu n'es pas capable de courir, Rob, lui dis-je en remuant la tête.

Alors, ses mains se posèrent de chaque côté de mon visage tout en me tenant à sa hauteur. Des vagues se fracassaient dans son regard, avec force, assurance, balayant tout.

— Tu es mon cœur tout entier, Scarlet. En faisant cela, tu es en train de le briser.

À ces mots, mon cœur se déchira avant de sortir tout droit de moi. Ma bouche s'ouvrit, mais je regardai autour de moi avant de donner un coup de pied par terre.

— Tu trouves que c'est le moment choisi pour me dire une chose pareille, espèce de stupide garçon ? lui dis-je en voulant que ce soit méchant, mais ma voix trembla. Maintenant ?

— Ma guerrière au langage ordurier, me répondit-il en esquissant un sourire.

— Marian, intervint cependant Gisbourne, ce qui me fit l'effet d'une gifle.

En tremblant, je me haussai pour embrasser la joue de Rob, tout en réprimant mes larmes en clignant des yeux. L'enfer remonterait jusqu'au paradis avant que je pleure devant Gisbourne, même pour Rob.

— Ce n'est pas terminé, Robin. Il y a beaucoup de choses que tu devras m'expliquer.

— Reste en vie, Scar, dit-il en me serrant fort, afin que j'en aie l'occasion.

— Pars.

Il se faufila loin de moi, puis, avec difficulté, il descendit dans la foule dont les murmures s'élevèrent comme la marée pour l'attraper, plusieurs s'avançant pour le soutenir, le transporter comme le prince qu'il était destiné à être. Pendant ce temps, des gardes amenèrent Godfrey, pour ensuite les laisser tous les deux quitter la salle en liberté. C'était un étrange spectacle à regarder, des hors-la-loi s'en allant ainsi sans même une échauffourée. Rob ne se retourna pas vers moi, cependant, tandis que je sentis la main de Gisbourne se fermer sur la mienne, exactement comme si elle se refermait sur ma gorge.

— Je n'ai pas de bague pour toi, mais j'espère que tu me pardonneras cet oubli.

— N'importe quoi, s'écria le shérif en retirant l'anneau d'argent de son doigt, pour ensuite le remettre à Gisbourne.

Ensuite, il s'agenouilla au-dessus du corps de Ravenna, ôta l'anneau de son doigt mort pour le remettre lui aussi au chasseur de brigands.

— Autant que ça serve à quelqu'un.

Tandis que Gisbourne l'acceptait et me tendait l'anneau destiné à l'homme, encore chaud de la main de Nottingham, mon estomac manifesta son désaccord.

— S-si nous commencions? demanda alors le prêtre dont la main, posée sur la Bible, tremblait.

— Oui, lui répondit sèchement Gisbourne.

La voix du prêtre était tremblotante tandis qu'il pronon-çait ces paroles funestes pour la seconde fois de la journée. Il se tourna d'abord vers Gisbourne pour lui poser la question.

— Guy de Gisbourne, voulez-vous prendre cette femme pour épouse et vivre avec elle? Voulez-vous l'aimer, la chérir, l'honorer, la garder, en temps de maladie comme en temps de santé; et, renonçant à toute autre femme, voulez-vous vous attacher à elle seule, tant que vous vivrez tous deux?

— Je le veux, grogna-t-il en m'enfonçant les ongles dans la main.

— Et vous, Marian Fitzwalter de Leaford, voulez-vous prendre cet homme pour époux et vivre avec lui. Voulez-vous l'aimer, le chérir, l'honorer, le garder, en temps de maladie comme en temps de santé ; et, renonçant à tout autre homme, voulez-vous vous attacher à lui seul, tant que vous vivrez tous deux ?

J'attendis le temps de trois respirations, les sentant se précipiter hors de mes poumons comme les dernières bouffées d'air avant de se noyer.

— Je le veux, répondis-je en me sentant étourdie.

Tout ce temps, tous ces combats, et voilà que je venais de l'épouser.

— Avez-vous les alliances ?

Gisbourne hocha la tête, puis me prit la main pour glisser brutalement la jolie bague de Ravenna sur mon doigt.

— Guy, je te prends comme légitime époux et je te promets de rester fidèle.

À ces mots, la nausée me submergea. En tremblant, je passai l'anneau sur le doigt de Gisbourne. Un grand sourire suffisant apparut alors sur ses lèvres.

— Marian, je te prends comme légitime épouse et je te promets de rester fidèle, me dit-il alors à son tour en m'attirant plus près de lui.

— Que le Saint-Esprit vous bénisse, déclara alors le prêtre avant d'embrasser Gisbourne sur la joue.

Celui-ci se tourna alors vers moi, me prit le menton dans sa grande patte, puis força sa bouche contre la mienne, y enfonçant la langue, mais je gardais les lèvres serrées.

Il me pinça ensuite sur le côté pour se venger, mais je ne les ouvris toujours pas.

Puis, il me lâcha.

— Vous êtes maintenant mariés devant Dieu, conclut alors le prêtre d'une voix affligée.

Je n'attendis pas plus longtemps.

En effet, je m'écartai de Gisbourne pour me diriger vers la cage, mais il me saisit par la chemise pour me jeter par terre, puis il appuya violemment son pied sur ma poitrine.

— Tu me quittes déjà, ma chère ?

Je sortis alors un couteau que j'essayai de lui enfoncer dans le tendon derrière son genou, mais, d'un saut, il l'évita. En un instant, je fus de nouveau debout, grimaçant à cause de mon dos qui me faisait mal, mais le shérif m'attrapa et me mit son couteau à la gorge.

— Je t'ai, dit-il en riant tandis que sa barbe frottait contre ma joue.

— Nottingham, laissez ma *femme*, grogna Gisbourne.

Je ne pensais point que Gisbourne put me surprendre, mais ce fut plutôt le cas, tout comme pour le shérif, dans la mesure où je pus m'en apercevoir, car il desserra assez son étreinte pour que je repousse son bras et lui envoie un coup de tête sur l'arête de son nez de basse extraction.

Gisbourne voulut me donner un coup d'épée à l'estomac, mais je fis un bond en arrière juste comme il me déchirait un peu la peau.

— Si quelqu'un doit te tuer, ce sera moi ! hurla-t-il.

En effet, il devait crier pour que je puisse l'entendre, car, pendant ce temps, les villageois s'en étaient pris aux gardes. Tout en se battant, ils essayaient maintenant d'atteindre l'estrade. Les couleurs vives devenaient noires de sang tandis que le mariage tombait dans la violence.

Peut-être se passait-il trop de choses, peut-être que la vive douleur, telle une flamme traversant mon épaule déchirée, m'embrouillait le cerveau, peut-être aussi que cet anneau maudit que j'avais au doigt signifiait que je n'étais plus aussi intéressée à rester en vie. Quelle que fût la raison, je ne fus pas aussi rapide que j'aurais dû l'être. Je reculai de nouveau, mais seulement pour me prendre les pieds dans le corps de Ravenna. Gisbourne s'avança alors et me saisit par la gorge.

Il m'attira vers lui tandis que je tentais de reprendre pied, mais je n'arrêtais pas de glisser dans le sang de Ravenna. Il me serrait assez fort pour me retenir, assez fort pour me tuer.

Je tentai de crier, mais ne pus émettre qu'un gargouillement rauque.

Il lança son épée et la rattrapa par la lame alors qu'elle était toujours dans les airs. En effet, ses mains étaient protégées par d'épais gants de cuir. Je me mis à me débattre, à donner des coups de pied, à frapper, mais sans pouvoir l'atteindre et, quand je le pouvais, ça semblait sans importance — il ne s'en apercevait pas, ne sentait rien.

— Marian, il semble que tu aies besoin que je te rappelle le genre d'homme que je suis, dit-il alors.

Il me tourna la tête de manière à ce que ma joue gauche soit relevée, mais je pris une petite inspiration pour essayer de nouveau de lui donner des coups de pied, des coups de couteau, de le griffer.

Il passa la pointe de l'épée sur ma joue et l'enfonça profondément pour tracer une nouvelle balafre là où l'ancienne avait été.

À ce moment, mes yeux devinrent sombres comme une nuit d'encre. Puis, sans produire le moindre son, mes lèvres articulèrent une prière.

Qu'ils l'aient vraiment pensé ou non, les membres de ma bande (et Dieu aussi, j'en suis assez convaincue) veillaient toujours sur moi. En effet, ce fut à cet instant précis que le château fut secoué par la puissance d'une explosion.

Gisbourne me laissa retomber, mais ma tête se fracassa contre le sol tandis que ma blessure à l'épaule de la veille hurla. Une toux s'empara de ma poitrine, et je pris une profonde inspiration, mais je me dépêchai de me relever.

C'était le chaos total. Les villageois avaient pris d'assaut l'estrade où quelqu'un se battait avec Gisbourne.

Je pris de nouveau une profonde inspiration tout en essuyant l'eau et le sang de mes yeux, puis je montai sur le dessus de la cage. Ce faisant, je grinçai des dents, car la douleur me traversait de part en part tandis que ma joue était en sang.

— Marian ! hurla alors Gisbourne si fort que sa voix secoua la chaîne. Tu es ma satanée femme !

— J'ai dit que je t'épouserais, Guy, je n'ai jamais promis de rester avec toi ! lui crachai-je.

Il abattit alors le paysan avec lequel il se battait. De mon côté, je m'arrêtai sur la chaîne en regardant l'homme tomber. Comme mes mains glissaient, je les serrai davantage, sans savoir au juste si je devais descendre les aider ou m'enfuir.

— Scarlet !

Je glissai un peu en me retournant vivement au son de cette voix. Je vis alors John passer d'un pas lourd au travers des coups d'épée, étant armé de ses seuls poings.

— John !

— Par l'enfer, Scarlet, sors d'ici ! dit-il en croisant le regard de Gisbourne, puis en souriant. Je m'en occupe.

Je le vis alors frapper Gisbourne et lui faire lâcher son épée, ce qui me fit remuer la tête. Mon mari était un idiot. John l'écraserait en un clin d'œil. Soulagée et endolorie, je me mis à monter vers les poutres sans me presser.

— Honorer, obéir ? cria alors Gisbourne en se battant avec John. Voilà ce que tu appelles être une bonne épouse ?

— Je n'ai jamais dit que je serais une *bonne* épouse, Guy, lui répondis-je en m'arrêtant, mais seulement que je t'épouserais.

— Gardes ! rugit-il alors. Gardes ! Quelqu'un sera brûlé vivant pour ce que tu es en train de faire, Marian.

Mais les gardes étaient tous un peu occupés en cet instant, de sorte que personne ne tint du tout compte de lui pendant que moi, je continuais à grimper.

— Espèce de salope, traîtresse ! hurla-t-il alors. Maudite menteuse !

— Tu savais que j'étais une salope et une menteuse quand tu m'as épousée, Guy, lui répondis-je en riant. C'est ta faute si tu as accepté.

Puis, atteignant les poutres les muscles brûlants, je restai accrochée à la pièce de bois un long moment en essayant de respirer, en essayant de calmer par la force la douleur qui me palpitait dans l'épaule, la joue, mon corps tout entier. Je cherchai ensuite John du regard tandis que j'étais suspendue là-haut. Il me fallut quelques précieuses secondes pour le trouver.

Je le vis la tête serrée tout contre celle de Gisbourne, tous deux se tordant comme s'ils ne faisaient qu'un, revolant de tous côtés, puis trouvant un pouce d'espace, John décocha un coup maladroit dans la figure cruelle de Gisbourne.

Celui-ci se retrouva alors par terre aux pieds de John qui s'agenouilla pour saisir son épée. Il se leva ensuite, du métal scintillant à la main, prêt à faire de moi une veuve.

Mais il ne le fit point. Il leva plutôt brusquement la tête et, quand il me vit sur la poutre, il resta simplement figé sur place.

Un accès de panique me traversa alors de part en part.

— JOHN, FAIS QUELQUE CHOSE! criai-je, mais il ne pouvait m'entendre.

Juste à ce moment, le shérif sortit de la foule derrière John vers lequel il se dirigea, l'épée dressée, avec un horrible sourire aux lèvres, comme un loup dans un combat.

Je hurlai en pointant du doigt, mais John ne pouvait toujours point m'entendre. Cependant, il me vit pointer du doigt. Son visage se froissa comme s'il était plutôt perplexe tandis que le shérif se rapprochait.

Mes pieds étaient déjà en train de courir sur la poutre avant que je sache ce que j'allais faire, mais il n'y avait aucun moyen d'arriver jusqu'à lui. Cette bataille n'en était pas une où j'avais ma place. J'étais donc sur le point de voir mourir mon ami.

Le pied du shérif frappa le sol, et j'eus l'impression qu'il se déplaçait au ralenti, comme si c'était mis en scène de manière à ce que je puisse voir chacun de ses gestes, de ses mouvements. Puis, son épée s'abattit sur le cou de John alors que celui-ci était à peine en train de se retourner. À cette vue, je criai de nouveau, je criai et criai encore.

Mais jamais la lame ne l'entama. L'épée revola en scintillant dans les airs tandis que le shérif était balayé sur le côté. Les hommes se jetèrent sur lui comme un raz-de-marée. Je pus voir James Mason à leur tête en train de le clouer au sol. Puis, quelqu'un tira son menton vers l'arrière. Mason n'attendit qu'un instant avant de faire fleurir le cou du shérif de roses rouges, y traçant la même coupure que celui-ci avait tracée sur le cou de Ravenna. Le sang lui coula le long du cou en s'égouttant par terre. Du plafond, on aurait dit une grosse flaque dans laquelle le sang de Ravenna et celui du shérif se mélangeaient, mariés dans une horrible vérité tandis qu'ils étaient morts côte à côte.

James Mason avait vengé sa fille, même si c'était à cause de ses horribles arrangements qu'elle s'était retrouvée dans ce mariage. Ce n'était pas comme si nos problèmes étaient terminés, mais, en ce jour, les villageois, et pas seulement Rob et mes compagnons, s'étaient levés pour combattre l'inondation.

Même si la vague de mal, de souffrance et d'injustice allait de nouveau se déchaîner sur nous, au moins, cette fois, elle avait été repoussée. Ça, c'était déjà plus que tout ce que nous avions fait.

Gisbourne se releva, et John se remit à se battre avec lui, se déplaçant à la vitesse de l'éclair de manière à ce que personne ne puisse s'en mêler. Ils se déplacèrent en cercle tout en se battant pendant que j'étais toujours suspendue à la poutre. D'une part, je pensais que j'aurais dû être en train de me battre aux côtés de John, mais, d'autre part, j'avais la plus mauvaise opinion de cette idée, de sorte que je restai suspendue là-haut, sans bouger.

Venant de l'extérieur, j'entendis un bruit, comme un coup de tonnerre qui me coupa le souffle tandis que les poutres étaient secouées. L'une d'elles se cassa, se détachant d'un côté avant de s'écraser par terre. Alors, tout le bâtiment se mit à vaciller, et je détalai comme si j'avais le feu aux trousses. Le toit étant constitué d'épaisses couches de chaume de sorte que, tout en m'accrochant à la poutre, je me mis à m'y frayer un chemin à coups de pied, pour ensuite courir le long du bord du toit jusqu'à la muraille du château. Tout mon corps était douloureux, me brûlait, mais il n'était pas question de m'arrêter tant que je n'avais pas revu Robin.

Ayant atteint la muraille extérieure du château, je l'escaladai rapidement, à bout de souffle. Puis, je me laissai glisser tout en bas avant de partir en courant dans la forêt. Mon cœur battait plus fort que jamais je ne l'avais entendu. Je ne savais point quel chemin ils avaient pris pour se rendre à la caverne aussi fallut-il longtemps avant que j'entendisse des feuilles écrasées par des pas. Je courus donc plus vite tout en sentant que des larmes me venaient aux yeux tandis que mon cœur, au lieu de battre, se mettait à palpiter.

J'aperçus leurs formes devant moi, petit et délicat dans le cas de Much, grand et mince dans celui de Godfrey. La dernière forme, celle qui était toute pour moi, s'appuyait un peu contre ce dernier.

— Robin ! criai-je alors.

Il se retourna en s'écartant de Godfrey tandis que j'arrivais vers lui. Je me jetai alors sur lui et nous fis tomber à terre. Je m'accrochai fermement à lui en sanglotant contre sa poitrine. Je sentis le sang chaud de son dos sur mes mains, mais je le laissai nettoyer ma peau tout en attirant sa masse sur moi pour que son dos ne soit pas à même la terre. Peu m'importait, même si je savais à quel point nous souffrions tous les deux.

J'entendis alors un son rauque, pour ensuite sentir de l'eau sur mon cou.

— Scar, dis-moi que tu ne l'as pas épousé, murmura-t-il.

— Il le fallait, gémis-je, je lui ai donné ma parole.

— Mais tu es ici.

— Et mariée ou non, lui dis-je en hochant la tête, je ne te quitterai jamais plus, Rob.

Il frotta son nez contre mon cou, puis contre ma joue droite.

— Tu es mariée, Scar.

— Je sais, lui répondis-je en ayant de nouveau les larmes aux yeux.

— Avec lui.

Je hochai la tête tout en sanglotant.

Il appuya alors son visage contre le mien, contre mon sang et tout.

— Laisse-moi guérir un peu. Puis, nous verrons s'il est possible de réduire un peu le « tant que vous vivrez tous deux ».

J'éclatai d'un petit rire larmoyant, puis je me redressai en l'entraînant avec moi. Je pressai alors les mains contre son cœur, et il posa les siennes sur le mien.

— Ces yeux, murmura-t-il en dégageant mon visage de mes cheveux tout en faisant attention d'éviter la nouvelle plaie sur ma joue.

— Viens, Robin des Bois, je vais te guérir aussi vite que je le pourrai, lui dis-je en lui prenant la main pour que nous nous levions tous les deux.

— Dès qu'on t'aura fait des points de suture, me rappela Much.

Robin s'appuya lourdement contre moi, puis je regardai Much et Godfrey. Je les avais complètement oubliés, mais eux ne faisaient que nous fixer du regard, aussi sentis-je mes joues rougir. Sous le sang, tout au moins.

— J'ai senti la secousse. Quelle partie du château s'est-elle écroulée?

— Ce n'était pas bien difficile, me répondit Much en souriant. Avec tout ce qui se passait, ils n'ont jamais remarqué ni la corde ni la mèche. Mais je dois te dire qu'il a fallu plus de temps pour qu'elle brûle que je ne le pensais. Je croyais qu'ils l'avaient trouvée ou coupée, puis j'ai senti l'explosion et j'ai vu Robin.

— Quels ont été les résultats? demanda Robin.

— La plus grande partie de l'enceinte intermédiaire s'est écroulée, lui répondit Much. Mais que s'est-il passé dans la salle?

— John est toujours en train de s'y battre, mais il m'a dit de partir. Le shérif est mort.

— Mort? me demanda Much, le visage triste. Mon Dieu, mon Dieu, on nous en enverra simplement un autre, n'est-ce pas? Pire, probablement!

La bouche de Robin remua avant qu'il ne prenne la parole.

— Ce poste ne peut jamais être vacant. De plus, il est vrai que nous n'avons aucun moyen de savoir qui le prince John nommera, mais c'est tout de même quelque chose. Nous avions besoin de temps. Pour le moment, le peuple — leurs maisons, leurs enfants, leurs vies même — est en sécurité, dit-il avant de fermer les yeux en s'affaissant contre moi. Pour l'instant, c'est plus que suffisant.

Much avança, le regard plein d'inquiétude.

— Maintenant, il faut qu'on vous ramène à la caverne, tous les deux.

Rob hocha la tête, puis se mit en marche, mais Godfrey hésita.

— Je ne peux… Je ne peux retourner chez mon père. Pas après qu'il a accepté ce mariage, qu'il l'a laissée mourir, dit-il en fermant les yeux comme si le simple fait de prononcer ces mots lui faisait mal. Je ne sais pas ce que je peux vous offrir, d'autant plus que je sais qu'après ce que j'ai fait vous ne me ferez pas confiance, mais…

Il s'interrompit, comme si on lui avait coupé la langue.

Je me dégageai alors doucement de l'épaule de Robin après m'être assurée qu'il pouvait tenir debout de lui-même, puis je me dirigeai jusqu'à Godfrey.

— C'est ton père qui a tué le shérif, dis-je en lui touchant la main.

À ces mots, son visage se tordit presque comme s'il gardait quelque chose derrière.

— Nous avons confiance en toi, Godfrey. Tu es l'un de nous, maintenant, tu le seras toujours.

— Elle m'a dit que tu as essayé de la faire sortir, me répondit-il alors doucement tandis que sa voix se cassait comme une brindille. Mais elle… elle voulait rester.

Je hochai la tête.

— Mon Dieu, je suis désolé de t'avoir frappée.

— Je sais. Viens, tu as besoin de te reposer. On a tous besoin d'un peu de soins.

Je retournai vers Rob, me glissant de nouveau sous son bras. Il m'embrassa alors sur le côté du front, ce qui provoqua en moi un accès de chaleur qui me traversa la tête, tout le corps, avant de se glisser autour de mon épaule blessée comme pour la guérir.

—ɱ—

— Je vais d'abord te recoudre, Scar, me dit Much tandis que nous arrivions à la caverne. Ton épaule doit être dans un état horrible, et ta joue n'a guère l'air mieux.

Je m'écartai et m'accrochai à Robin.

— Pas question. La torture, très peu pour moi.

— Je vais m'occuper d'elle, Much, lui répondit alors Rob avant de me dire doucement dans l'oreille : à partir de maintenant, personne d'autre que moi ne te verra sans ta chemise, Scar.

Je levai les yeux au ciel, mais en fait, je ne voulais être vue que de lui.

— Allez, viens, lui dis-je alors en le conduisant dans la caverne. Commençons par te retirer ta chemise.

Cela le fit rire, mais il s'appuyait lourdement contre moi, ce qui me fit peur.

— John! cria alors Much.

Nous nous retournâmes pour voir John arriver au camp en courant, tout ensanglanté, plein de bosses, avec sur les lèvres un grand sourire idiot. Robin vacilla un peu en avant en se balançant sur ses pieds.

— Que s'est-il passé? demandai-je.

— Gisbourne s'est enfui, répondit-il en poussant son pouce sur sa lèvre déchirée. Mais je lui ai soit cassé le bras, soit démis l'épaule. D'une manière ou d'une autre, il ne portera pas une épée pour un bon moment. La plus grande partie de la salle s'est écroulée au bout d'une minute, alors on a dû en faire sortir les gens.

Le visage de Robin se tordit. Tout en perdant son sourire, John le regarda.

— Toi, ça va, Rob?

— Il ira mieux bientôt, lui répondis-je en serrant Rob davantage.

John hocha la tête en me regardant, mais je me déplaçai pour ne plus avoir son regard sur moi. J'emmenai plutôt Robin dans la caverne où je l'aidai à s'asseoir.

— Ne bouge pas, lui dis-je, je vais aller chercher les pansements.

Je retournai à l'extérieur où John se trouvait toujours, juste à l'entrée, les bras croisés. Un peu plus loin, Much et Godfrey allaient chercher notre petite réserve de nourriture.

— John, que s'est-il passé avec Gisbourne?

— Je te l'ai dit, il s'est enfui.

— Avant ça?

John me regarda alors tout droit en fixant mon visage.

— Quelque chose m'a distrait.

— Ce n'est pas moi qu'il faut regarder pour les distractions, je n'ai rien fait.

Son visage prit une expression triste et confuse.

— Si. J'allais le tuer quand je me suis dit qu'une fois qu'il serait mort, tu serais avec Rob, tu serais avec lui à jamais. Cette pensée était en moi, ça m'a complètement arrêté.

À ces mots, mon souffle se tarit dans ma poitrine tandis que ma peau rugissait de sang.

— Quoi?

— Après quoi le shérif est arrivé, me répondit-il après avoir dégluti, et l'occasion était passée. Je suis désolé, Scar.

Il s'éloigna alors de l'entrée de la caverne pour rejoindre Much et Godfrey en me laissant le regarder.

Tout en prenant les pansements, j'étais surtout traversée de colère tandis que je pensais aux paroles de cet idiot. Je n'en étais nullement certaine de ce que cela signifiait qu'il ne l'ait point tué, mais le fait de l'entendre ainsi — comme s'il voulait nous empêcher d'être ensemble? Pour cela, j'aurais pu le tuer.

Tout au moins jusqu'à ce que je retourne dans la caverne où je vis Rob, voûté, souffrant. Alors, toute autre pensée disparut de mon esprit, mon cœur se mit à battre d'une étrange manière, et la colère me quitta. Les paroles de John étaient sans importance, tout comme l'horrible anneau que j'avais au doigt. En pénétrant dans la caverne, de nouveau, cela me frappa de plein fouet : j'aimais Rob.

Je l'aimais. Mais il allait avoir sacrément intérêt à m'expliquer certaines choses.

— Viens, Godfrey, on va te faire découvrir Sherwood, entendis-je John lui dire. Pour que tu connaisses l'étendue de la forêt. Much, viens avec nous.

Cela me fit un peu rougir, mais j'étais heureuse d'avoir cette occasion d'être seule avec Rob après tout ce qui s'était passé.

Il faisait plus frais dans la caverne qu'à l'extérieur. On avait l'impression que tout avait été retiré, comme l'écorce d'une orange, et que c'était ce qu'il me restait : l'essentiel.

Je me dirigeai silencieusement derrière Rob, lui touchant le flanc avant de soulever le bord de sa chemise. Il hocha la tête, puis leva les bras pour me laisser la lui retirer. Elle était noire de sang. Des centaines de trous perçaient son dos, rouges, saignant, suintant, et certains avaient déjà l'air infectés.

— Mon Dieu, Rob, je peux te nettoyer le dos maintenant, mais je devrai aller chercher un cataplasme chez les moines.

Il hocha la tête, son corps se détendant un peu, tout comme ses muscles. Je me mis alors au travail, prenant un peu de notre eau ainsi que ce qui nous restait de mousseline pour nettoyer tout ce sang, retirer la poussière et la crasse de la prison. Puis, je fis un feu pour réchauffer un peu d'eau. Elle était déjà chaude quand j'eus fini de le nettoyer une première fois, mais j'avais les mains qui tremblaient un peu. Je fis tremper des pansements que je disposai ensuite sur la surface de ses blessures pour essayer d'ôter tout ce qui pouvait y être infecté ou enfoncé. Je restai sans mot dire, laissant mon cœur modérer son rythme de batteur tandis que le doute se glissait dans mes côtes.

Ensuite, je passai légèrement les doigts sur les pansements en les appuyant doucement tout en regardant le derrière de sa tête.

— C'est le moment du jugement dernier, Rob, lui dis-je alors doucement. Que voulais-tu dire, au château ?

Les muscles de ses épaules se contractèrent comme s'il essayait de bouger ou de se tourner, mais je lui touchai le dos pour qu'il restât immobile, peut-être aussi pour que son visage ne soit pas tourné vers moi quand je poursuivis, je n'étais point sûre.

— Je sais… je sais que tu pensais que j'y mourrais, que tu pensais que tu avais échoué, que tu pensais toutes sortes de choses fausses. Je ne serais pas meurtrière, si tu ne pensais pas ce que tu m'as dit.

C'était un mensonge. S'il ne le pensait pas… Je ne savais pas au juste ce que je ferais. Peut-être rejoindrais-je Gisbourne pour qu'il finisse son sale boulot.

— Scar, si tu n'as pas l'intention de me laisser bouger, tu pourrais au moins te mettre où je peux te voir, me répondit-il d'une voix horriblement dure.

Lentement, avec précaution, je me plaçai en face de lui, le dos au feu de manière à ce que toute sa lumière dansante brillât sur son visage. Il me prit alors la main, tirant mes doigts pour que je ne serre plus le poing avant de les lier aux siens.

— Mon Dieu, Scar, me dit-il avant de pousser un grand soupir, et de me serrer la main. Tu as tout changé, tout. Ce jour-là, au marché de Londres, tu ne sais pas comment était ma vie avant cela, quand je suis revenu seulement pour découvrir qu'il ne restait plus rien. Je n'avais plus rien, je n'avais plus d'âme. Alors, tu es apparue avec tes yeux magiques, et tu as tout changé.

En entendant ces paroles, tous mes maux s'envolèrent de mes os, mais je restai immobile comme un pilori.

— Mais… tu me détestes.

Il soupira de nouveau, puis son regard croisa le mien. Les tempêtes ne s'y trouvaient plus, plutôt le genre de calme qui s'installe après que les vagues ont détruit un navire.

— C'est moi que je déteste. Je souhaiterais pouvoir ne rien ressentir, pouvoir protéger ces gens — *toi* — comme je le voudrais, mais je ne le peux pas, et je ne le fais pas. Ni lors de la Croisade ni au cours de toute ma vie…

Il s'interrompit, ses yeux se détournant des miens, sa main lâchant la mienne.

Au bout d'un moment, sa gorge tressaillit avec un son assez bruyant.

— Il y a tant de choses que je dois expier, tant de choses que j'ai mal faites. Si j'étais un homme meilleur, je t'aurais envoyée loin d'ici il y a longtemps, mais je ne l'ai pas fait, j'en suis incapable. Je souhaiterais pouvoir arrêter de penser à toi, Scar, arrêter de tenir à toi. Presque tous les jours, je souhaite ne jamais t'avoir rencontrée, car c'est une torture, dit-il avant de tousser d'une manière qui avait presque l'air d'un rire. Davantage, tu sais, que la torture physique.

Je restai silencieuse un moment tout en me mordillant la lèvre.

— Tu m'as traitée de putain, Rob, tu m'as dit des choses horribles.

— Ah, me répondit-il alors tout en me reprenant la main pour me la serrer fort. Te faire du mal, c'est le meilleur moyen que je connaisse pour me punir. De plus, en dépit du fait que je n'en suis pas fier, je ne peux pas vraiment me contrôler quand je te vois regarder John, ou Jenny Percy, ajouta-t-il avec un petit rire.

— Mon Dieu, tu es un garçon stupide, dis-je alors en remuant la tête.

— Mais toi, tu ne m'as toujours pas dit ce que je veux entendre.

Je croisai son regard.

— Que veux-tu entendre?

— Je suis fou de seulement penser à toi, dit-il en baissant la tête. Si tu es avec John…

— Es-tu idiot? lui répondis-je alors en esquissant un sourire. Bien sûr. Je ne suis pas le genre de fille que tu devrais avoir, le genre que tu mérites, lui dis-je en pressant la bouche contre ses jointures. Mais tapi en toi est le seul endroit où mon cœur se soit jamais senti chez lui. De plus, je n'ai jamais été avec John, ajoutai-je sans pouvoir réprimer un sourire.

Ses doigts se délièrent alors des miens, mais avant que je puisse pleurer leur perte, il glissa sa main tremblante sur ma joue.

— Scar, je vais garder ton cœur, murmura-t-il, si tu gardes le mien.

Je hochai la tête. Avec un peu de timidité, je touchai son visage, parcourant une contusion sur sa joue. Il me laissa faire tout en fermant les yeux, puis retira ses mains de mon visage tandis que je le touchais.

— Gisbourne ne cessera pas de me rechercher, même avec le shérif parti.

— Tu ne dois jamais retourner à lui, Scar, s'écria-t-il alors en m'agrippant le genou. Tu le sais, n'est-ce pas ?

— Oui.

— Il n'aura plus la partie facile, maintenant, me dit-il après avoir hoché la tête. Il faudra un certain temps avant que le nouveau shérif soit nommé. En attendant, les terres retournent au roi Richard — donc, aux soins du prince John pendant qu'il est parti. Maintenant, Gisbourne n'a plus aucune autorité ici. Ensuite, quand un nouveau shérif sera nommé, ils devront d'abord rebâtir le donjon. On a du temps.

Soudain, il gémit, et mes lèvres se tordirent.

— Veux-tu te reposer ? lui demandai-je.

Rob hocha la tête. Je l'aidai alors à s'allonger sur sa paillasse près du feu. Puis, en me rapprochant de lui, je restai là, incertaine, penchée sur lui. Le faire m'intimidait un peu, mais je l'embrassai sur la joue.

Il me saisit alors la main pour me tirer plus près de lui avant que je m'éloigne.

— Reste ici, me dit-il. S'il te plaît.

— Je ne m'en irai pas, lui répondis-je.

Il me tira de nouveau la main.

— Reste *ici*, répéta-t-il en me la tirant encore jusqu'à ce que je sois contre lui.

Alors, il serra mes hanches contre les siennes, mon dos contre sa poitrine avant de me serrer fort contre lui. Sa respiration soufflait dans mes cheveux tandis que tout mon corps était traversé de frissons.

— Nous allons continuer le combat, lui dis-je alors en lui pressant la main. Pour le peuple, pour toi et pour moi.

— Un jour, nous serons tous libres.

Je soupirai en regardant les langues de feu qui scintillaient.

— Ou bien nous serons morts. Encore que je suppose que c'est un genre de liberté.

Il lia de nouveau ses doigts aux miens. Ça semblait être comme ça qu'il préférait ma main, comme si nous pouvions nous lier tous les deux aussi facilement que des doigts en train de tresser.

— Scar, essayons de ne pas être aussi libres que ça.

Puis, il resta silencieux un moment, le nez contre ma tête.

— Devrais-je t'appeler Marian, maintenant ?

— Je ne suis pas sûre, lui répondis-je en soupirant. Je n'ai jamais voulu être Marian, mais ce n'est pas aussi simple que de dire que jamais je ne l'ai été, ou que tout ce que je suis, c'est Scarlet.

— Peut-être t'appellerai-je Lady Gisbourne.

— Tu peux essayer, pour voir combien de temps tu survivras.

Il me serra alors plus fort. Je pris une inspiration tout en laissant mes épaules se lover contre lui. Puis, son souffle ralentit, devint régulier, pour ensuite se communiquer à ma poitrine jusqu'à ce que je respire comme lui. J'étais pleine de coupures, on m'avait tabassée, mais en lui tenant la main, dans les profondeurs de Sherwood, même en étant une femme mariée, jamais je ne m'étais sentie aussi en sécurité, aussi libre.

À PROPOS DE L'AUTEURE

A. C. GAUGHEN, un oiseau de nuit sans complexe, écrit à la pige, et elle est complètement folle de ses deux golden-doodles. Après avoir vécu plusieurs années dans la beauté sauvage de l'Écosse, A. C. est retournée à ses racines, à Boston. *Scarlet* est son premier roman.

www.acgaughen.com

NOTE DE L'AUTEURE

Pourquoi raconter de nouveau l'histoire de Robin des Bois quand il existe déjà tant de versions et d'interprétations de sa légende ? Que ce soit les nombreux livres, les émissions de télé, les films, il y a déjà tant de matière sur le marché. C'est pourtant une histoire que presque chaque génération raconte de nouveau.

C'est mon amour pour Robin des Bois qui m'a forcée à écrire *Scarlet*. Il m'a toujours fascinée, autant par la souffrance qu'il a dû supporter que par sa force, mais surtout parce qu'il se montrait coriace pour le bien des gens qu'il aimait, et fort grâce à leur amour. Voilà ce qu'il y avait de mieux. Mon Robin est peut-être un peu plus jeune et d'humeur plus changeante que les autres, mais il n'y avait rien d'autre que je pouvais changer chez lui, ayant adoré chacun des détails croustillants que j'ai pu amasser au sujet de cette légende classique.

Rien de bien définitif n'est connu à son sujet. Certains historiens pensent qu'il a dû être un hors-la-loi du XIIe siècle, tandis que d'autres affirment plutôt que c'était un nom attribué à plusieurs brigands durant le Moyen-Âge. La plupart des légendes le situent dans la forêt de Sherwood, mais il y a des références historiques à plusieurs régions de l'Angleterre. Cependant, aucun historien n'est d'accord pour identifier qui que ce soit comme ayant été Robin des Bois. Aussi, si vraiment il a existé, les historiens pensent qu'il a pu vivre n'importe quand pendant une période d'environ 200 ans, du XIIe au XIVe siècle. Si son titre, son histoire et sa philosophie varient tous de manière importante, une chose ne change jamais : il vole aux riches pour donner aux pauvres.

Qu'il ait participé à l'une des Croisades ou non, son histoire a typiquement lieu à l'époque du roi Richard Ier, au moment où l'Angleterre avait un roi héroïque qui n'était jamais chez lui pendant que son frère John, plein de jalousie, était celui auquel il revenait de diriger le pays. Cela concorde particulièrement bien, car ce dernier imposa lourdement le peuple anglais afin de payer la rançon du roi à la fin de la Croisade (il avait été fait prisonnier par un duc autrichien qui, à dire vrai, empira son sort alors qu'il était déjà bien sombre, mais c'est une autre histoire), même si John ne voulait pas vraiment que le roi revienne au pays. J'ai beaucoup réfléchi au genre de dirigeant que devait être John pour déployer un environnement dans lequel Robin des Bois a pu exister. Il ne fut peut-être pas directement impliqué dans l'histoire de Scarlet, mais il fut bien la cause de la détérioration des conditions de vie du Nottinghamshire.

Au cours des 100 dernières années, la plupart des versions de Robin des Bois ont présenté un hors-la-loi, en général un ancien noble habitant la forêt de Sherwood. Pour ce qui est des personnages, il y a une certaine marge de manœuvre (petit John, Will Scarlet, le frère Tuck, Much, Allan A Dale, pour ne nommer que ceux-là). Tout comme chaque version fait des choix et propose des interprétations, ainsi ai-je fait. Traditionnellement, les versions présentent le frère Tuck comme un moine ivrogne, petit John comme un bûcheron musclé, Much, le fils du meunier, est le villageois typique, et Will Scarlet, l'ami le plus intime de Robin.

De plus, Will Scarlet est toujours représenté avec ses couteaux, étant généralement vêtu de rouge, et souvent décrit comme étant d'humeur changeante ou le plus mystérieux de la bande. J'ai apporté à chacun de ces personnages mes propres modifications afin de pouvoir mieux rendre l'une des manières par lesquelles l'histoire de Robin aurait pu commencer. Tuck est ainsi un tavernier un peu ivrogne, petit John est toujours musclé, mais il a un cœur sous ses dehors de séducteur. Much, quant à lui, est — je l'espère — plus complexe, tout en étant tout de même celui qui est le plus à sa place parmi les villageois. Et puis, il y a Scarlet — mystérieuse, d'humeur changeante, et douée avec les couteaux. Il est manifeste qu'elle est liée avec ce qu'il nous est resté de Will Scarlet, tout en étant complètement différente. D'autres personnages, tel Allan A Dale, ne figurent pas dans *Scarlet* parce qu'au moment de mon histoire, Rob est toujours un jeune homme et a rencontré peu de gens, exception faite des villageois et de ceux avec lesquels il a participé à la Croisade. Cependant, John et Much sont — pour utiliser une terminologie moderne — ses « hommes ».

Je me suis aussi permis de modifier le reste de l'histoire, les ballades et les interprétations qui m'ont précédée — surtout en ce qui concerne Marian et, par procuration, ma chère Scarlet. En lisant les histoires, en regardant les films, Marian m'a toujours paru étrange, car, même si j'avais le béguin pour Robin, je ne pouvais jamais me reconnaître en elle, avec ses yeux de biche, toujours en train d'attendre d'être secourue, ce à quoi je ne pouvais pas tout à fait m'identifier. Elle n'était pas non plus vraiment ce que Robin méritait. Allons, une petite minaudière pour l'élégant, brave et angoissé Robin des Bois ? Pour moi, le grand amour, c'est trouver quelqu'un qui, non seulement constate et accepte ce qui nous ronge, mais aussi est prêt à se lever et à combattre quand on perd pied, ce que Marian n'aurait pu faire pour Robin, contrairement à Scarlet.

Cela m'amusait de penser que l'histoire pourrait avoir été réécrite et une fille nommée Scarlet, avoir été transformée en Will Scarlet — l'un des joyeux compagnons de Robin des Bois. J'aime concevoir l'histoire comme un très long jeu du téléphone au bout duquel le message n'est jamais exactement ou même pas du tout le même qu'au commencement. Ainsi, tandis que les légendes et les ballades étaient transmises — d'autant plus qu'il y a une longue tradition de suppression des femmes dans l'histoire, de même qu'une incapacité à croire qu'une simple fille aurait pu faire ce que fait Scarlet —, les gens ont entendu la mauvaise histoire tout en continuant de transmettre leurs versions modifiées.

Est-il possible que Will Scarlet ait été une fille ? Absolument. Comme je le disais, il n'y a presque aucun fait historique, et la légende a pris forme à partir des ballades qui étaient racontées et qui se transformaient plusieurs fois au cours d'une journée et encore davantage au cours des siècles. De plus, des femmes comme Aliénor d'Aquitaine sont la preuve qu'au Moyen-Âge, les femmes pouvaient être intelligentes et coriaces, et incroyablement futées. Alors, pourquoi Scarlet n'aurait-elle pas vraiment existé ?

Il y aura toujours des gens qui penseront qu'une femme — en particulier une jeune femme — est incapable de faire ce qu'elle croit pouvoir faire. Pas moi. Si l'histoire me laisse une

place où les femmes fortes (et, c'est vrai, parfois incroyablement grognonnes) peuvent exister, alors c'est avec plaisir que
je la remue et commence à y apporter certaines révisions.

Ne manquez pas la suite

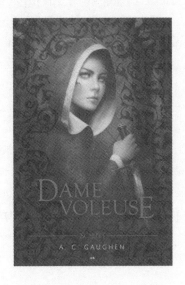

CHAPITRE 1

L e feu crépitait, les braises mourantes flamboyant et se
refroidissant en un instant. Je regardai alors la noirceur
froide se faufiler sur l'orangé. Le feu s'éteignait.

Le froid ne m'avait jamais beaucoup inquiétée. Nous
dormions dans le chauffoir du monastère, de sorte qu'avec
de nombreuses couvertures et un feu bien entretenu, le corps
ne devenait jamais trop froid. Le plus près du feu, je pouvais

voir Much, la tête contre ses genoux, son corps en boule. Le bras auquel il lui manquait la main était serré contre lui comme s'il essayait de protéger ce qui lui avait été retiré il y a si longtemps. Le plus loin du feu, John était vautré, à plat sur le dos comme s'il s'était écroulé ivre mort. Aucune des batailles, aucun des combats ou des épreuves ne semblaient l'atteindre durablement comme c'était le cas pour nous.

Rob était couché à côté de moi ; toujours si près, toujours si loin. Maintenant, il dormait sur le ventre, ce qu'il n'avait jamais fait auparavant. Il ne s'était écoulé que quelques mois depuis que le shérif, mort à présent, l'avait torturé en l'allongeant sur une planche hérissée de pointes jusqu'à ce qu'elles transpercent sa peau en la déchirant. Les trous de son dos avaient mis du temps à guérir, et les souffrances et les infections qu'elles lui avaient causées allaient bien plus loin que sur sa peau.

Les braises devinrent noires, puis des rais de gris commencèrent à émerger jusqu'à ce que la lumière diminue complètement pour disparaître de la salle.

Je n'avais aucun moyen de savoir quand cela allait arriver, mais ça arriverait. En effet, peu de nuits étaient reposantes depuis que les neiges nous avaient contraints à trouver refuge au monastère.

Les sons vinrent les premiers — de légers bruissements, puis des bruits sourds, des halètements étouffés. Je fermai les yeux pour les faire disparaître.

Au premier cri, je me redressai et me rapprochai. Mon cœur était trop gros pour ma poitrine oppressée, chaude et douloureuse. Je sentis les larmes me venir aux yeux.

— Rob, murmurai-je tout en ayant peur de le toucher.

Il poussa un hurlement.

Je pinçai les lèvres, ravalai ma frayeur et je lui touchai la tête, lui caressai les cheveux tout en souhaitant que chaque contact de mes doigts, comme un sort, puisse faire croître la paix en lui.

Ses grandes épaules se détendirent, puis il prit une inspiration, en étant toujours endormi.

Ma poitrine ne me paraissait plus aussi contractée, mais mes larmes n'étaient pas bien loin. Je m'allongeai à ses côtés tout en continuant de passer les doigts dans sa chevelure blond cendré avant de pousser ma tête contre la sienne.

La respiration et le sommeil venaient maintenant plus facilement, mes yeux commençaient même à se fermer. Impavide, je les laissai donc faire. Cette nuit ne serait point l'une des mauvaises.

—m—

Je ne savais si c'était une seconde ou plus d'une heure plus tard, mais je fus réveillée par Rob en train de me repousser brutalement. Je roulai sur la pierre et, un instant plus tard, il était sur moi, les mains serrées autour de ma gorge.

Dans le noir, je ne pouvais le distinguer, je ne pouvais voir l'océan de ses yeux. Ça se rapprochait cependant trop de mes cauchemars sur Gisbourne. Je lui griffai les mains en essayant de crier, seulement pour produire un toussotement.

— Robin ! rugit John.

Je vis à peine ses bras d'acier passer autour du cou de Rob pour l'écarter de moi. Les mains de Rob me soulevèrent jusqu'à ce qu'il me lâche. Je tombai par terre avant que la salle ne s'emplisse de lumière après que Much eut allumé une bougie. Même dans la lueur jaune, son visage était assez blanc.

Des larmes coulaient sur mon visage, mais je les essuyai bien vite pour que Rob ne puisse s'en apercevoir.

Il s'affala contre le mur, la poitrine soulevée par sa respiration, les mains sur le visage. John se tenait devant lui pour l'empêcher de m'atteindre.

J'avançai à genoux, le contournai et m'agenouillai entre les jambes écartées de Rob.

— *Scarlet*, grogna John derrière moi.

Sans lui prêter attention, je repoussai les mains de Rob de son visage. Il était tout rouge, le regard furieux.

— Toi… murmura-t-il en m'agrippant la taille, me serrant si fort que ça me pinçait.

Sa tête tomba contre ma poitrine. Il respirait dans l'espace qui nous séparait comme si c'eût été le seul à contenir de l'air.

— Much, dis-je en me tournant un peu.

John et lui se contentaient de rester debout, pétrifiés, à nous regarder. Aucun de nous ne savait que faire pour lui.

— Donne-moi la bougie. Et retournez dormir.

Much m'obéit, mais John ne bougea pas.

Rob releva la tête, toujours contre moi.

— Je vais bien, dit-il à John d'une voix rauque. Je ne vais pas… Je ne représente aucun danger pour elle.

Ses doigts s'enfoncèrent dans ma chair, me donnant l'impression qu'il essayait de m'écraser, de me faire voler en éclats entre ses mains comme une coquille d'œuf, mais, un souffle plus tard, ses doigts étaient plus doux.

John hocha la tête, lentement, avec méfiance, tout en me regardant, le dos tourné à son couchage. Ce ne fut point

même un instant plus tard que les mains de Rob se déta-
chèrent de ma peau pour s'éloigner de moi.

Je restai immobile, comme avec quelque chose de pris
dans la gorge que je ne pouvais avaler. Il ne respirait plus
avec autant de difficulté, et j'en déduisis que ce devait être
bon signe.

De nouveau, ses mains me prirent les hanches, mais il ne
m'attira point près de lui comme je pensais qu'il le ferait
peut-être. Il me repoussa, m'écartant doucement de lui.

Ensuite, il se leva et, sans mot dire, se dirigea vers la
porte. Quand il l'ouvrit, le courant d'air froid qui envahit
la salle me fit l'effet d'une gifle.

John me regarda alors, mais moi, je me contentai d'enfiler mes bottes à toute vitesse, pour ensuite saisir quelques
affaires appartenant à Rob avant de sortir.

Rob était en train de traverser le cloître à grands pas, de
sorte que je dus courir pour le rattraper.

— Ne t'enfuis point de moi, lui dis-je sèchement en lançant ses bottes devant ses pieds nus.

— Ne pas m'enfuir ? grogna-t-il avant de se pencher
pour enfiler une botte avec hargne. J'aurais pu te tuer, Scar !
hurla-t-il.

Il enfila l'autre botte et resta plié en deux avant de
s'accroupir.

— J'aurais pu te tuer, répéta-t-il.

Je m'assis sur la pierre parsemée de neige et, appuyée
contre l'un des piliers de pierre de la voûte, j'étirai les jambes.

— Tu ne l'as point fait, lui dis-je en lui donnant sa cape.
Mets-la, ajoutai-je comme il la regardait. La colère te tient
chaud, mais ça ne t'empêchera point de tomber de nouveau
malade.

Les muscles de sa mâchoire se contractèrent.

— Je ne suis pas *tombé* malade, grogna-t-il en passant la cape autour de ses épaules avant de s'asseoir à même le sol en face de moi. J'ai été placé sur une planche sur laquelle il y avait des pointes et j'ai senti chacune d'entre elles s'enfoncer dans ma peau. Et on ne peut pas dire que ces trous béants ont vraiment bien guéri, n'est-ce pas ?

Mes jointures étaient en train de frotter ma joue avant même que je sache ce que je faisais. Après tout, il n'était point le seul sur qui Gisbourne et le shérif avaient laissé des marques. En effet, la nouvelle balafre que j'avais reçue pour avoir épousé Gisbourne et sauvé la vie de Rob était plus dure que la précédente, comme si quelque chose était enfoncé profondément en moi. De plus, elle était plus longue.

— Ils ne guérissent jamais.

— Je ne veux pas te voir dehors, finit-il par me répondre après avoir laissé passer un peu de temps.

— Si, tu le veux.

— Tu as besoin de dormir.

Je me contentai alors de pousser un soufflement de mépris.

— Tu vas geler, ajouta-t-il.

— J'aime le froid, lui répondis-je en serrant cependant ma cape plus près de moi.

Alors qu'il ouvrait la bouche pour tenter une nouvelle fois de se débarrasser de moi, je lui posai la question qui, je le savais, le ferait taire.

— Rob, à quoi rêves-tu ?

Il me lança un regard noir. Cependant, ses yeux se fermèrent en palpitant, puis il remua la tête.

J'appuyai ma jambe contre la sienne. Il poussa un long soupir, mais elle se détendit contre la mienne.

Nous ne dîmes plus mot. Nous restâmes en silence dans le cloître, incapables de dormir jusqu'à ce que nous soyons à demi gelés, jusqu'à ce que le soleil se lève et que les moines passent en silence. Je me demandai alors si Dieu faisait payer ses péchés à Rob, ou seulement les miens.

Nic

www.ada-inc.com
info@ada-inc.com

www.facebook.com/EditionsAdA

www.twitter.com/EditionsAdA